23

augustus

Sabine DE VOS

EEN ROMAN

augustus

LINKEROEVER
UITGEVERS

Liefste mama en vrouw,
Alles wat schoonheid was,
zat in jou....

Alle personages en verhalen in dit boek
zijn verzonnen en hebben geen uitstaans
met bestaande personen.

Meer info: www.sabinedevos.com

Omslagontwerp – Toni Mulder, Mulder-Van Meurs
Foto auteur: Anneke Coppens
Binnenwerk – Phaedra creative communications

Eerste druk, september 2009
Tweede druk, oktober 2009

ISBN 978 90 5720 329 9
NUR 301
D/2009/1676/20

Inhoud

Zaterdag 13 augustus 2005, 10.37

'Er is geen schrik. Meer.'

De contouren van de daken lijken door de hitte te zweven voor het raam. De lucht is zo helder dat alle kleur eruit weggetrokken is. Geen blad beweegt, geen geluid dringt door. De zomer slorpt gulzig alle leven op. Daarbuiten.

Jess ligt naar buiten te kijken. Ze weet dat ze nooit meer zon op haar huid zal voelen. Haar handen liggen stil op het spierwitte laken. Ze ademt zo zacht dat het laken haar borstkas nauwelijks beroert. De verpleegster heeft met gemaakte vrolijkheid de radio aangezet, maar geen woord dringt tot haar door. Van die voor haar onzinnig lijkende wereldse zaken heeft ze al afscheid genomen. Allang. Ze leeft enkel nog in de stilte van haar hoofd. En in een soort van verleden dat tegelijk nog onbekende toekomst is, wat vreemd genoeg heel vertrouwd aanvoelt. Er is geen schrik. Meer. In haar ogen is de toekomst maagdelijk wit, blij en vol verlangen. In de hemel gelooft ze al sinds haar elfde niet meer. Maar toch, nu het bijna zover is, dringt een soort abstract geloof ongemerkt haar zijn binnen. De morfine doet de rest en laat haar gedachten vrij meanderen. Jess valt door de morfine in een half comateuze slaap die verroeste kastdeuren in haar geheugen opent. Gedachten vliegen als te lang gekooide vogels onmiddellijk weg. Ze buitelen als kleurvlekken voor haar gesloten ogen. Een volgorde is er niet. Nu weer is ze acht, dan weer achttien, dan weer moeder van achtendertig. Elke logica in tijd is weg en het voelt alsof dat de enige waarheid is. Alsof de waarheid waarin ze eenenveertig jaar heeft geleefd, de leugen is. Alsof de ganse wereld in een illusie leeft en enkel zij inziet hoe belachelijk dat is. Tijd bestaat niet meer, dag en nacht hebben hun betekenis totaal verloren, slapen hoeft niet meer. Straks kan ze eeuwig uitrusten van het leven.

7

Maar de gedachtestroom eindigt steevast met hetzelfde beeld. Eén beeld dat gans haar leven gekleurd heeft, beïnvloed en achtervolgd. Zonder dat beeld zou haar leven anders geweest zijn, en vooral eerlijker. Dat zit haar dwars. En ze heeft hooguit nog een paar dagen.

Mensen komen in en uit als in een vertraagde, stomme film. Schimmen uit een bijna-verleden. Sommigen huilen, spreken haar met vermoeide stem moed in, strelen zacht haar hand en haar gezicht en zeggen onhandig hoe graag ze haar zien. Anderen weigeren de dood in de ogen te kijken en maken allerlei plannen waarvan ze diep vanbinnen best weten dat ze zonder haar zullen uitgevoerd worden. Met een ferme kus, een geurend boeket bloemen en in de auto eindeloos gerepeteerde vrolijkheid proberen ze tegen beter weten in de spoken weg te jagen, zonder te beseffen dat zij voor haar al de andere kant zijn geworden. Ze komen en gaan, komen en gaan, als in een perpetuum mobile. Gezichten vloeien in elkaar, stemmen blijven hangen voor ze haar bereiken, alle inhoud is vervaagd tot één wazige massa feiten die niet meer helemaal tot haar doordringen. Behalve als Penny en Nick komen.

'Dag mam.'

Onhandig staat Nick met zijn te lange armen voor haar bed met de typische frustratie van een puber van zestien die met zijn lijf geen raad weet. Zijn stoere pet en wilde haar kan de zachte blik in zijn lichtblauwe ogen niet verbergen, ook al kijkt hij zijn moeder niet aan. Hij wrijft over het laken, streelt gespeeld nonchalant haar hand, waarbij hij de trouwring van oma, die Jess nooit heeft willen uitdoen, om en om draait. Hij verlegt zijn gewicht ongedurig van de ene voet op de andere. Mocht hij in haar ogen kijken, hij zou genoeg liefde zien om de ganse wereld te omvatten. En de schaduw van een glimlach.

'Dag tijger', fluistert Jess nauwelijks hoorbaar. Met onmenselijke kracht tilt ze haar hand op en streelt zijn wang. Hij laat het

toe en trekt zijn pet dieper zodat ze zijn verdriet niet moet zien.
'Ga zitten en vertel. Komt Penny?'
Bruusk trekt Nick een stoel bij het bed. Hij kijkt schichtig
naar zijn moeder die hij liever ziet dan zichzelf en kucht luid
om de tranen in zijn keel weg te slikken. Nog tien dagen, zeggen de dokters, maximum. Als hij daaraan denkt, krimpt zijn
maag ineen en kan hij niet meer ademen. Het is een boze droom,
zegt hij wel duizend keer per dag, zoiets kan niet. Niet met
zijn moeder. Wees rustig, zeggen de dokters, praat met haar,
ontken de ernst van de situatie niet, laat haar het onderwerp
van gesprek maar kiezen, toon wat je voelt want zij voelt het
beter dan jij, lieg niet, ze weet dat ze aan het sterven is. Maar
wat de dokters ook zeggen, Nick hoopt, smeekt om een mi-
rakel. Zijn moeder die sterft, dat is onrealistisch. Zoals in een
film waarin een acteur doodgeschoten wordt en na de opname
gewoon weer opstaat. Zo zal het zijn. De dokters vergissen zich.
Vrouwen als zijn moeder sterven niet. Dat kan gewoonweg niet.
'Ze komt, straks, samen met Sam.'
Geen van beiden spreekt nog. Toch niet met woorden. Honderden onuitspreekbare gedachten gaan heen en weer zoals
op zo'n foto waarop je de kleuren van lichtjes uitgerekt ziet.
De stilte hangt in de kamer als een loodzwaar, gloeiend deken,
een stilte die iedereen die binnenkomt benauwt, maar Nick en
Jess voelen het niet. Ze zijn nog nooit zo dicht en tegelijkertijd
zo ver van elkaar verwijderd geweest. Buiten vliegt een koppel meeuwen loom weg. Samen kijken ze naar de daken die
zweven in de hitte.

Zaterdag 5 juni 1982, 17.15

Zomaar, omdat dat dingen zijn die je doet op die leeftijd.

Ze waren uitgeregend. Het weerbericht had die ochtend nochtans lenteweer voorspeld. Jess rilde in haar groenkatoenen bloes. Haar natuurlijke krullen waren door de zachte maar aanhoudende regen omgetoverd tot een hoogblonde variatie op het afrokapsel, wat ze haatte. Alle middelen waren goed om die krullen er uit te krijgen. En Marion zou er net alles voor geven om zo'n bos prachtige krullen te hebben. Zo gaat het altijd. Marions fijne, blonde haar plakte tegen haar hoofdhuid en haar eyeliner deed haar griezelig bleek lijken. Haar botten staken door haar wintervel. Wie naar Marion keek, had onbewust zin haar eten te geven. Ze moesten eens weten hoeveel ze nochtans eet en met welk plezier ze menukaarten uitpluist. Ook zij rilde.

'Kom dames! Snel naar de auto en laat ons in het eerste het beste café gaan schuilen', riep Jess terwijl ze plagerig met haar toch al natte witte tennisschoenen in de plassen sprong zodat het water Klara helemaal nat spatte. Mooie Klara, voor wie het leven een cadeau leek, altijd glimlachend, altijd paraat, altijd het juiste woord op het juiste moment. Het prototype van de perfecte vriendin. Beangstigend perfect, vond Jess soms. Alsof ze op een dag zou ontaarden, een gedachte waarvoor Jess zich telkens schaamde. Eigenlijk voelde ze zich nooit écht honderd procent veilig bij Klara, maar die straalde die vreemde aantrekkingskracht uit van mensen die energie hebben voor de rest van de planeet. Daar kreeg Jess dan weer niet genoeg van. Het was heel dubbel. Ze wist niet of Marion dat ook zo aanvoelde. Soms is niet alles bespreekbaar. Ze zagen er eerder uit als drie halfverzopen poezen dan als drie meisjes die die ochtend uren voor de spiegel hadden gestaan voor ze naar Brussel vertrokken, zomaar, omdat dat dingen zijn die je doet op die leeftijd.

Zonder doel, zonder plan maar met des te meer plezier. De straten van Brussel liepen leeg. De regen vormde de stad om tot een palet van grijs.

'Rij jij?' vroeg Klara en keek haar vriendin met een grote glimlach vragend aan. Ze hield de deur van de bestuurder open en bengelde met de sleutels voor haar neus. Klara was een rustige chauffeur die zelden haar auto uitleende. Jess twijfelde.

'Zou ik dat wel doen? Je weet...'

'...dat onze Jessie een bangerik is, ze durft gewoon niet! Ik denk dat ze het niet kan! Dat belooft voor dinsdag', lachte Marion. Ze schopte vrolijk halve plassen tegen de krakkemikkige Volvo van Klara. Het begon steeds harder te regenen. Op het voetpad haastten mensen zich beschut door paraplu's, kranten en plastic zakken ergens naartoe. Een andere auto stond al ongeduldig te wachten om hun parkeerplaats in te nemen.

'Nou schat, wat wordt het?'

Klara wachtte het antwoord van Jess niet af, gooide haar de sleutels toe en stapte achteraan in waar ze haar korte, dikke haardos schudde als een natte hond.

'Hé zeg, wil je je druppels wel eens bij je houden?' lachte Marion die twee keer moest proberen voor haar deur sloot. Jess besloot het erop te wagen. Ze ademde diep in, stapte resoluut langs de bestuurderskant in, draaide de contactsleutel om alsof ze niks anders gewoon was en gaf gas. Marion zette de radio loeihard en ze stoven luid zingend het grijsbetonnen, natte Brussel uit.

Nog steeds in opperbeste stemming namen ze drie kwartier later de afrit. Ze zouden in hun favoriete café nog iets gaan drinken. Daar zat altijd wel iemand die ze kenden. Het had de ganse rit door pijpenstelen geregend. Ze hadden zich vrolijk gemaakt over de andere job die de weervrouw toch maar beter zou zoeken, over hun plannen de komende weken, hun liefdesleven, hun profs van volgend jaar in de tweede kandidatuur rechten waarvan er één een weinig goeds belovende reputatie had naar vrouwelijke studentes toe. Iedereen passeerde de revue en kreeg de volle laag. Geen van de drie droeg een gordel. Jess ging vol zelfvertrouwen de scherpe bocht van de afrit in, luid meebrullend met *I can't take my eyes off you* van *The Boys Town Gang*. Op het einde van de afrit moest ze naar rechts. Zonder afremmen draaide ze... en botste met volle kracht op een prachtige Mercedes die helemaal aan het begin van de pechstrook geparkeerd stond. De Mercedes schoot wel drie meter vooruit, Marion bonkte met haar voorhoofd tegen de voorruit en Klara belandde tussen de twee voorste stoelen. De radio zweeg, geschokt. Er kwam rook uit de motorkap die er ook merkwaardig scheef uitzag. Jess was met haar hoofd hard tegen het stuur gebotst en voelde haar bovenlip bloeden. Ook haar oog zwol op en twee van haar nagels waren diep ingescheurd door krampachtig het stuur vast te houden. Zo bleek als was stapte ze met trillende benen uit. Ook Marion en Klara stapten uit en betasten zichzelf om de schade op te meten. Ze waren half in shock. Klara keek naar haar bijna twintig jaar oude Volvo die ze met het geld van vakantiejobs zelf had gekocht.

'Sorry Klara...' stamelde Jess, 'sorry, ik betaal alles, ik beloof het je, heel snel, ik... ik zag 'm gewoon niet... hij, hij staat hier ook écht wel héél slecht geparkeerd...'

'Bedoelt u dat het nog mijn schuld is ook?' sprak een diepe stem die vanachter de andere auto kwam. Pas dan volgde de man. Hij was bruin alsof hij net maanden in Afrika had gezeten, droeg een diep openhangend wit hemd, een jeans en een gleufhoed schuin op z'n hoofd. Een gleufhoed, wie draagt dat nu nog, dacht Jess onbewust. En hij moest zich dringend eens scheren. Hij zag er dertig uit. En niet echt boos, zag Jess direct. Ze had zich langzaam naar hem omgedraaid en stond hem met haar mond vol tanden aan te kijken. Vergeleken bij deze man zag haar meest recente lief, Peter, er als een koorknaapje uit.

'Mijn vader zal blij zijn', sprak hij nadrukkelijk terwijl hij hen alle drie doordringend aankeek. Het kostte Jess moeite die blik te doorstaan, hij leek sterk genoeg om rotsen te breken.

'Goed, perfect geparkeerd sta ik niet maar dat geeft u nog niet het recht mij langs achteren aan te rijden, ook niet op de pechstrook. Ik moest dringend. Ik hoop dat u verzekerd bent, mevrouw?'

De man ging rustig op de betonnen afsluiting van de snelweg zitten en stak een sigaret op. Hij leek de regen niet te voelen, ook al was zijn witte hemd binnen de kortste keren doorweekt. Hij monsterde de drie meisjes van kop tot teen. Jess probeerde stoer terug te kijken, wat allesbehalve lukte. Ze moest er wel uitzien als een idioot. Klara ondersteunde haar pijnlijke elleboog, Marion zocht een doekje om de wonde op haar hoofd te stelpen en Jess voelde gewoon niks. Het was alsof al haar zintuigen op scherp stonden maar toch niet meer functioneerden. Ze was verlamd van de schrik en vreselijk geïmponeerd, wat de man wist. Hij was niks anders gewoon.

Hij maakte aanstalten om één van de voorbijrijdende auto's aan te houden. Al zijn bewegingen waren kalm en gecontroleerd. Het leek wel of hij het helemaal niet erg vond.

'Wat gaat u doen?' vroeg Jess in paniek.

'Een auto doen stoppen en vragen om van ergens de politie te bellen. Zo gaat dat meestal als er een botsing gebeurt', zei hij smalend, alsof hij tegen een kleuter bezig was.

'Doet u dat alstublieft niet!' riep Jess in paniek. Ze rende naar hem toe, greep zijn arm en dacht dat haar hart uit haar lijf zou springen. Dit was een verschrikking. Ze kneep zo hard dat haar bloedende nagels afdrukken nalieten op zijn mouw. Als ze haar lippen likte voelde ze dat er ook bloed van haar voorhoofd droop.

'Nou, u ziet er fraai uit.'

Hij haalde een zakdoek uit zijn jeanszak en reikte hem haar aan. Jess depte zo goed en zo kwaad ze kon het bloed weg. Ook haar knie begon venijnig te kloppen. Haar gevoel kwam terug en dat zei haar dat ze diep in de miserie zat. Heel diep. Klara kwam erbij staan.

'Het zit zo, mijn vriendin hier, Jess... wel, zij...'

'Ik word over drie dagen pas achttien', flapte Jess er zelf uit. Ze verwachtte zich aan een scheldtirade maar die kwam niet. De man ging gewoon weer zitten, trok diep aan zijn sigaret en Jess zag tot haar grote verbijstering dat hij lachte. Hij lachte! Grinnikend kruiste hij de armen en keek haar spottend aan. 'Nou, dat ziet er niet goed uit. Dat gaat je hopen geld kosten. Heb je dat?'

'Nee meneer,' haperde Jess bedremmeld, 'ik studeer. Ik ben studente eerste kandidatuur rechten maar ik heb wel een vakantiejob deze zomer, dus ik kan alles wat ik daar verdien aan u geven', probeerde ze hoopvol, goed wetende dat dat lang niet voldoende zou zijn om de kosten aan de Mercedes te vergoeden. Klara kwam haar te hulp.

'En als we nu eens zeggen dat ik reed? Dan komt de verzekering toch tussen. Ik heb een rijbewijs en het is mijn auto.'

De man dacht na maar schudde vrij snel het hoofd.

'Zou kunnen, maar dat dekt alleen de schade aan mijn auto. Jullie zijn in fout en ik denk niet dat je een omniumverzekering hebt? Heb je al eens goed naar jouw auto gekeken?'

Klara draaide zich om en met z'n vieren stonden ze het gammele vehikel van Klara te bekijken. Er kwam nog wat rook van onder de motorkap, als een afscheidswolk. Jess zuchtte diep. Hoe moest ze dat oplossen. Haar vader kreeg een hartaanval als hij hoorde dat ze zonder rijbewijs had gereden. Hoe stom ook van haar! Niemand zei nog iets.

'Akkoord,' verbrak de man nog altijd in een opperbest humeur de stilte, 'we regelen dit zonder politie, maar jij daar – en hij wees naar Klara – schakelt de verzekering in om de schade aan mijn Mercedes te vergoeden. En dan zijn er nog de kosten aan de auto van je vriendin. Hoe ga je dat betalen?'

Jess was allang blij dat er geen politie aan te pas moest komen maar het beurde haar helemaal niet op, integendeel, de realiteit drong met de minuut beter tot haar door. Ze staarde naar de grond en moest zich vreselijk bedwingen om niet te gaan huilen. De man liet Jess met zijn ogen geen seconde los.

Hij liet met opzet de stilte even hangen voor hij ze zelf weer verbrak.

'Studente rechten, zeg je... klinkt goed. Luister, zeg die andere vakantiejob op en je komt deze zomer bij mij en mijn vader werken. Wij hebben een groot advocatenkantoor, gespecialiseerd in het optimaliseren van contracten voor grote import-exportfirma's. Ik betaal je meer dan je op dat ander werk krijgt en op het eind van de zomer zal je voldoende hebben om je vriendin te kunnen betalen. Nou?'

Jess keek hem aarzelend aan. Meende hij dat nu? Hij bleef maar kalm glimlachen en haar zonder knipperen aankijken. Marion kwam tussen.

'Maar Jess, je hebt toch al een contract getekend! Daar kan je toch niet meer onderuit? En het is een unieke kans, Weyens & Volckaert is een gereputeerd advocatenbureau. Denk na!'

Geamuseerd keek de man van Jess naar Marion. Hij zei niets. Jess ook niet.

'Kan je de twee niet doen?' zei Klara terwijl ze naar haar wrak stond te kijken, 'je vakantiejob is maar drie dagen per week toch? En nooit 's avonds of in het weekend. Daar gaat je zomer, dat wel.' Ze had haar auto Cherokee gedoopt omdat hij rood was. Daar hadden ze toen zo'n lol om gehad. Ze was boos op zichzelf, het was haar eigen stomme idee geweest om Jess te laten rijden. Met haar vakantiejob alleen zou die de kosten inderdaad nooit kunnen betalen, want studenten werken bijna voor niets. En Jess' vader viel nog liever dood dan daarvoor geld uit te geven. Dat wisten ze alledrie.

De man stond op, gooide z'n peuk tussen twee vingers weg en maakte aanstalten om te vertrekken. De drie keken hem ontredderd aan, gehavend, uitgeregend, hulpeloos. Het lot van Jess lag in zijn handen en hij leek daarvan te genieten. Voor hij instapte, vroeg hij: 'Wat is je nummer?' terwijl hij zijn deur opende en er nonchalant over leunde.

'09/45 76 28,' antwoordde Jess automatisch, 'en het adres is Karp...'

'Hoef ik niet, ik vind je wel. Dag dames. Wees voorzichtig deze keer.' En hij stapte zonder omkijken in en reed weg, de drie in opperste verstomming achterlatend. Zo bleven ze zeker nog minutenlang staan voor Klara tot bezinning kwam en nog natrillend op haar benen instapte. Cherokee deed het wonderwel nog, zij het sputterend en in een frustrerend traag tempo. Jess was doodsbang voor de reactie van haar vader. Hij kon heel choleriek zijn. Er werd nog weinig gezegd tijdens de rit. Alledrie waren ze verzonken in hun eigen gedachten. Brussel behoorde al tot een ver verleden.

Drie dagen later, op 8 juni, werd Jess achttien. Ze had haar moeder in vertrouwen verteld wat er gebeurd was en de twee hadden afgesproken niks aan haar vader te zeggen zolang het niet nodig was. Ze voelde zich schuldig toen hij haar een prachtige ketting cadeau deed, een gouden ketting van zijn moeder die gestorven was toen hij zestien was. Hij was het nooit echt te boven gekomen. Elke ochtend was het eerste wat hij deed de kaars doen branden op de schoorsteenmantel waar haar foto hing. Het cadeau betekende veel voor hem, dat wist Jess en ze voelde zich zijn vertrouwen onwaardig. Ze had niks meer van de gleufhoedman en het ongeluk vernomen, wat haar tegelijk geruststelde en schrik aanjaagde. Het stoorde haar dat hij niks meer van zich had laten horen, alsof ze niet belangrijk genoeg was. Of was hij haar nummer vergeten?
     Die avond zou ze gaan vieren met de vriendinnen, want Peter moest werken in de *Allay*, een jeugdkroeg. Jess was blij, ze kon niet verklaren waarom, maar ze wou haar achttiende verjaardag niet met hem doorbrengen. Ze had hem ook bewust gemeden sinds het ongeluk. Haar moeder kwam de tuin in met een gigantisch boeket witte rozen. Jess sprong overeind en rukte het bijna uit haar armen.
     'Die zullen wel van Peter zijn', opperde haar moeder, Maureen, nieuwsgierig. Haar grijsbruine lange golvende haar verstopte een intelligent, zacht gezicht met uitgesproken trekjes rond

haar kleine maar volle mond en diepliggende speurende donkerblauwe ogen, net als haar dochters. Ze was minstens een hoofd kleiner dan Jess en zoals zo vaak was ze gehuld in slordige tuinkleren. Mode interesseerde haar niks, tot woede soms van Gust, haar man. Als ze lachte, zag je de schim van de schoonheid die ze ooit was.

Er hing een envelopje aan de ruiker maar Maureen wachtte geduldig tot Jess het opende. Die scheurde het zo ongeduldig open dat het visitekaartje dat er in zat bijna gevierendeeld werd.

'Proficiat, nu mag je rijden', stond er op. 'PS, ik verwacht je op maandag 5 juli om negen uur stipt op ons kantoor om aan je afbetaling te beginnen. A.J.'

Haar moeder had achter haar schouders staan meelezen.

'Wie is A.J.? Is dat die man van het ongeluk? Vreemde naam, moet je dat nu op z'n Nederlands of Engels uitspreken? Wel heel vreemd dat hij je bloemen stuurt in plaats van een geperperde rekening, vind je niet? En 5 juli moet je toch om negen uur beginnen bij Weyens & Volckaert?'

Jess antwoordde niet maar liet het kaartje langzaam zakken. Ze stak haar neus diep in de rozen en ademde het parfum in. A.J., zo heette hij dus. Afkorting van? Zij sprak het op z'n Engels uit, dat klonk goed. Tot haar verbazing zag haar moeder dat ze wiegelend en neuriënd het huis in liep om een vaas te zoeken. Maureen fronste haar wenkbrauwen en keek haar dochter peinzend na.

Zaterdag 13 augustus 2005, 11.45

Het is meer een gevoel van voor altijd willen slapen.

Als de verpleegster binnenkomt om Jess een yoghurt te geven, staat Nick abrupt op. Zijn moeder zien voederen als een dier, dat kan hij niet aan. De verpleging moedigt hem aan het zelf te doen maar hij heeft het één keer geprobeerd en is de hele dag ziek geweest. Het verdriet sloeg zo op zijn maag dat hij in het bezoekerstoilet zijn ganse ontbijt heeft uitgekotst.

Hij gaat aan het raam staan en probeert wanhopig de smakkende geluiden niet te horen. Yoghurt is zowat het enige dat Jess nog kan binnenhouden. Alle behandelingen zijn stopgezet. Zo leeft ze al vier dagen, enkel op yoghurt en morfine. Haar huid is zo strak om haar gezicht gespannen dat ze bijna doorzichtig is. Haar ogen liggen diep in haar kassen, haar ooit zo mooie krullen hangen vaal en dun langs haar gezicht. Haar handen met de lange pianovingers en de amandelvormige nagels liggen stil op de smetteloze ziekenhuislakens. Zonder tegenstribbelen slikt Jess lepel na lepel yoghurt in, terwijl zowel de verpleegster als zijzelf weten dat het geen zin meer heeft. Maar je kan een mens niet zomaar laten creperen, dus spelen beiden het toneeltje mee terwijl de verpleegster honderduit praat over ditjes en datjes van andere patiënten, haar hond en de dyslexie van één van haar dochters.

Ze heet Jeanne. Ze heeft zo'n ondefinieerbaar figuur, zoals verpleegsters vaker hebben, seksloos. Alsof ze geboren zijn in dat uniform. Maar haar gezicht maakt veel goed. De tijd is wel niet mals geweest voor haar, maar heeft gelukkig vooral lachrimpels in haar vrij ronde gezicht geprent. Zelfs als haar mond niet lacht, lacht haar gezicht. Nochtans is ze pas vijfendertig. Haar lange asblonde paardenstaart herinnert aan het kleine meisje dat ze nooit helemaal heeft losgelaten. Haar ogen, mond en vrij grote neus zijn nogal morsig in haar gezicht geplaatst wat het ronder doet lijken dan het is. Mannen vinden haar vaak charmant en lief, nooit sexy. Je zou haar je leven en je kinderen toevertrouwen. Ieders favoriete tante, de sfeerbrenger op familiefeestjes en de steun en toeverlaat van haar afdeling.

Jeanne is een vrouw die graag leeft en liefst àl haar patiënten genezen naar huis ziet gaan. Nochtans geeft het werk op de palliatieve afdeling waar ze tien jaar geleden geplaatst is, haar veel voldoening. Telkens als een patiënt sterft, loopt ze wel een paar dagen niet zingend door de gang. Kanker is een gevaarlijk monster dat veel van haar patiënten van binnenuit opvreet. En ze herkent de tekenen. Ook deze patiënte zal ze moeten laten gaan. Ze geeft haar nog een week, maximum, ondanks wat de dokters zeggen. Zacht babbelt ze verder, met in haar ooghoek het beeld van de jongen die met afhangende schouders bij het raam staat en schijnbaar zonder gedachten naar buiten kijkt. Buiten, waar het gewone leven verdergaat terwijl het hierbinnen stilstaat. Ze weet wat hij denkt. Ze heeft de bezoekers in types ingedeeld in haar jarenlange ervaring.

Zo zijn er de gelegenheidsbezoekers. Die komen omdat ze vinden dat het moet. Die zijn het ergst, want ze zeggen de foute dingen, blijven veel te lang en laten haar patiënten doodmoe, opgebruikt en vaak innerlijk verscheurd achter.

Dan zijn er de meelevende bezoekers. Die hebben zich vooraf geïnformeerd over kanker, palliatieve zorgen, de wetgeving over wat met de kinderen na de dood van een alleenstaande moeder, en noem maar op. Ze vermoeien de patiënt, die daar allang niet meer mee bezig is, urenlang met hun weliswaar goedbedoelde maar o zo foute raadgevingen.

Dan zijn er de collega's. Mensen die de patiënt in bepaalde omstandigheden hebben gekend, maar privé nooit zijn doorgedrongen en dus meestal onwennig de kamer betreden, wanhopig een beleefdheidsgesprekje aanknopen over het werk en de andere collega's. Alsof de patiënt daar überhaupt nog mee bezig is, met het werk. Dat is de eerste interesse die verdwijnt als iemand de dood in de ogen heeft gekeken.

De moeilijkste zijn de bezoekers die een emotieve band hebben met de patiënt, zoals deze jongen. Jeanne ziet ze worstelen, met zichzelf, hun gevoelens, hun liefde voor de patiënt, maar ze kan ze niet helpen. Deze vrouw haar yoghurt geven neemt al veel meer tijd in beslag dan ze eigenlijk heeft. Laat staan dat ze tijd heeft om die jongen even apart te nemen en hem te vertellen over de vele mooie dingen die ze al heeft zien ontstaan na iemands dood, de schoonheid van gemis, de band die het kan smeden. Ze zou hem kunnen vertellen hoe hij met de dood van zijn moeder moet omgaan, ze heeft er tien jaar ervaring mee. Het went nooit maar je leert er mee omgaan. De dood is voor haar niet langer een spook maar iets wat je een gestalte geeft, waar je op vloekt, die je buiten jaagt maar die je ook rondom je aanvaardt. Ze weet dat als zij het niet doet, niemand hier de tijd zal nemen voor deze fragiele jongen. Daar is simpelweg geen personeel voor.

Diegenen die achterblijven na de dood van een geliefde lopen meestal compleet verloren. Hun leven draait in gedachtecirkels en gaat eventjes nergens naartoe, tot het stadium van verdoving voorbij is. Dan komt de hevige pijn, de aanvaarding, de berusting. Vaak komen ze dan even naar haar terug om te vragen naar laatste woorden, het kleinste detail om zich aan vast te klampen, die laatste herinnering. Boeken zou ze er over kunnen schrijven. Maar er is geen tijd. Dat alles denkt ze terwijl ze geduldig Jess' yoghurt oplepelt en ongemerkt naar Nick staart.

Ze voelt dat Jess haar zoon allang heeft losgelaten. Ze zweeft ergens tussen het iets en het niets, tussen het weten en het zalige niet-weten, tussen de realiteit die wij verzinnen en de echte werkelijkheid. Ze is in het stadium waarin ze vrede heeft met alles en iedereen en zich nergens meer vragen over stelt. Niet over het verleden, niet over goede/foute beslissingen, niet over wat zal komen en hoe het allemaal opgelost moet worden als zij er niet meer is. Dat is voor haar van geen belang meer.

Jess heeft al rust gevonden. Ze heeft de stap gezet naar het oneindige. Alleen haar omhulsel ligt daar nog, ademend, kijkend, liefhebbend. Althans, zo lijkt het het grootste deel van de dag, maar als Jeanne avonddienst heeft of nachtdienst, vindt ze Jess altijd wakker. Dat is op zich niet vreemd. Waarvan zou Jess nog moeten uitrusten? Maar ze lijkt onrustig 's nachts, alsof iets haar achtervolgt waarvan ze niet losraakt. Meermaals is Jeanne naast haar gaan zitten en heeft gewoon gekeken. Er zijn veel stervenden die nog iets kwijt willen. Ze hoeft er meestal niet naar te vragen, het komt vanzelf. Maar bij Jess niet. Vaak rollen de tranen over haar wangen, maar er komt geen woord. En de tijd dringt. Als ze maar niet sterft vóór het te laat is. Jeanne heeft zo'n vreemd geloof dat nergens op steunt dat het fout is te sterven met een blinde vlek op je hart, alsof je ziel dan niet vrij zou zijn om opnieuw te beginnen. De oude Egyptenaren begroeven hun doden met een kever in hun borstkas, om hen het hiernamaals in te duwen. In voodoo wordt de nek van een dode nog eventjes gekraakt, om te maken dat de ziel toch niet als boze geest zou terugkomen.

Jeanne kijkt in die matte, zachte ogen en herkent, en het doet haar telkens weer pijn. Ze is te jong om te sterven, deze vrouw. Het mag niet, het kan niet, het is niet goed maar het is wel zo. Zacht raakt ze even Jess' arm aan, knijpt bemoedigend in Nicks schouder en verlaat dan gezwind de kamer. Zoals Jess heeft ze er momenteel vier liggen op de gang. Kanker is een monster.

'Tijger?' zegt Jess zacht de naam van haar zoon die nog steeds onbeweeglijk naar buiten staat te staren. Zijn buikspieren staan zo gespannen dat ze pijn doen. Zijn ogen staan staalhard maar wenen vanbinnen. Zijn vuisten zitten gebald in zijn zakken. Liefst van al zou hij zich snikkend op de lakens gooien, zijn moeder strelen en haar duizendmaal zeggen hoeveel hij van haar houdt maar zijn stomme puberale, mannelijke trots weerhoudt hem. Hij vervloekt zichzelf erom maar kan niet anders, ook al weet hij dat de dag dat ze er niet meer is, hij niks meer waard zal zijn. Zijn moeder is zijn alles, de grootste liefde die hij in zijn leven ooit zal hebben. Zonder zijn moeder heeft niks nog zin, lijkt de toekomst een lege vlakte die niet uitnodigt om ontdekt te worden. Zij was altijd zijn mentor, zijn enthousiasme, zijn criticus, zijn grootste fan, zijn klankbord en zijn raadgever.

'Kom eens,' vraagt Jess, en met grote wilskracht slaagt ze erin met haar linkerhand uitnodigend op het laken te kloppen, 'ik wil je iets vertellen.'

Nick ademt diep in en uit, probeert met dichtgeknepen keel al zijn emoties door te slikken en komt quasi onverschillig naar haar bed. Maar hij gaat er niet op zitten. Nog altijd met de handen in de zakken blijft hij ernaast staan.

'Ik wil je iets vertellen over toen je vijf was. Het zou zonde zijn als je het niet zou weten, en ik ben de enige die het je kan vertellen. Het was een ijskoude dag in december en je kwam helemaal overstuur naar huis van school. Je eerste tand was uitgevallen en je vond hem niet meer. Dat vond je heel erg omdat de tandenfee dan niet zou komen, dacht je. Die nacht heb ik je in slaap moeten wiegen, zo hard was je aan het huilen. De dag erna was de tandenfee toch gekomen en heb ik om je te troosten gezegd dat ze de tand wel gevonden moest hebben. Nu – en dit heb ik je nooit verteld – heb ik zelf die tand een paar dagen later teruggevonden in de wasmand, ergens in de kraag van je wollen trui die je die dag droeg. Ik heb hem altijd bewaard in een klein doosje, samen met een hoop andere spulletjes, met de bedoeling hem je te geven als je achttien werd. Ik euh...'

Jess slikt. Nick staart zonder knipperen naar de geboende linoleumvloer. Eén keer knipperen en de tranen zouden stromen zonder ooit nog te stoppen. Ook slikken durft hij niet, zijn hart is het enige wat nog werkt. Dit is een zwaar gevecht met zijn lichaam en zijn geest. Zijn moeder zal zijn achttiende verjaardag nooit meemaken. Als hij daaraan denkt, wil hij zelf stoppen met leven. Wat heeft het allemaal voor zin? Studeren, carrière, volslagen nutteloos toch? Hij denkt dat zijn moeder zijn verscheurdheid niet ziet. Ze ziet het wel maar het doet haar vreemd genoeg geen pijn meer. Die zo typische menselijke gevoelens van schuld, verantwoordelijkheid en besef zijn bedekt met een laagje vergetelheid door de morfine. Ze kijkt teder naar haar zoon die ze liever ziet dan zichzelf en voelt alleen maar liefde. Het afscheid jaagt haar geen schrik aan, haar niet. Ze slikt wat droog speeksel weg en gaat verder.

'...Wel, ik heb dat doosje die dag verstopt, en als de poetsvrouw het bij één of andere grote schoonmaak niet heeft weggedaan, ligt het nu nog steeds helemaal achteraan in de grote kast in mijn slaapkamer, achter die dozen met dekens. Er zit ook een briefje bij. Ik wou dat je dat wist.'

Nick kan niet meer, hij kan niet meer nadenken, niet meer voelen, niks meer. Dit doet teveel pijn. Hij staat op het punt te breken. Terwijl hij onhandig en weinig subtiel de kamer verlaat, zegt hij: 'Ik moet even naar het toilet, ben zo terug.'

Jess, die niet meer kan bewegen, kijkt hem na, zoals alleen een moeder dat kan.

'Dag mamsie, daar zijn we eindelijk', stormt Penny de kamer binnen. 'Meneer Jean-Yves wou me nog even spreken over mijn stage. Ik denk wel dat ik een positieve evaluatie voor die opdracht zal krijgen, weet je nog? Sam is nog even aan het parkeren. Druk dat het hier is! En op dit uur! Heb je je yoghurtje al gekregen?'

Terwijl ze met de snelheid van een vloedgolf verder ratelt, gooit Penny een ragfijne oranje sjaal over een stoel en snelt naar de badkamer om de bloemen water te geven, schenkt zich een koel glas water uit, herschikt de lakens die perfect lagen en gaat dan eindelijk zitten. Allemaal zonder haar moeder aan te kijken.

Jeanne catalogeert dit type als 'de struisvogels': zij die het liever niet willen weten en dan ook leven alsof het er niet is. Dat zijn degenen die het achteraf het ergst moeten bekopen. Voor hen komt de dood als een dief in de nacht hun leven compleet verwoesten en ze zien hem niet aankomen, ook al staat hij al kamervullend voor hun neus.

'Ik dacht dat Nick hier nog zou zijn? Is hij al weg? Hoe voel je je vandaag? Een beetje handcrème zal je deugd doen, niet? Nog nieuws van de dokters?' vraagt Penny terwijl ze alweer overeind springt, in de badkamer in de tas toiletspullen grabbelt en met kordate bewegingen de handen van haar moeder masseert. Penny's donkere, met zwarte wimpers omzoomde ogen concentreren zich op de handen van haar moeder alsof daar de wereld in vervat ligt. Penny heeft de ogen van haar vader en een mooi onopvallend figuur dat ze piekfijn hult in bij haar passende tinten, ze heeft prachtig dik mahoniekleurig haar dat vrij streng tot diep over haar schouders hangt en ze heeft de mooie handen van haar moeder. Juwelen draagt ze nooit. Make up nauwelijks. Maar ze heeft niet dat 'iets' waardoor mensen beroemd worden, dat onvatbare extraatje. Ze is doodgewoon mooi.

Penny komt zo vaak ze kan, helaas is dat door haar lange dagen op haar stageplek veel minder dan ze zou willen. Al vindt ze het vreselijk hier te zijn. Het is als aangetrokken worden door de rand van een wolkenkrabber terwijl je hoogtevrees hebt. Dus zet Penny de radio aan want ze wordt nerveus van stilte. Ook als ze studeert en werkt staat de radio zachtjes aan terwijl ze, een exacte timing volgend, haar cursussen analyseert en uit het hoofd leert. Haar kandidaturen heeft ze afgesloten met grote onderscheiding en nu al is ze ervan overtuigd dat dat dit jaar hetzelfde zal zijn. Voor Penny is het leven een doorzichtige wand waar ze met één oogopslag kan doorkijken, geen verrassingen, geen onduidelijkheden, geen twijfels, die zijn nergens goed voor. Als je iets wilt, dan ga je ervoor. Zo simpel is het. Zo heeft ze ook de scheiding van haar ouders verwerkt en heeft ze alle vreselijke dingen die daarvoor gebeurd zijn gemakshalve diep in haar hersenen opgeborgen. Ze heeft na de scheiding opgelucht ademgehaald en een lijstje gemaakt van de pro's en de contra's, geconcludeerd dat haar vader de grote schuldige was en hem sindsdien dan ook niet meer gesproken. Haar moeder was de gedupeerde en moest geholpen worden en dat heeft Penny dan ook gedaan. Punt. In haar ogen maken mensen vaak alles veel te ingewikkeld. Ze heeft met Sam afgesproken dat ze pas wil trouwen en samenwonen als ze allebei al twee jaar werken, dan hebben ze een spaarpotje en hoeven ze niet te gaan hokken. Penny vindt kamperen leuk maar niet voor langer dan een week. En dan pas kinderen. Haar moeder studeerde nog toen ze zwanger was van haar. En ook Nick was niet gepland. Dat zal haar niet overkomen.

'Die meneer Jean-Yves... ik weet niet wat ik ervan moet denken, mamsie', vertelt Penny met vertrouwelijke stem terwijl ze de nagels van haar moeder vijlt. Dat doen ze hier nooit en haar moeder was altijd zo trots op haar prachtige lange nagels. 'Je krijgt er zo geen hoogte van. Soms denk ik dat hij mij wel oké vindt en soms kan hij zo raar kijken, zonder iets te zeggen. Zijn secretaresse zegt dat hij nogal ondoorgrondelijk is maar wel eerlijk en correct. Dat heb ik graag. We zullen wel zien. Maak je geen zorgen, ik blijf zoveel als mogelijk komen, hoor! En binnenkort nodig ik hem eens uit, dan ontmoeten jullie elkaar eindelijk eens. '

'Penny liefje, je weet toch dat ik...' probeert Jess tussen te komen. Haar dochter wil niet beseffen dat zij dat allemaal niet meer zal meemaken. Ze plant maar van alles en is potdoof als het op de essentie aankomt. Voor Penny is het namelijk heel duidelijk: haar moeder gaat niet dood. Dat kan niet, ze hebben het fout, gewoon wat op krachten komen en het leven gaat weer gewoon verder. Kanker kan je genezen tegenwoordig. Ook al betrekken de dokters haar bij alle beslissingen, ze weigert ze in zich op te nemen. Zo heeft ze moeten instemmen met het stopzetten van alle behandelingen en met het niet meer kunstmatig eten geven. Ze weet ook dat er geen pogingen zullen worden ondernomen om haar op alle mogelijke manieren in leven te houden. Zonder ook maar te knipperen heeft Penny naar de uitleg van de oncoloog geluisterd, is vrolijk dag gaan zeggen aan haar moeder en dan twee uur lang gaan sporten. Geen mens die weet wat er al die tijd door haar hoofd spookt. Ook Jess heeft nooit hoogte kunnen krijgen van haar dochter. Ze is zo transparant dat het net lijkt of ze heel veel te verbergen heeft, een soort geheime agenda, maar telkens weer heeft Jess moeten besluiten dat die er echt niet is. Haar dochter is gewoon... anders dan andere dochters. Vreemd toch hoe kinderen op sommige vlakken zo op je kunnen lijken en andere dan weer je tegenpool zijn. Jess is zelf altijd een dromer geweest, op het idealistische af. Romantiek, passie, ontdekken, ze kreeg er maar geen genoeg van. Penny is net het tegenovergestelde, die drie woorden staan nergens in haar woordenboek. Jess kan enkel kijken naar dat wonderding dat zij heeft gemaakt en inwendig geboetseerd: haar dochter.

'Dag mevrouw', komt Sam beleefd binnen. Hoe vaak Jess hem ook al heeft gevraagd gewoon Jess te zeggen, hij blijft koppig mevrouw zeggen. Als hij komt slapen bij hen thuis, ruimt hij ook altijd netjes op, hij loopt nooit in zijn onderbroek door het huis zoals Jess zelf zo vaak doet en hij is altijd stipt op tijd. Hij is soms zo beleefd dat Jess het ervan op haar heupen krijgt, maar hij maakt haar dochter blijkbaar best gelukkig. Zo lang ze samen zijn, en dat is nu toch al vijf jaar, heeft Jess ze nooit weten ruzie maken. Hun leven is ordelijk en stormloos. Vaak al heeft Jess gedacht of dat iets te maken heeft met het turbulente leven dat Penny thuis altijd heeft gezien. Toen alles nog goed was, gonsde het huis constant van bezoek, feesten en helaas ook van ruzies. Haar kinderen hebben te veel gezien, veel te veel. Jess zal het altijd jammer vinden dat Penny en Nick de scheiding en het onuitgesprokene daarvoor hebben moeten meemaken, als gedwongen publiek voor een opvoering die je niet wil zien, lelijk als 'De Schreeuw' van Munch. Kiest haar dochter daarom voor zo'n saaie Sam, om zeker te zijn dat het haar niet zal overkomen? Het meest avontuurlijke wat Sam ooit doet, is om de paar weken eens met vrienden een pint gaan pakken. En dan nog is hij op tijd thuis.

Jess kijkt hem aan. Hij heeft een onopvallend gezicht met dagdagelijkse bruine ogen, kleurloos bruin haar en draagt zoals altijd een jeans met één of ander lichtblauw hemd. Het type dat niemand zich kan herinneren voor een robotfoto. Hij voelt haar blik op hem rusten, schraapt zijn keel en zoekt naar iets om te zeggen. Maar wat zeg je tegen iemand die aan het sterven is? Zijn Penny wil het niet zien maar hij ziet het aan alles. Hij herinnert zich de blik van zijn opa op zijn sterfbed en die was net hetzelfde: lief, kalm en vredig, alsof hij ergens in de verte de hemel al zag. Sam krijgt het er koud van. Liefst van al zou hij niet meer op bezoek komen, maar dat zou Penny niet begrijpen. Haar moeder heeft nu alle hulp en steun nodig en die zal ze krijgen. Zo is zijn Penny.

'Dag Sam', zegt Jess vriendelijk terug. Ze ziet de spanning op zijn gezicht en lacht hem toe. Opeens voelt Jess zich uitgeput. De vermoeidheid kan zich opeens laten voelen als een tsunami die niemand had zien aankomen maar die plots toeslaat en met volle kracht alles verwoest. Het is een soort vermoeidheid die niet meer overgaat. Het is meer een gevoel van voor altijd willen slapen. Soms kan ze er zo naar verlangen dat ze teleurgesteld is dat ze weer wakker wordt.

En dan gaat de deur van haar kamer weer open en komt Nick terug binnen, met in zijn kielzog een donkerharige man. Haar ex. A.J.

Maandag 5 juli 1982, 9.00

Ik wil leven in felle kleuren.

'Goeiemorgen, ik moest hier vanochtend om negen uur zijn. Jessica Leander', zei Jess tegen een jong meisje achter de balie. De perfecte secretaresse met de perfecte maten en de perfecte glimlach, zo inwisselbaar. Er stond een bordje met haar naam, Anna. Het gebouw waar A.J. werkte was een prachtig breed huis in een lange laan vol oude eiken. De voorgevel was donkergeel geschilderd en op een gouden plakkaat stond in schuine letters *Maximiliaan Legal Trade Advice, Max LTA Inc.* Jess had hemel en aarde moeten bewegen om haar werkdagen bij Weyens & Volckaert te kunnen nemen op woensdag, donderdag en vrijdag. Dan kon ze hier op maandag en dinsdag werken. Haar moeder vond het allemaal een waanzinnig idee, zomaar ergens gaan werken zonder voorafgaandelijk gesprek of een contract. En wat als ze dat bij Weyens & Volckaert helemaal niet zouden appreciëren? Iedereen wist dat goeie studenten daar later vaak effectief konden gaan werken. Het was één van de meest gereputeerde advocatenkantoren in de stad. Maar Jess was onverzettelijk geweest. Zonder over het ongeluk iets te zeggen had haar moeder toch haar vader ingelicht over haar plan, maar zelfs hij had Jess niet op andere ideeën kunnen brengen, niet goedschiks en niet kwaadschiks.

'Ah, wees welkom. Meneer Alex heeft me over u gesproken. Loopt u maar door, aan het einde van die gang, de laatste deur. Meneer is er al en zal u verder instrueren. Welkom aan boord!' zei Anna vriendelijk. Vol bewondering liep Jess de gang door. Die hing vol moderne kunstwerken en de oude houten vloer blonk als een spiegel. Zijn deur stond open. Nog voor ze kon kloppen, riep hij: 'Kom binnen, Jessie.' Hoe wist hij dat ze er was? Zonder op te kijken van zijn papieren die kriskras op zijn bureau lagen, zei hij: 'Mooi op tijd, dat heb ik graag. Fijne verjaardag gehad? Enne, proficiat met je resultaten. Er zijn er weinig die dat eerste jaar rechten met grote onderscheiding doorkomen. Ga zitten, dan haal ik mijn vader even. Hij is hier de big boss, dus ik zou maar heel vriendelijk zijn als ik jou was.'

Zijn onberispelijk chocoladekleurig pak knisperde terwijl hij opstond. Het hemd zag er gloednieuw uit. Hij verpletterde haar onmiddellijk en ze was daar boos om op zichzelf. Zonder haar verder ook maar een blik te gunnen, liep hij het kantoor uit naar een aanpalende kamer waar Jess stemmen hoorde. Ze duizelde. Hoe wist hij dat ze geslaagd was? Dat wist ze zelf nog niet eens! De proclamatie was pas straks om tien uur, maar haar moeder ging in haar plaats aangezien zij hier moest zijn. Grote onderscheiding! Nou. Even vergat ze te ademen. Ze kon het niet verklaren, maar ze voelde dat haar leven drastisch zou veranderen. Ze kon alleen niet inschatten in welke zin.

Zaterdagnacht was ze op stap geweest met Peter, goeie ouwe lieve Peter. Hij zag er bedrukt uit, had een klein cadeautje mee voor haar en zat de ganse tijd met van die treurige hondenogen naar haar te kijken in het restaurant. De anderen hadden niks door en het was pas toen ze naar huis reden die nacht dat ze voor het eerst alleen waren. Tijdens de examenperiode had ze hem makkelijk kunnen afschepen of uitleggen waarom ze geen tijd had en als hij dan toch eens kwam, zorgde ze er wel voor dat ze niet alleen waren. Of ze spraken af in de *Allay*. Maar zaterdag was er geen ontkomen aan.

'Jessie, zeg me wat er aan de hand is. Je ontwijkt me, bent veranderd... en ik kan niet volgen', vroeg hij moedeloos. Peter was geen vechter, eerder een jongen die het leven neemt zoals het komt. Echte ups en downs kende hij niet, een jongen die nooit de wereld zou veranderen. Hij zou een vrouw wel gelukkig maken, maar nooit laten stralen als een klaproos in de lente. Dat had Jess de laatste dagen beseft. Ze zou gelukkig worden met Peter, maar niet zoals in de film. Hij zou nooit gekke, onverwachte dingen doen of haar verbazen en dat eiste ze van het leven. Jess had allang voorbereid wat ze zou zeggen.

Ze aarzelde even voor ze hem de harde boodschap duidelijk meedeelde.

'Het spijt me, Peter, je bent een schat, maar we passen niet bij elkaar. Wat jij wil van het leven, is niet wat ik wil. Ik wil leven in felle kleuren, in spanning, in verwondering. Jij bent tevreden met grijs en zekerheid. Snap je? Daarom kan ik jou op termijn ook niet gelukkig maken en we zijn te jong om nu in te slapen, er is nog teveel wat ik wil doen en zien en ik voel gewoon dat ik dat niet met jou zal doen.'

Ze keek hem recht aan, klaar om hem te troosten. Maar dat hoefde niet. Kalm reed Peter verder zonder iets te zeggen, stapte uit om de deur voor Jess te openen en reed dan weg. Ietwat beteuterd bleef Jess nog even op het voetpad staan. Ze had wel iets meer reactie verwacht, maar net die reactie bevestigde haar vermoeden: dat ze de juiste beslissing had genomen.

'Jessie, is het niet? Ga zitten. Ik ben Maximilian en zo noemt iedereen me ook, geen meneer-gedoe alsjeblieft. A.J. schijnt nogal te geloven in jou? Geen idee waarom, want meestal nemen we geen eerstejaarsstudenten aan voor onze vakantiejobs. Maar goed, je krijgt een eerlijke kans. A.J. zal je rondleiden zodat je iedereen leert kennen en je weg vindt. Jij krijgt hier een bureau, bij mijn zoon, we hebben geen andere ruimte beschikbaar. Vanaf morgen komt er nog een studente die net hetzelfde werk gaat doen. Die komt in mijn bureau te zitten. Diegene die mij op het einde van de zomer het meest verrast heeft en hard gewerkt, krijgt één maand dubbel loon. En ik heb begrepen dat jij dat wel kan gebruiken, niet? Goed, voel je welkom en je mag mij altijd alles komen vragen.'

Met een ferme handdruk verliet de oudere kopie van A.J. de kamer, een zwaar-mannelijke lijfgeur en een verpletterende indruk achterlatend. De persoonlijkheid van de man was zo overweldigend dat Jess nog altijd naar de deur zat te staren waardoor hij was verdwenen en waardoor A.J. weer binnenkwam. Ze hoorde hem alweer telefoneren in het Engels alsof het zijn moedertaal was.

'Hij spreekt ook vloeiend Duits, Italiaans, een beetje Arabisch en is nu bezig de beginselen van Chinees te leren. Hij vertrouwt de Chinezen niet, denkt steeds dat ze onze klanten willen oplichten, wat ze waarschijnlijk ook doen. Hij is tweeënzestig, mijn vader, maar even energiek als een leger oerwoudmieren, en even gevaarlijk als je niet oppast. Als je goed bent, wachten je gouden tijden, als je het verprutst, ontloop je hem beter. Mijn vader is een vulkaan die altijd op het punt staat uit te barsten.'

De man had haar niet echt afgeschrikt, eerder op het puntje van haar stoel gezet. Ze was er helemaal klaar voor

'Heeft hij gezegd dat dit je bureau wordt? Laat je handtas dus maar hier en volg me, dan leid ik je rond.'

A.J. stapte al de gang in, Jess met zijn blik meenemend. Weer had hij die vreemde glimlach alsof hij de ganse tijd iets vrolijks zag. Later zou Jess merken dat hij zelfs lachte in zijn slaap. Veel later zou ze helaas ook merken hoe hij was als hij niet lachte. Voor het buitengaan zag ze op zijn bureau twee portretfoto's staan: één van een boeiend mooie, oudere soort zigeunervrouw met de donkerste ogen die Jess ooit had gezien en één van een jonge blondine met een brede, witte glimlach. Even sloeg Jess' hart een slag over. Tuurlijk had zo'n man een vrouw, wat had ze nu gedacht. Rijk, knap, innemend, waar zaten haar gedachten. Even was Jess boos op zichzelf omdat ze die gedachten blijkbaar toch niet onder controle had. Wat was er met haar aan de hand? Zaterdagavond met Peter wist ze het zo duidelijk, maar nu leek ze helemaal verloren. Toen ze merkte dat A.J. haar innerlijke worsteling gadesloeg, haastte ze zich ook de gang in onder zijn priemende ogen. Alsof hij dwars door haar keek en haar gedachten beter kon lezen dan zijzelf.

'Dat zijn mijn moeder en Sarah', zei hij en hij draaide zich om, ervan overtuigd dat Jess hem wel zou volgen. En dat deed ze ook.

Die avond was Jess zo rusteloos dat haar vader er nerveus van werd. Haar moeder wist dat ze beter niets vroeg, Jess zou er later op de avond zelf wel over beginnen. De anders zo rustgevende muziek, stukjes uit de derde symfonie van Mahler joeg de spanning nog meer op. Haar zus Laura voelde dat er iets onuitgesproken in de lucht hing en vluchtte naar haar kamer. Ze wou er niet bij zijn als hun vader er genoeg van had. Laura en Jess probeerden al van toen ze klein waren zijn driftbuien te ontvluchtten. Die waren even snel weer voorbij als ze kwamen, maar je was er wel een week niet goed van. Hij had maar een paar zinnen nodig om je klein te krijgen, vooral de toon die hij gebruikte, ijzig kalm, ging door merg en been. Laura voelde het die avond aankomen. Jess niet, ze had het te druk met haar gedachten. Als een kip zonder kip liep ze door het huis. De ogen van haar vader volgden haar, elke keer weer als ze zonder reden de woonkamer binnen en buiten vloog, als een geest die geen rust vond.

Gust had vaagblauwe ogen, omkranst met dikke, donkere wenkbrauwen waarbij de linker iets afhing, waardoor hij er aldoor denkend uitzag. Als hij boos werd, verdonkerden de ogen altijd, dan maakte je je best uit de voeten. Haar moeder stond machteloos tegenover zijn uitbarstingen en was er helaas vaak ook het slachtoffer van, soms om niets. Een fout van de regering, zij moest het bekopen. Een technisch mankement in huis dat niet was gerepareerd tegen zijn thuiskomst, haar schuld. Vreemd genoeg was hij nog het meest boos op haar als ze ziek was, dat kon hij niet hebben, het maakte hem woest. Maar ze hield het uit, omdat de driftbuien zeldzamer waren dan de momenten dat hij de sterke, zorgzame man was waar ze was voor gevallen, nu al vijfentwintig jaar geleden. Hij had op hun trouwdag gezworen dat hij voor haar zou zorgen en dat heeft hij ook consciëntieus gedaan. Maar de echte man heeft ze toch pas na verloop van tijd leren kennen, toen ze allang getrouwd waren. Hij begon eisen te stellen, tolereerde weinig van haar, had haar liefst thuis. Zij was financieel volledig van hem afhankelijk, legde zich daar bij neer en maakte van haar twee dochters haar levenswerk. Zonder dat ze het beiden merkten, vergleed hun sprookje tot een vergeeld boek dat niemand nog las, vergeten onder het stof. Haar dochters waren haar zon, haar adem, haar dromen. Zij vertegenwoordigden het leven dat zij nooit had kunnen leiden.

Met Laura waren er weinig problemen, die studeerde goed, hield het bij af en toe wat puberaal kattenkwaad maar was zelfs op haar negentiende nog altijd het guitige kind dat ze altijd al was geweest. Jess was moeilijker. Een half windekind dat zich niet liet temmen, een sterke wil die zich niet liet buigen, slim en toch ontroerend naïef. Niet echt een schoonheid maar toch vreemd onweerstaanbaar. Haar gezicht was allesbehalve symmetrisch, haar kin te getekend en haar neus iets te uitgesproken. En dan dat warrige krulhaar dat alle kanten opsprong. Maar het geheel zorgde vreemd genoeg voor een aantrekkelijke glimlach en een soort ongrijpbare aantrekkingskracht waar velen zich al in verslikt hadden. Peter was haar eerste vriendje niet en zou zeker niet de laatste zijn en dat maakte haar moeder nu net zo bang want vanaf dat moment zou ze haar dochter kwijt zijn en zou ze haar niet meer kunnen redden. Ze kon toen niet weten dat haar dochter al verloren was.

'Jessie!' riep haar vader luid terwijl hij krachtig zijn dossiers op tafel gooide waarin hij schijnbaar verdiept was. Haar moeder vluchtte naar de keuken. Het was weer zover. Zelfs met haar handen op haar oren en met de deur dicht kon haar moeder de vlak uitgesproken harde woorden volgen, de slagen op tafel. Ze kon zich voorstellen hoe hij tot vlak voor Jessie's gezicht zou gaan staan, een pauze zou laten vallen en dan de verpletterende verbale slag toebrengen. Ook zoals altijd reageerde Jess niet. De voordeur sloeg dicht. Jess was weg, weer eens weg, als een gouden vogel die snakt naar vrijheid.

Zaterdag 13 augustus 2005, 12.15

Dit is misschien wel één van haar laatste kansen om zich door de waarheid te laten zuiveren. Maar ze kan het niet.

'**D**ag Jess.'
A.J. draagt een staalblauw hemd waardoor hij nog bruiner lijkt en een strakke jeans. Zoals veel mannen wordt hij mooier met de jaren, denkt Jess onwillekeurig, het blijft een man die nergens kan binnenkomen zonder op te vallen. Ze merkt dat hij meer rimpels heeft gekregen, wat hem merkwaardig genoeg jonger doet lijken. De schok die ze de laatste jaren altijd voelde als ze met hem werd geconfronteerd, is weg. Hij boezemt haar geen angst meer in. Ook hier heeft ze rust in gevonden. Haar nachtmerrie met hem is voorbij, nu mogen anderen in zijn val lopen. Ook al is ze niks vergeten, ook al heeft ze hem niks vergeven, het lijkt op dit moment ver weg. Haar verleden is geen bomvolle kast herinneringen meer maar een wolk waar ze meteen doorheen valt, een vrije val die nergens heen gaat en nergens eindigt.

Penny, die haar vader niet heeft zien binnenkomen, draait zich bruusk om als ze zijn stem hoort en staat onmiddellijk op.

'Nick, ik ben in de cafetaria. Kom je me halen als hij weg is?' En weg is ze, zonder haar vader een blik te gunnen. Sam holt achter haar aan, een jongen met evenveel ruggengraat als een platworm. Penny herinnert zich de ruzies, de vernederingen, de pijn en de stress te goed. Haar vader heeft haar moeder mentaal gebroken en dat vergeeft ze hem nooit. Nooit, en zowel A.J als Jess weten dat ze dat meent. Penny doet niks half. A.J. doet dan ook geen moeite om zijn dochter tegen te houden en zet een stap opzij als ze zich naar buiten haast met Sam als een bleke schaduw achter zich aan. In de gang hoort hij haar tot aan de lift fulmineren in een terminologie die hij

34

van haar niet gewend is. Onwillekeurig moet hij glimlachen. Zijn dochter. Jess leest zijn gedachten en een zwarte wolk flitst opeens pijnlijk als een onweer voor haar ogen. Dit is misschien wel één van haar laatste kansen om zich door de waarheid te laten zuiveren. Maar ze kan het niet. Ze kijkt naar A.J. en ze kan het eenvoudigweg niet. Wanhopig zoekt ze de moed die ze nodig heeft om het hem te zeggen – om wraak te nemen, misschien – maar er zit zo weinig slecht in haar dat die motivatie te licht weegt. De woorden zweven onsamenhangend in haar warrige hoofd. Mocht A.J. ze kunnen lezen, hij zou... geen idee wat hij zou doen. Maar zelfs hij heeft recht op de waarheid.

Nick heeft niks door van zijn moeders innerlijke strijd en probeert de haat die zijn zus in de kamer heeft laten hangen, weg te jagen. Hij zet het raam even wagenwijd open zodat het lijkt of de duiven in de kamer zitten te roekoeën. De hitte sluipt als een geniepige wurgslang binnen. Jess concentreert zich op het geroekoe van de duiven en wacht tot A.J. iets zegt. Ze weet dat hij niet zomaar op bezoek komt. De enige die belangrijk is in zijn leven, is hijzelf. Hoe het anderen vergaat, laat hem diep vanbinnen koud, ook al leidt hij vriend en vijand om de tuin door hen te laten geloven hoe empathisch hij wel is. Zo'n effect heeft A.J. op mensen: een charmante wolf in schapenvacht met de eeuwenoude kracht van geboren leiders. Een pathetische leugenaar die zelfs zichzelf om de tuin leidt en goed en kwaad niet kan onderscheiden, zoiets als de door iedereen aanbeden filmster die op het einde van de film plots totaal onverwacht de moordenaar blijkt te zijn, waarna de ganse zaal in ongeloof de zaal verlaat. Dat is A.J. ten voeten uit.

Hij blijft naast haar bed staan, ook al schuift Nick een stoel bij. Nick heeft nooit kunnen kiezen tussen zijn moeder en zijn vader, ook al heeft hij evenveel gezien en gehoord als zijn zus tijdens die gruwelijke jaren. Hij weet zeer goed dat zijn moeder een slachtoffer is en heeft bewondering voor de rechtlijnigheid van zijn zus maar hij kan het niet. Het is en blijft zijn vader.

Eén weekend om de twee is hij bij hem. Zoveel onderwerpen zijn dan onbespreekbaar zodat ze vaak samen de stilte opzoeken. Ze gaan trekken of vissen of kamperen, mannendingen die niet om woorden vragen. Over wat er is gebeurd wordt nooit gesproken. Dat zou het fragiele evenwicht onherroepelijk kapotmaken. Hij aanvaardt de nieuwe vriendin van zijn vader, Elisa, vooral uit medelijden. Iedereen behalve zijzelf weet dat haar net hetzelfde lot te wachten staat als alle vorige. Ze is al nummer vijf sinds zijn moeder. Ook deze is jong, enthousiast en naïef, allemaal denken ze dat zij hem gaan temmen. Nick kijkt ernaar en zegt niks. Ze komen en gaan. Hun namen is hij even snel vergeten als saaie wiskundeformules die hem niet interesseren. Ze doen meestal hun uiterste best voor hem, proberen een tweede moeder te zijn en sloven zich daar meestal belachelijk voor uit, maar voor Nick hoeft het niet. Hij heeft al een moeder, hij hoeft er geen tweede, zeker niet één die amper ouder is dan hijzelf. Gelukkig geven ze hun goedbedoelde pogingen na een paar maanden vanzelf wel op, en voor ze het goed en wel beseffen, zijn ze vergeten tijd.

'Hoe voel je je?' vraagt A.J. bezorgd en hij schijnt het nog te menen ook. Zonder aarzelen antwoordt Jess: 'Goed. Ik heb geen pijn, meer.' En dan wacht ze. Nonchalant gaat A.J. toch op de stoel zitten, maar omgekeerd zodat hij zijn blote bovenarmen kan laten rusten op de leuning. Hij steunt zijn kin op zijn armen en kijkt haar aan.

'Mijn vader groet je. Je weet het misschien niet maar om de twee dagen belt hij naar de afdeling om naar jou te informeren. Je hebt een speciaal plaatsje in zijn hart, altijd gehad.'

Jess moet glimlachen.

'Dat weet ik, hij stuurt me elke twee dagen verse witte rozen.'

In het ziekenhuis laat Maximiliaan zich liever zo weinig mogelijk zien. *De geur*, zegt hij, *die geur van ziekenhuizen, ik word er zelf ziek van*. Ze heeft het inderdaad altijd bijzonder goed kunnen vinden met Maximiliaan. Tijdens de werkuren is hij een meedogenloos zakenman die de grenzen van de wet aftast en van zijn personeel het uiterste vergt. Hij zegt alles zoals hij het denkt en wie hem niet ligt, kan zich maar beter uit te voeten maken. Maar hij gaat door het vuur voor wie hij liefheeft. Ook Maximiliaan kan ze haar grote geheim niet zeggen. Ze zou hem er te veel pijn mee doen. Voor sommige mensen zijn geheimen dodelijk en blijven ze best begraven. Nee, hij hoeft het nooit te weten. Hij lijdt al genoeg. Sinds de dood van zijn vrouw huist in Maximiliaan het hart van een oude man met gebogen schouders. Jess voelt een soort mededogen met hem. Hij belt haar af en toe, of hij komt Nick oppikken om wat 'aan cultuur te doen'. Nick is dol op zijn grootvader. Van Nick hoort Jess dat Maximiliaan systematisch weigert de nieuwe vriendinnetjes van A.J. te ontmoeten, laat staan ze in zijn huis te ontvangen. Scheiden doe je niet in zijn wereld. Trouw, vriendschap en zorg voor de kinderen, daarover valt niet te discussiëren. Dat heeft hij haar van bij hun eerste ontmoeting duidelijk gemaakt.

Jess kijkt naar het boeket witte rozen terwijl ze met een glimlach aan hem denkt. A.J. volgt haar blik.

'Je weet dat hij hier liever niet komt, maar hij denkt aan je.'

Beiden staren naar het boeket alsof daar niet uitgesproken woorden verborgen zitten. A.J. neemt bruusk haar hand. Ze trekt hem niet weg zoals ze vroeger zou gedaan hebben. Nick leunt wat onbeholpen op de vensterbank, niet goed wetende of hij dit allemaal wel wil horen, maar iets houdt hem tegen om naar zijn zus in de cafetaria te gaan. Hij heeft nu echt geen zin in een boutade over zijn vader.

'Zeg het maar, ik luister', zegt Jess rustig. A.J. wacht even voor hij van wal steekt want zijn bezoek heeft inderdaad een reden. Hij wikt en weegt zijn woorden. Hij is zich niet bewust dat zijn zoon achter zijn rug meeluistert, of net wel.

'Jess... ik wil dat je één ding weet voor je... voordat... voor dit alles achter de rug is. Voor wat ik heb gedaan, bestaat geen verontschuldiging. Ik vraag die dan ook niet. Je bent een prachtige vrouw die beter verdient, maar de dingen zijn wat ze zijn. We kunnen de tijd niet terugdraaien. Het spijt me voor jou dat je de tijd niet krijgt om opnieuw te beginnen met iemand die je waard is. En ik beloof je, ook al heb je weinig reden om ook maar één belofte van mij te geloven, ik beloof je, dat ik goed voor Nick zal zorgen. En mijn vader is er natuurlijk ook nog. Hij is dan wel vierentachtig, maar geen kraniger grijsaard dan hij. Penny, die heeft niemand nodig in haar leven, die redt zich wel. Ik vrees ook dat ze mijn hulp niet zal willen aannemen. Daarom heb ik zonder haar medeweten al wel een rekening geopend waarvan ze maandelijks meer dan genoeg krijgt om van te leven. En ze mag natuurlijk in het huis blijven wonen. Ik doe er afstand van. Morgen wordt de notariële akte getekend op hun beider naam. Als Nick groter is, kan het zodanig verbouwd worden dat ze er alle twee in kunnen wonen.'

A.J. krijgt het zowaar even moeilijk maar die reactie kent Jess zo door en door, die van de berouwvolle echtgenoot die om vergeving smeekt, dat zijn woorden helemaal langs haar heen glijden. Er was een tijd waarin elk woord van hem haar raakte tot in haar ziel maar daar kan hij nu niet meer aan. Het doet haar niets. Hij had het even goed niet kunnen zeggen. Of hij had het vroeger moeten zeggen, nu is het te laat. Waarom zou ze hem nu nog vergeven? Daar ziet ze geen enkele reden toe, behalve voor zijn gemoedsrust. Nick heeft alles met ingehouden adem gevolgd en kijkt vol verwachting naar zijn moeder, maar die zegt niets. Afwezig staart ze langs zijn vader heen alsof ze geen woord heeft gehoord. Plots sluit ze haar ogen en zucht met kleine schokjes.

'Ga nu maar, ik wil wat rusten. Zeg je vader dat ik hem het vals spelen bij onze kaartnamiddagen nooit vergeef. Hij heeft altijd gedacht dat ik het niet wist maar ik heb het altijd geweten. Ik heb alles altijd geweten.'

De nauwelijks merkbare lach als ze het over Maximiliaan heeft, dooft uit bij haar laatste zin en met een ineens ernstig gezicht, draait Jess haar hoofd dat diep wegzinkt in het kussen.

Het licht valt hard op haar huid waardoor die doorzichtig wordt en haar kaakbeen zich duidelijk aftekent.

Nick krijgt de kriebels van deze momenten omdat het net lijkt of ze dood is. Ook nu weer haast hij zich in paniek naar haar bed en legt zijn oor op haar borstkas om te horen of ze nog wel ademt. Haar borstkas beweegt niet, hij voelt enkel een warme gloed telkens als ze uitademt, heel traag alsof ze minder en minder zuurstof nodig heeft. En op een bepaald moment zal hij zijn hoofd op haar borstkas leggen en zal ze weg zijn. Voorgoed. Nick hijgt en koud zweet breekt hem uit. Veel te hard knijpt hij in zijn moeders hand maar ze slaapt, ook al zijn haar ogen niet helemaal gesloten. Het lijkt of ze je van tussen haar wimpers aankijkt. Haar hand ligt slap en tenger in de zijne. Hij zou er zo hard in willen knijpen dat ze opspringt en hem overal in de kamer achternazit, zoals ze deed toen hij klein was. Die zachte handen die zijn hals streelden als ze voorlas, die teder zijn belachelijke kinderwondjes verzorgden, die hopeloos de lucht ingingen als hij weer eens niet voor rede vatbaar was en het beter wist. Die zalige handen, bleek vel over been. Hij houdt ze vast om nooit meer los te laten. Het idee dat ze binnenkort koud zullen zijn, is onverdraaglijk. Nicks adem stokt. Zijn fantasie die hem kan meeloodsen naar niet bestaande oorden, speelt hem in deze kamer parten. Hij denkt zich te kunnen inbeelden hoe het zal zijn als ze echt dood is, tegelijkertijd beseffende dat hij geen idee heeft.

A.J., zelf geschrokken van het zo nabije einde, is vooral van de kaart door de heftige reactie van zijn zoon. Hij had er geen idee van dat achter de nonchalance en de macho houding van zijn puberzoon zo'n kwetsbaar kind schuilt en hij vervloekt er zichzelf om. Nu ineens ziet hij de puzzel van zijn leven helder voor zich, als een visioen. Waar hij zo wanhopig overal naar zocht, bevond zich vlakbij maar hij zag het niet. En nu hij het ziet, is het te laat, veel te laat. In flarden doemt het gezicht van zijn moeder ook op, zijn lieve, mooie moeder waarvan hij op zijn tiende al heeft moeten afscheid nemen na een dramatisch verkeersongeval waaraan ze geen schuld droeg. Haar dood heeft hem zo getraumatiseerd dat hij veel herinneringen heeft verdrongen, omdat ze te veel pijn deden. Enkel een paar foto's getuigen van haar. Maar nu ineens komen al die goed verborgen herinneringen als een golf naar boven, overspoelen hem. Hij snakt naar adem en grijpt zich krampachtig vast aan de leuning van zijn stoel. De herinneringen doen pijn. De harde waarheid stroomt als heet bloed door zijn aders, zijn ganse lijf razend makend van de pijn. Hij gromt om het mierennest in zijn aderen onder controle te krijgen maar dat lukt niet. In onmacht grijpt hij met beide handen zijn hoofd waar de herinneringen ongevraagd maar blijven opduiken, als eindeloze, irritante pop-ups op een computerscherm. Zijn moeder, de bepalende rol van zijn vader in hun huwelijk en daarna, zijn leven met Jess, flitsen voorbij. Zijn vrolijke, mooie, lieve Jess. Sarah. Allemaal beelden die hij verdrongen had en die nu vanuit de krochten van zijn geheugen te voorschijn komen, als om hem te kwellen. Als om hem te doen beseffen dat wat gebeurd is, onherstelbaar is. Hij staat wild op en kijkt voor het eerst echt naar dit frêle wezen dat ooit zijn vrouw was. Zo zacht als Jess ademt, zo hortend en stotend en luid ademt A.J. De lijnen in zijn gezicht tonen ineens elk levensjaar, adertjes in zijn ogen springen van de hitte binnenin, zijn handen vallen werkeloos langs zijn lichaam. Toverhanden die een vrouw kunnen laten voelen dat ze het enige is die het waard is om voor te leven. Handen ook die bewust pijn kunnen doen. Mannelijke, mooie, doorgroefde handen. A.J. heft ze even op en zet een stap naar het bed, alsof hij Jess zal opheffen en meenemen. Maar doelloos blijft hij staan, zonder woorden, zonder daden.

Er hangt een vreemde geur in de kamer. De duiven zwijgen en Jeanne, die net wil binnenkomen voor temperatuurcontrole, zet eerbiedig een stap achteruit. Ze voelt de essentie in de kamer hangen. Zo noemt zij het, de essentie. Soms is het er bij stervenden en soms niet. Daaraan weet ze of de stervende een leven met of zonder passie heeft geleid. Nochtans gelooft ze niet, toch niet in een God, maar dit fenomeen kan ze toch niet uitleggen. Bovenaards is het zeker maar wat is het, vanwaar komt het, waarom is het er soms en soms niet? Het is een ongrijpbare sfeer die door één woord verbroken kan worden en toch zo wezenlijk is. Eens je die hebt gevoeld, raak je er nooit meer van los en kan je niet anders dan besluiten dat er meer moet zijn tussen hemel en aarde. Jeanne is er na al die jaren van overtuigd dat ze het pas zal weten als ze zelf aan de beurt is, als ze die loodzware en toch vederlichte stap naar de overkant heeft gezet. Ze heeft mensen al zo mooi weten sterven dat ze er zelf bijna naar verlangde. Zonder pijn en met een glimlach. Hier zal het ook zo zijn, voorvoelt ze en de sfeer die nu vrijgekomen is in de kamer, bevestigt haar vermoeden dat het niet lang meer zal duren. Tien dagen volgens de dokters maar Jeanne geeft er haar nog drie, maximum. Als het lichaam klaar is, is het klaar, de geest moet wel volgen. Diegenen die met beide in het reine zijn, sterven een mooie dood. Diegenen die tot de laatste minuut vechten, lijden. Deze vrouw is er klaar voor, dat ziet Jeanne zo. Behalve die onverklaarbare onrust af en toe. Ze is veel te jong, dat wel. En die man zal niet lang rouwen, dat ziet ze ook. Jeanne heeft meer mensenkennis dan die jonge psychiatertjes die in en uit draven alsof ze het wereldleed torsen. Jeanne zou ze kunnen leren dat je het wereldleed beter met de glimlach kan torsen, dan weegt het minder.

A.J. moet bovenmenselijke inspanningen doen om die verpletterende sfeer van zijn schouders te schudden en zijn benen te doen gehoorzamen. Hij voelt zich tien jaar ouder doordat al de pijn die hij anderen heeft aangedaan en de pijn om zijn moeder, zijn hart omwoelt. Met een totaal andere houding dan hij binnenkwam verlaat hij achterwaarts de kamer, zonder afscheid te nemen van zijn zoon, zo in beslag genomen door confronterende gedachten. Jeanne laat hem beleefd door en ziet hem volledig in de war de foute lift nemen. Gebroken. Die zien we niet meer terug, denkt Jeanne. En dan stapt ze kordaat de kamer in, om de sfeer te breken voor die jongen want dat kan hij zelf niet, laat staan dat hij beseft wat er zonet gebeurd is. De dood is komen aftasten en wacht op de vensterbank waar de duiven hun geroekoe hervatten. De wereld leeft door, ook in de dood.

Nick haalt zijn handen geschrokken van de vensterbank die even leek te trillen en opent als het ware zijn ogen, ook al zijn ze open. Zijn moeder slaapt. Hij moet gaan zitten want zijn benen laten het afweten. Het lijkt of hij een paar minuten niet van deze wereld is geweest. Duizend gevoelens hebben zijn lijf doorkruist, op zoek naar een halte, duizend gedachten dwarrelen weer op hun veilige plaats. Hij is plots doodmoe en merkt nu pas dat zijn vader weg is en dat de verpleegster zijn moeders temperatuur neemt. Ze knikt goedkeurend en gaat weer weg, hem even bemoedigend aankijkend. Stil staart Nick naar zijn moeder en denkt aan haar, zo intens, alsof hij niet nog de rest van zijn leven daarvoor de tijd zal krijgen. Alsof hij met zijn gedachten de hare wil binnendringen, wetend wat ze denkt, of ze bang is.

Maar hoe hij ook probeert zich op haar te concentreren, haar gedachten blijven een gesloten boek. Hij beseft tot zijn verdriet dat hij zijn moeders diepste zielenroerselen nooit echt zal kennen, haar verdrietjes en vreugdes, details die hem nu oneindig belangrijk lijken, allemaal vragen die je elkaar nooit stelt omdat je denkt dat ooit nog wel eens te doen, als er tijd is. Maar dan is die tijd er ineens niet meer en is het te laat om ze te stellen. Allemaal vragen waar hij nu wanhopig een antwoord op zou willen maar niet meer zal krijgen, toch niet haar antwoord. Elke persoon sterft met zoveel geheimen en eigenheden als er mensen zijn, beseft hij, veel te vroeg voor zijn leeftijd. Er is maar één persoon die je kent en dat ben je zelf, de rest heeft een beeld of kent een stukje. Daarom zou Nick zo graag geloven in reïncarnatie. Dan hoeven al die gevoelens, al die wijsheid, al die geheimen niet verloren te gaan. Dan zou ooit ergens een nieuwe mens geboren worden met de innerlijke schoonheid van zijn moeder, met in zijn of haar glimlach de zweem van haar geheimen, met in zijn of haar ogen de glans van haar liefde. Met zulke ogen moet ze vroeger naar zijn vader gekeken hebben, hoe onbegrijpelijk dat ook lijkt.

De werkelijkheid had voor haar geen vorm meer, ze had hem omgevormd tot iets wat ze wou dat hij was.

Vrijdagavond om half acht gaan we eten in de Oliveria. Geraak je er zelf of zal ik je thuis komen oppikken?' had A.J. op woensdag gevraagd. Nou, niet echt gevraagd, eerder gezegd. Jess was te verbouwereerd om neen te zeggen, wat de beleefdheid eiste als een man je voor het eerst uitvroeg, anders was je geen deftig meisje, dat zei haar moeder toch altijd. Maar eerlijkheidshalve moest ze toegeven dat ze eigenlijk niet neen wou zeggen. Werken bij A.J. was als flirten met water. Je staat er middenin maar het ontglipt je telkens weer. Het plaagt je, geeft je koude rillingen en laat je voelen dat je leeft.

Geen seconde stelde ze zich vragen bij deze toch wel vreemde uitnodiging van een man die ze nauwelijks kende en die bijna twee keer zo oud was als zij. Een ondoorgrondelijke man die werelden van levenswijsheid verborg in zijn onweerstaanbare glimlach. Jess had tot woede van haar vader zomaar haar contract opgezegd bij Weyens & Volckaert om voltijds als studente te kunnen werken bij A.J. en zijn vader Maximiliaan, met wie ze het van af de eerste seconde kon vinden. Hij was soms ronduit beledigend maar Jess voelde meteen dat achter elke zin een enorme dosis humor zat, van het soort helaas waar niet iedereen kan om lachen. Haar rivale, Monica, die een dag na haar was begonnen, was een lang, mooi meisje dat twee keer nadacht voor ze sprak en ogen had waarin je niets kon lezen. Die zaten bijna verborgen onder haar lange, blonde pony. Ze droeg niks anders dan vintage kleren, laagjes boven elkaar en geen make up. Dat had ze niet nodig, ze was mooi genoeg. Telkens als A.J. met haar bezig was, liep Jess onrustig rond zonder te weten waarom, al had ze diep vanbinnen allang aan zichzelf toegegeven dat ze hopeloos verloren was. Ze voelde zich op een heel dierlijke manier tot hem aangetrokken en wat hij ook zou vragen: ze zou het doen. Dat wist ze nu al. Hoe ver die vragen zouden kunnen gaan, kon ze op dat moment niet dromen.

Haar moeder had met argusogen haar modeshow gevolgd die vrijdagavond. Laura was uit, die kon ze geen raad vragen. Niks was goed genoeg, deed haar vormen perfect uitkomen, verdoezelde wat moest verdoezeld worden. Uiteindelijk haalde Jess een oude jurk van haar moeder uit de kast, vintage stijl, zoals Monica. Ze had hem Monica eens horen complimenteren met één van haar soepjurken. Terwijl ze een vleugje fond de teint uitsmeerde, bulderde de stem van haar vader de trap op. Rustig deed ze verder en kwam pas naar beneden als ze helemaal klaar was.

'Wat is er?' vroeg ze niet echt vriendelijk. Ze kon al raden wat er fout zat.

'Waar ga jij naartoe?' vroeg Gust bars.

'Uit', antwoordde Jess kort.

'Met wie?'

Even aarzelde Jess. Ze wist dat haar antwoord op weinig sympathie zou kunnen rekenen. Haar moeder stond ondertussen naast haar vader en keek bezorgd langs de trap omhoog. Hun dochter zag er beeldschoon uit.

'Met A.J.', antwoordde Jess dapper. Het was duidelijk dat haar ouders dat antwoord verwachtten, want ze schrokken niet.

'Je ziet maar hoe je geraakt waar je moet zijn, maar mijn auto krijg je niet,' bromde haar vader, 'mocht het nu met Peter zijn, meteen, maar ik ken die A.J. niet en wat je moeder en ik via goeie vrienden over hem te weten zijn gekomen, staat ons niet aan, helemaal niet. Toch niet wat vrouwen betreft. Hij gaat je hart breken, Jessie en je staat klaar om er met open ogen in te lopen.'

'Je vader heeft gelijk, schat,' viel haar moeder hem bij, 'die man is ook bijna twee keer zo oud dan jij. Begin er niet aan nu het nog kan.'

Maar zoals altijd raakten hun woorden Jess niet. De werkelijkheid had voor haar al geen vorm meer, ze had hem omgevormd tot iets wat ze wou dat hij was. Ze draaide zich nukkig om en riep terwijl ze de deur dichtgooide: 'Ik geraak er wel, zonder jullie auto.'

'Mooie jurk, van Monica geleend?' vroeg A.J. plagend nadat hij ook voor haar een aperitiefje had besteld. Ze was een kwartier te laat, stomme bus. A.J. was natuurlijk stipt op tijd geweest. Zijn opmerking zinde haar niet.

'Neen, van mijn moeder. Het is haar verlovingsjurk. Monica mag haar kleren houden, mijn stijl niet.' En ze nipte gespeeld zelfverzekerd van haar glas witte port terwijl haar hart klopte in haar keel en ze zich erover verbaasde dat haar stem zo normaal klonk. Ze dronk helemaal niet graag witte port. A.J. zag er vreselijk mannelijk uit. Alle vrouwen keken naar hem om. Jess groeide onder elke blik want zij zat hier toch maar mooi met de knapste man van het restaurant. De ober, die A.J. goed bleek te kennen, loodste hen naar een tafeltje middenin het restaurant. Jess had liever wat apart gezeten. Nog steeds vroeg ze zich niet af waarom een man als A.J. een meisje als zij mee uit nam. Alle rede was verloren gegaan toen ze hem voor het eerst in de ogen had gekeken, de dag van het ongeluk. Ze voelde het aan als haar lot. A.J. bestelde alles voor haar, zonder te vragen of ze alles wel lustte. En toen hij haar na het diner meenam naar zijn huis, ging ze mee, zonder zelfs maar te overwegen tegen te stribbelen. Waarom was alles zo vanzelfsprekend, waarom leek het of ze niet meer voor zichzelf kon denken, alsof hij haar denken had overgenomen? Waarom voelde het zo zalig en tegelijkertijd zo gevaarlijk?

Wat volgde, was een ware openbaring en op slag verslavend. A.J. was dwingend en veeleisend. Haar hoofd voelde leeg, ze leefde enkel met haar lichaam dat het tempo niet kon volgen en naar slaap zocht in een bed dat rook naar jasmijn, in een huis dat glom van antieken vloeren en ademde als oudlederen zetels.

Alles zag er duur uit. Helemaal anders dan de gezellige rommel bij haar thuis die een soort van heerlijk vertrouwen gaf. Alles kwam wel van ergens bij haar thuis, maakte herinneringen blijvend en lokte verhalen uit. Hier zweeg alles plechtstatig, alsof ze slechts een passante was in hun lange geschiedenis. Nergens stonden er foto's van Sarah, de blonde vrouw op de foto op zijn bureau. In de badkamer de volgende ochtend vond ze dan wel weer alles wat ze maar nodig zou kunnen hebben. Bij niks stelde ze zich vragen. Ze douchte uitvoerig want haar lichaam had de nacht maar pijnlijk verwerkt. Alles leek vreemd, zijzelf nog het meest. Het voelde of ze het leven van iemand anders leidde. Ze keek langdurig in de spiegel en staarde in haar eigen ogen die als naar een onbekende terugstaarden. Ze keek naar haar handen die ineens details toonden waar ze nog nooit de tijd had voor genomen om ze te bestuderen. Ze besliste haar krullen te overmeesteren en nooit meer dezelfde kleren drie dagen na elkaar te dragen, wat ze meestal deed. Vanaf vandaag was ze Jess, in plaats van Jessie. Als in een wakkere droom stapte ze trots en bang naar beneden.

'Ook zin in één van mijn goddelijke fruitmixen? Ik heb 's ochtends nooit honger, daarom gooi ik vaak wat fruit bij elkaar in de blender, met muesli. Dan hou ik het toch tot de middag uit. Hier, drink op. Ik ga joggen. Blijf je vandaag hier of had je plannen? Ik hoor het straks wel.'

Fris en mannelijk liep A.J. in enkel een witte short de open keukendeur uit, recht een soort park in. Dat had ze vannacht niet goed kunnen zien. Hij gaf haar geen kus, geen knuffel, zelfs geen knipoog. Hij was vriendelijk, gewoon. Haar trots kromp in elkaar. De fruitsapmix gleed koud naar haar maag. De keuken was heel clean, zonder de minste persoonlijke toets, bijna alsof er niet in geleefd werd. Net als de rest van het huis. De zwartstenen vloer voelde koud aan haar blote voeten en maakte haar langzaam wakker. Nu pas ontwaakte ze echt. Waar was ze mee bezig? Haar vader zou razend zijn. Het huis voelde vijandig, wilde haar precies wegjagen of minstens iets zeggen. Ze stapte snel naar buiten en kwam een beetje tot rust. De tuin bleek inderdaad een half park zoals een park er hoort uit te zien. Met een vijver omzoomd met blauwe irissen en eeuwenoude bomen die nog in hun lentegroen stonden. De dag leek vrijmoedig. De kou en het ongemak gleden langs haar rug naar beneden. Ze ademde diep in en beeldde zich in dat ze hier op een dag zou wonen. Maar weer haalde de duivel de bovenhand en drukte haar schouders lager. Wat zag een rijke man van zijn leeftijd in haar, een studente van 18? En wie was die vrouw op de foto, Sarah?

Ze draaide zich langzaam om naar het huis dat haar stuurs en ondoorgrondelijk aankeek door zijn vensterogen.

Zondag 14 augustus 2005, 10.00

Ze wisten het alle twee. En ze zwegen.

Nick zit met lege ogen een krant te lezen naast Jess' bed. Hij is een paar uur naar huis gaan slapen maar om halfacht stond hij er al terug. Jeanne, die het ganse weekend dienst heeft, heeft hem gisteravond als een boze juf hoofdschuddend naar huis gestuurd met de belofte dat ze hem onmiddellijk zou bellen als er iets zou zijn. Van onder de rand van zijn versleten pet mist hij geen enkele beweging van zijn moeder. Ze lijkt te slapen of is er zich in ieder geval niet van bewust dat hij er is. Als haar wimpers beroerd worden door de lucht, heeft Nick het gezien. Zijn lieve moeder lijkt vederlicht en doorzichtig, alsof ze er al niet meer is. Nick knabbelt met lange tanden op een halfverdroogde donut die hij thuis in een kast heeft gevonden. Penny en Sam sliepen nog toen hij vertrok. Nog even heeft hij zijn moeder voor zich alleen.

'Dag tijger, heb je wat geslapen?' opent Jess lui haar ogen. Ze wil haar zoon op de wang aaien maar haar arm wil niet mee. Ze probeert hem dapper toe te lachen. Ze is moe van de nacht die geen rust heeft gebracht.

'Ja hoor, ging wel. De vijver in de tuin staat helemaal droog van de hitte. Zelfs het gras is verbrand. En er hing een briefje van Penny aan de ijskast dat ze na de middag komt. Weet je, eigenlijk lust ik helemaal geen donut.' Hij forceert een lachje voor haar en mikt de donut in het vuilbakje onder de tafel. Van op de gang klinken de vertrouwde gedempte geluiden van vroege bezoekers en efficiënte verpleegsters. Dat geeft Nick telkens vertrouwen. Zij weten waar ze mee bezig zijn.

Nick en Penny wonen al meer dan een week afwisselend bij hun grootouders of alleen in het grote huis. Dan is Sam er vaak ook maar die is zo onopvallend dat Nick soms schrikt als hij hem opmerkt. Thuis zijn is moeilijk. Alles klinkt hol en de muren bewegen, steeds dichter om hem heen, versmachtend. Slapen lukt niet. De troostende kaneelgeur van zijn moeder ontbreekt. Haar ziel die het huis vult is weg. Enkel in het ziekenhuis komt hij tot rust. Hier leeft hij in de illusie dat hij iets kan betekenen, dat hij de dood te snel af kan zijn, zich er lijfelijk mee meten, hem kan buitenhouden uit de kamer, puur op kracht en wilskracht. Hij heeft de dood een gestalte gegeven. De dood is voor hem een gespierde reus met hopelijk een Achillespees. De vijand visualiseren vergemakkelijkt de illusie hem te kunnen verslaan. Nick is klaar voor de krachtmeting en houdt elke hoek, elk raam en elke passant in de gaten. Zijn kinderangst voor monsters onder het bed indachtig, gluurt hij ook daar. Als de dood zich manifesteert, zal hij klaarstaan. Die ene strohalm houdt hem recht.

'Hoe gaat het met die goeie ouwe Raffles? Denkt iemand eraan hem af en toe uit te laten en eten te geven?' vraagt Jess stil, met heimwee aan haar dierbare hond terugdenkend die ze waarschijnlijk nooit meer zal zien. Ze heeft hem gekregen van Jim toen ze bevallen was van Nick, *om die ouwe Dagobert gezelschap te houden.* De dierenarts zegt dat hij nooit zo'n oude Jack Russell als Raffles had gehad in zijn dertigjarige praktijk. Raffles is een hecht deel van de familie die overal meegaat en op koude winteravonden met zijn kop haar voeten verwarmt als ze televisie kijkt. Soms kan hij haar zó intens aankijken, alsof hij iets wil zeggen. Hij is soms meer mens dan sommige mensen die ze kent. De gedachte aan haar lieve Raffles stemt haar vreemd treurig, alsof afscheid nemen van dat beest haar nog moeilijkst valt van allemaal. Ze kan hem niet uitleggen wat er gebeurt, hem niet vragen of hij met zijn ondertussen door ouderdom en artrose aangetaste botten op haar kinderen wil letten.

'Hij mist je, denk ik, mam,' antwoordt Nick, 'hij ligt zo maar de hele tijd op zijn mat aan de keukendeur wat te hijgen. Wat moet het heet zijn voor zo'n beest. Wie heeft ooit bedacht dat honden via hun tong moeten zweten.'

Hij voelt zijn gsm trillen in zijn broekzak, zijn enige band met de buitenwereld. Maar opnemen doet hij enkel voor zijn zus, zijn vader en opa Max. Soms ook voor Ralph, de zoon van Marion en één van zijn beste vrienden, want ze zijn op een paar dagen na, even oud. Maar hij ziet op het schermpje dat het Kiara is, zijn beste vriendin. Liefje is een groot woord voor hun gekus. Ze probeert hem al een paar dagen te bereiken. Het is een schat. Hij zou alles aan haar kwijt kunnen en ze zou gewoon luisteren, maar hij heeft er geen zin in.

Zijn leventje van nog maar een paar maanden terug lijkt hem zo ver weg, zo nutteloos en zo leeg. Hij mag er niet aan denken zijn vrienden te moeten uitleggen wat er aan de hand is. Ze zouden het niet begrijpen, of neen, ze zouden het gewoon niet kunnen begrijpen. Ze weten niks van zijn verleden, de zware problemen tussen zijn ouders vroeger en hij heeft hen ook niet verteld dat zijn moeder kanker heeft. Eigenlijk weten ze nauwelijks iets van hem en dat vindt hij best zo. Er is enkel het nu, toekomst betekent de volgende minuut, niks meer. De toekomst lijkt zo oneindig ver en onvatbaar dat ze leeg is. Wat is het nut van denken aan later? Wat is het nut van alles, zonder haar? Als hij niet trots zijn diploma aan háár kan tonen, dient het tot niets. Zíj was het die hem ernstig nam als hij op zijn zesde verkondigde dierenarts te willen worden en een microscoop vroeg aan Sinterklaas om alvast insecten te ontleden. Ze zochten de insecten samen in de tuin, onder de bladeren, in de sloten en zelfs 's nachts met een zaklamp. Op zijn achtste nam ze hem als verrassing mee naar een opendeurdag van de veeartsenijschool waar ze gemeend aan de directeur vroeg of hij zich al kon inschrijven. Ze gaf geen krimp en wachtte even geïnteresseerd als hij op het antwoord. Samen waren ze sterk, samen konden ze de wereld aan. Hoe zou hem dat ooit alleen lukken?

'Neem je niet op? Was het Ralph? Wat een lieve jongen is dat toch, net als zijn moeder. Of was het Penny?' vraagt Jess in een poging tot een normaal gesprek zoals moeders en puberzonen er dagelijks over de ganse wereld voeren. Ze weet allang dat Nick en Penny elkaar niet echt liggen, soms zijn ze net water en vuur. Ze zijn gewoon te anders. Ook Nick denkt even aan zijn grote zus, een zus die hem nooit het gevoel geeft dat hij waardevol is, alsof hij altijd net dat beetje tekort komt om de moeite van een diep gesprek waard te zijn. Zijn zus leeft in een perfecte wereld en daar voelt hij zich niet in thuis ook al houdt hij echt wel van haar, zonder die geladen woorden ooit uitgesproken te hebben.

Zijn moeder voelt zich ook niet thuis binnen perfectie, dat voelt hij. Hij heeft haar vaak met verlangende ogen naar Penny zien kijken, ogen die écht probeerden de rechte lijnen van Penny's leven te volgen maar vaak faalden omdat haar eigen leven heerlijk kromde. Hij heeft haar vaak alleen aan de keukentafel zien zitten denken, klein en eenzaam, zo eenzaam. Door de schuld van zijn vader.

Al van toen hij vier, vijf jaar was voelde hij dat het heel erg fout zat tussen hen maar hij kende toen de woorden nog niet om het te omschrijven. Als zijn moeder weer eens 'gevallen was', toonde ze hem zijn eigen blauwe plekken. *Zie je wel, mama's vallen ook al eens.* Al wist hij wel dat blijkbaar toch niet alle mama's zo vaak van de trap vallen of struikelen over een pluche beest of ergens tegenaan lopen.

Op zijn achtste werd hij wakker van lawaai in de keuken. Stoer nam hij zijn baseballbat om de indringers te verjagen zoals Bart Simpson met wie hij zich graag vereenzelvigde. Bart Simpson was een held. Maar toen hij de keukendeur moedig opentrok, zag hij zijn moeder op haar knieën zitten, met haar gezicht tegen de grond gedrukt door zijn vader. Zijn moeder huilde en er liep bloed uit haar oor. Dat beeld kan hij zich nog altijd tot in het kleinste detail herinneren. Hij weet nog dat er een pan koude soep op het vuur stond, dat de voederbak van Raffles leeg was en dat op de radio zachtjes iets van *The Ramones* speelde, een nummer dat hij jaren later via *I Tunes* heeft leren benoemen. Beiden keken hem een paar seconden perplex maar met een totaal andere blik aan. Toen wist hij het. Dat geluid kwam niet van een inbreker, het was veel erger: de indringer zat binnen in hun huis en hun leven en zou zich met een baseballbat niet laten verjagen. Hij liet de bat stilletjes zakken, niet in staat om te bewegen. Zijn hele veilige leventje was in één seconde verwoest. Niets zou ooit nog hetzelfde zijn. Het woord 'vader' zou nooit meer veilig klinken. Het werd vanaf die dag een schaduw die hem volgde en waarvoor hij altijd op zijn hoede was. Ook al heeft zijn vader hem nooit kwaad gedaan. Had hij dat maar, dat zou makkelijker te verdragen zijn geweest dan de pijn in de ogen van zijn moeder. Hij was pas acht en wist toen al dat hij niks, maar dan ook niks kon doen om zijn moeder te helpen.

Ondanks haar tranen en pijn, toverde ze een glimlach tevoorschijn. Zijn trotse, sterke moeder. Zijn vader veranderde van vreemde man weer in vader, liet zijn moeder los en lachte hem ook toe. Maar Nick zou die glimlach nooit meer geloven. Zijn moeder probeerde recht te staan en naar hem toe te komen. Hij zag haar strompelen en zijn kleine hart deed pijn, een soort pijn die hij enkel nog maar had gevoeld toen Dagobert gestorven was. Had zijn lichaam toen uit enkel water bestaan, hij was leeg geweend. Maar nu kwamen er zelfs geen tranen. Hij was volledig in shock.

'Hey kabouter, wat doe jij uit bed? Had je een slechte droom? Kom, ik breng je naar bed', zei ze zo gewoon mogelijk, alsof wat hij net had gezien die boze droom was, als een zeepbel opengespat en daarmee verdwenen. Zijn vader stond met zijn rug naar hem en haalde een blikje *Ice Tea* uit de ijskast. Hij draaide zich niet om toen zijn moeder hem zacht naar boven leidde. Vreemd genoeg viel hij onmiddellijk in slaap toen ze zijn rug streelde, wat ze altijd deed als hij niet kon slapen van de monsters onder zijn bed of de ogen in de bomen die zijn kamer binnenkeken of vreemd flikkerende sterren. Hij sliep altijd met zijn gordijnen open. De volgende ochtend vroeg hij zich zelfs af of het inderdaad niet een boze droom was, tot hij in de keuken kwam en zijn moeder duidelijk pijn had als ze liep en een sjaaltje om haar hoofd droeg, wat ze altijd deed als ze 'gevallen' was. Zo kon hij haar oor niet zien. Veel te vrolijk wenste ze hem goeiemorgen en knuffelde hem lang, een soort pact afsluitend van stilzwijgendheid. Wat hij gezien had, zou nooit uitgesproken worden. Penny taterde het ontbijt vol en had niks door. Dacht hij toen. Zijn vader was al weg.

Het beeld van die nacht vult de krant waar Nick in kijkt, nog altijd op pagina 2. Zijn moeder doet af en toe haar ogen open en glimlacht hem licht en lief toe. Zonder te bewegen glijdt ze telkens weer weg, alsof ze ligt uit te rusten van het leven. Behalve morfine krijgt ze geen andere medicatie meer. Bijna heeft Nick het gevoel dat ze samen aan het uitrusten zijn, dat ze samen op het punt staan een andere dimensie binnen te treden, een dimensie die alle boze herinneringen uitwist en waar enkel de essentie van een allesomvattende liefde heerst. Waar anderen ook welkom zijn maar het hoeft niet. Waar hij haar kan beschermen al zou het niet nodig zijn. Waar hij de held kan zijn die hij nooit heeft kunnen zijn tegenover zijn vader. Waar zijn moeder weer is wie ze was, vol dromen, her-senkronkels vol avontuur en plezier, een lach groter dan het leven en licht als een witte wolk. Een veilige dimensie waar slechtheid niet bestaat, zelfs het woord niet, waar woorden zelfs helemaal niet hoeven.

Vanaf die allesbepalende nacht had hij overal ogen die zijn moeder niet loslieten. 's Nachts durfde hij niet te slapen om elk geluid te kunnen analyseren. Op school kon hij zich niet meer concentreren en veranderde hij van een vrolijk kereltje met gemiddelde punten in een teruggetrokken, niet te stimuleren leerling. Zijn juf, de directrice, de zorgjuf, iedereen praatte met hem om te achterhalen wat er aan de hand was maar hij durfde niks te zeggen. Ze hadden vorig jaar in zedenleer een

verhaal geleerd van een kind dat was weggehaald bij zijn ouders omdat ze het mishandelden. Dat gebeurde bij hem wel
niet, vond hij, maar wat als ze hem zouden weghalen bij zijn
moeder? Dus zweeg hij, alsmaar meer, tot hij op school bijna
niks meer zei. Pas in het humaniora kon hij met een schone
lei beginnen. Niemand kende hem en hij maakte ook dat ze
hem moeilijk konden leren kennen. Hij droeg zijn geheim als
een mantel die hij nooit afdeed. Hoe langer hij wat gebeurde
geheim hield, hoe minder hij de neiging voelde erover te praten.
Want het bleef gebeuren, tot de dag dat zijn vader wegging.

Hoe vaak heeft hij sinds die noodlottige nacht niet geprobeerd
met zijn moeder te praten over wat hij had gezien, over wat
hij wist dat gebeurde. Maar hij raakte niet door haar wegwui-
vende handen. *Ach kabouter, jij maakt soms toch ook ruzie met
je vriendjes, niet? Wel, ouders doen dat ook. Papa en ik zijn heel
gelukkig en we houden van je, maak jij je dus maar geen zorgen
in dat mooie, slimme hoofdje van je. Zeg, zullen we vanmiddag na
school naar het park gaan? Het is de periode dat de vogeleieren
openbarsten, misschien zien we wel kleintjes? Ik zal je vogelgids
mee nemen, goed? En nu opschieten of je bent te laat voor school.*
Natuurlijk maakte hij soms ruzie met zijn vriendjes maar dat
voelde anders. Hij had zelfs al zijn duim gebroken door een
bewust te harde bal van Ron, maar hij wist gewoon dat dat
niet hetzelfde was. Eén keer, toen hij tien was en het weer
helemaal fout was gegaan, zei ze in een zwak moment enkel:
'Ik kàn niet weg bij je vader, kabouter, hij laat me jullie nooit
meenemen en zonder jullie ga ik echt nergens heen. Maak je
om mij maar geen zorgen. Jullie zijn het belangrijkste in mijn
leven, zolang ik jullie heb, is al de rest onbelangrijk.' Daarom
bleef ze dus, voor ons, voor haar kinderen. Nick was dus mee
schuldig aan wat zijn moeder moest doorstaan.

Hoe vaak heeft hij niet geprobeerd om met zijn zus te praten
over wat onder hun neus gebeurde, maar hij raakte niet door

haar stugge blik die steevast antwoordde dat *hij zich niet met volwassenen zaken moest bemoeien*. En dan, ergens toen hij negen was, zag hij die stugge ogen vochtig worden toen hij weer een aarzelende poging ondernam het verboden onderwerp aan te snijden. Ze wist het dus ook. En stond ook machteloos. Zijn sterke zus die even machteloos stond als hij. Haar leven was dus ook niet perfect. Misschien wou ze haar huidige leven daarom zo perfect, om toch het gevoel te hebben érgens controle over te hebben? Maar toen werd er niet over gesproken tussen hen. De woorden bleven onuitgesproken hangen. Ze wisten het alle twee. En ze zwegen tot hun vader wegging. En tot lang daarna. En ze zwegen nog.

Hij was elf toen zijn vader thuis definitief wegging, nu bijna vijf jaar geleden, op 19 augustus 2000. Hij was na een vecht-scène de deur uitgelopen en nooit meer teruggekeerd. Het was gebeurd na de zoveelste uit de hand gelopen ruzie midden in de nacht, een zaterdagnacht. Zo'n nacht waarin de landerige warmte van de dag maar niet wil wijken en niemand daardoor echt de slaap kan vatten omdat de hitte aansleept en iedereen prikkelbaar maakt. Nick liep op zijn tenen door het huis om zijn vader niet boos te maken. Penny, die toen vijftien was, pro-beerde zo weinig mogelijk thuis te zijn als ze wist dat *de duivel is huis zat*, zo noemde zij de perioden dat hun moeder opval-lend veel 'viel' of 'struikelde'. Dan ging ze bij haar vriendin Elsie logeren. Nick kon Elsie niet uitstaan en dat was honderd procent wederzijds. Zijn moeder vond Elsie ook maar een wat nuffig, verwend nest, hoorde hij haar ooit tegen Marion zeg-gen. Nick lag die nacht te zweten in bed met het laken vertrapt aan zijn voeteinde. Hij viel af en toe in een droomloze slaap, onderbroken door de ondertussen zo gekende en gevreesde verheven stem van zijn vader en het nog zwaarder wegende zwijgen van zijn moeder. Dan lag hij in bed, wenend en boos op zichzelf omdat hij zijn moeder niet kon helpen. Hij had het nochtans vroeger vaak geprobeerd.

De eerste keer duwde zijn vader hem gewoon zonder veel omhaal de gang op toen hij bang maar dapper de keuken binnenkwam, als een lastig kind. Zijn moeder zat op een stoel, huilend, haar bovenlichaam naakt. Haar gezicht was bleek, op de rode vegen na die doorliepen over haar borsten. Ze trilde helemaal en haar ogen smeekten hem weg te gaan. Voor haar heeft hij dat ook gedaan. Ervan overtuigd dat het anders nog erger zou worden. Zijn vader draaide de deur in het slot voor zijn neus. Hij is er de ganse tijd achter blijven staan, schokkend van de stille tranen terwijl zich achter de deur taferelen afspeelden die hij zelfs met de deur dicht zag. Gesmoorde snikken van zijn moeder raakten toch onder de deur door. Wat zijn vader zei kon hij niet horen, maar hij begreep de klank van zijn stem. Die was ijzig en helemaal anders dan de lachende, zelfzekere stem waarmee ze samen speelden in de tuin. Zijn vader was iemand anders. Hij zag er wel hetzelfde uit maar vanbinnen was het iemand anders. Misschien had zijn zus wel gelijk en kwam de duivel op bezoek bij zijn vader, dacht hij toen, wanhopig naar een uitleg zoekend voor wat zijn vader deed. Een excuus waarachter hij zich kon verschuilen en dat de pijn en de angst zou doen weggaan. Geen moment kwam het in hem op zijn zus te gaan halen die die nacht nochtans thuis was. Sliep ze? Luisterde ze mee? Hoe lang hij daar gestaan heeft, weet hij niet meer, maar het voelde als uren. Tot de deur openging en zijn vader woest naar buiten beende zonder hem ook maar te zien staan. Hij liet een kilte achter in de gang die Nick deed rillen. Boos gierde de auto de oprijlaan uit. Het zou twee dagen duren voor hij zijn vader die keer zou terugzien. Hij heeft nooit geweten waar hij toen was en alle keren ervoor en erna. Hij heeft het ook nooit gevraagd.

Zijn moeder zat nog altijd op de stoel toen hij angstig binnenkwam, alsof het gevaar er nog was. Doordat ze met haar handen voor haar gezicht zat te wenen, zag ze hem niet meteen. Ze schrok hevig toen hij haar met beide armen omklemde in een poging haar alle liefde in zijn kleine lijfje te geven. Dat gebaar brak haar hart en minutenlang huilden ze samen, zij nog halfnaakt op de stoel. Toen herpakte ze zich, raapte haar badjas op, deed hem nog nasnikkend aan, nam hem bij de hand en probeerde zelfs te glimlachen, wat haar zichtbaar pijn deed. Ze schudde met een vertrokken gezicht haar verwarde haar naar achter en stak trots haar kin in de lucht. Hij hielp haar de trap op en die nacht hebben ze elkaar innig omhelzend geslapen in haar bed. Ze legde niks uit en Nick vroeg niks. Terwijl ze zijn nekhaar streelde, zei ze de volgende dag enkel: 'Opgeruimd staat netjes, hé tijger?' Maar dat was helaas niet zo. Want hij kwam terug.

Twee dagen later kwam zijn vader vrolijk binnen met uit-puilende zakken van de supermarkt. Hij tilde Nick op en knip-oogde alsof er niks gebeurd was. Maar het was wel gebeurd. Hoe goed iedereen ook zijn best deed om verder te leven alsof het niet gebeurde. En het gebeurde opnieuw. Zijn vader werd slimmer. De deur bleek altijd dicht. Omdat hij onmogelijk in bed kon blijven liggen, stond Nick elke keer achter de gesloten deur te luisteren. Waarover het ging kon hij nooit goed horen. Waarom zijn vader altijd zo boos was op zijn moeder, is hem dus nooit duidelijk geworden. Nog altijd niet. En het is vooral het ontbreken van een antwoord op die vraag dat hem kwelt. Waarom. Dat woord maalt nu nog 's nachts door zijn hoofd. Bij elke nieuwe vriendin die zijn vader in huis haalt, slaat de schrik hem weer om het hart. Als het maar niet opnieuw begint. Ook daarom houdt hij een veilige afstand van die vrouwen. Dan hoeft hij zich niet schuldig te voelen als hij machteloos achter een deur moet staan luisteren. Maar de duivel rust. Of de duivel is maar actief als hij er niet is.

Vreemd genoeg is hij zelf nooit bang geweest van zijn vader. Het is alsof enkel zijn moeder het slechte in hem bovenhaalde. Heel lang heeft hij gedacht dat niemand het wist, want, rede-neerde hij, hoe zou je vrienden kunnen zijn met iemand die zoiets doet? Vroeg zijn moeder haar vrienden dan niet om hulp? *Daar zijn vrienden voor,* zei ze hem zelf zo vaak. Vond niemand het vreemd als zijn moeder weer afzegde 'omdat ze wat moe was' of 'omdat ze migraine had', wat ze vroeger nooit had. Soms verborg ze de schade met sjaaltjes waarmee ze nog complimentjes kreeg ook. Ze staat met alles. En iedereen trapte erin. Als de schade te groot was, hoorde hij haar zich poeslief verontschuldigen aan de telefoon. *Uitstel is geen afstel, hé schat? Doen we het toch gewoon volgende week...'*

Dan stond hij op de trap onzichtbaar mee te luisteren, met verdriet hard en pijnlijk als nierstenen woekerend in zijn buik. Het liegen vond hij niet erg, het was de reden waarom. Waarom was hij nooit sterk genoeg om al die mensen terug te bellen en te schreeuwen: maar wéten jullie het dan niet? Zién jullie het dan niet, wat mijn vader doet? Waarom hélpen jullie haar niet? Waarom luistert niemand? Maar hoe konden ze luisteren, als hij zweeg? Als iedereen zweeg? Ofwel wist hij niet alles en wisten sommigen het wel, dacht hij soms. Volwassenen denken dat ze kinderen beschermen door hen niks te vertellen maar onwetendheid is nog erger. Kinderen kunnen veel meer aan dan volwassenen altijd denken. De wereld van een kind is veel erger dan volwassenen hem zich herinneren. Het gaat er vaak hard en meedogenloos aan toe als je kind bent en allesbehalve eerlijk. Je moet luisteren naar mensen waarvoor je niet altijd respect hebt, je wordt soms gestraft voor dingen die je niet gedaan hebt, je mening wordt aanhoord maar meestal netjes bij het grof huisvuil gezet. Vaak zat hij als kind zwijgend aan tafel als er vrienden op bezoek waren en de wijn rijkelijk vloeide. Hij keek de tafel rond en begreep het niet. Begreep niet dat zijn moeder lachte, begreep niet dat iedereen deed alsof er niks aan de hand was, dat zijn vader kon doen alsof ze een gelukkig gezin waren, zoals alle andere. Tenminste, als die dat waren, want niks was meer zeker. De hele wereld stond op losse schroeven. Overal waar hij kwam, trachtte Nick de sfeer aan te voelen. Elke moeder bekeek hij met onderzoekende blik. Hadden zij ook rode ogen? Altijd lange mouwen, zelfs in de zomer? Een 'toevallig' blauw oog? Raakten ouders van vrienden elkaar aan? Was er liefde? Maar nergens vond hij symptomen noch bewijs dat het elders ook gebeurde, wat voor hem nog meer reden was om te zwijgen.

Dat zwijgen woog en weegt zwaar, soms ondraaglijk zwaar en maakte dat zijn vroege puberteit niet hobbelig is verlopen zoals bij zijn vrienden. Ze is er overnacht gekomen en veel te vroeg. Al die heisa die hij zijn vrienden ziet en hoort maken om niks, hoeft voor hem niet. Tegen wie moet hij zich afzetten? Tegen een moeder die hem even graag ziet als de zon de maan? Tegen een vader wiens glimlach hol is en die op zijn elfde al weg was en die hij enkel om het andere weekend ziet? Toch doet hij soms mee met z'n vrienden, om erbij te horen. Ze vinden hem al zo stil, veel te gevoelig voor een kerel van zestien. Een mama's kindje. Je mama graag zien is simpelweg *not done*. En dan ook nog eens dierenarts willen worden! Helemaal om te lachen. Kerels worden geen dierenarts. Toch geen kerels van zestien. Neen. Zijn leven volgt de tijdlijn van zijn vrienden niet. Die van hen is als een rollercoaster waar je gillend en met gesloten ogen van de spanning niet meer uit kan, hoe graag je ook zou willen. Hij voelt zich vaak hun toeschouwer die zowel met nostalgie als opluchting het spektakel bekijkt zonder ooit echt deel te nemen.

Met zijn vader heeft hij nooit proberen te praten over wat gebeurde. Hij uitte zijn protest door stilte. Niks zo verpletterend als een gefundeerde stilte. Hij liep opvallend aanwezig door het huis, voor de voeten van zijn vader. Zijn moeder gooide hij glimlachjes toe, zijn vader haat. Die deed net of hij het niet zag en herleidde alles tot *typisch kinderen*. Elke zware stilte werd gecounterd door grapjes, verhalen van op kantoor en vrolijke plannen. Omdat niemand reageerde, bleven zijn woorden en lach hangen als ongewenste gasten die je niet buiten krijgt na een feestje terwijl jij gewoon wil gaan slapen. Zijn vader leefde alsof er niks aan de hand was. En af en toe deed hij dat zo overtuigend dat Nick twijfelde of het wel echt gebeurde. Want vreemd genoeg, als er een tijdlang niets gebeurd was, hoorde hij zijn ouders ook vaak lachen. Of hij hoorde gesprekken tussen hen die er wonderwel in slaagden een schijn van alledaagsheid en zelfs speelsheid hoog te houden. Dan stormde hij naar beneden om te kijken of het wel echt was. Dat bracht hem heel erg in de war. Waarom deed zijn moeder dat? Kon je iemand graag zien die je pijn deed? Hij was altijd jaloers als andere moeders in andere, normale gezinnen zorgeloos lachten en flirtten met hun man. Dan voelde hij zich niet meer thuis, een ongenode gast. Daarom bleef hij vaker en vaker thuis. Om op haar te letten. Als een schaduw volgde hij zijn vader als die thuis kwam. Ostentatief, een levend schild om haar te beschermen. Dan keek zijn vader hem aan en startte een partijtje 'vader-zoon' worstelen, een geintje. Nick liet begaan. Met een joviale por tussen de schouderbladen liep zijn vader dan monter verder, alsof ze het zoveelste doorsnee gezin waren. Nick zweeg vooral voor zijn moeder. Omdat hij wist dat zij het zou bekopen als hij iets zou durven zeggen. En omdat het dan misschien wel eens echt fout zou aflopen. En met die schuld zou hij nooit kunnen leven.

Jess zucht slaperig, haar ogen half open. Ze staren hem aan zonder veel te zien. Nick plooit de krant waar hij nog nauwelijks in heeft gelezen en stapt stil naar haar toe.

'Ergens zin in?' vraagt hij hoopvol. Als ze toch maar iets zou willen eten, dan...

'Neen tijger, dat hoeft niet meer', antwoordt ze zo fluisterend dat hij zijn oor tot tegen haar gezicht moet brengen. Haar adem ruikt vreemd genoeg naar niks. Naar leegte, een zweem van kaneel misschien. Hij draait zijn gezicht tot ze elkaar recht in de ogen kijken van heel dichtbij, zo dichtbij dat hij zichzelf erin kan zien. Hij merkt op dat ze groene spikkeltjes heeft tussen het donkerblauw van haar irissen. Hij bekijkt heel aandachtig elke rimpel, elke wenkbrauw, elk minuscuul litteken van één van haar 'valpartijen', elk haartje langs haar voorhoofd. Hij prent zich haar gekke moedervlek net boven haar rechterwenkbrauw goed in. Ooit ging ze die laten wegdoen, ooit. Nick rilt ineens hoewel het net een oven is op de kamer.

'Wat kijk je zo?' lacht Jess moe. Haar ogen knipperen traag als net voor het slapengaan.

'Naar jou.'

'Wat valt er te zien aan zo'n oude dame? Jij zou beter naar knappe juffertjes van jouw leeftijd kijken. Je hoeft hier niet te blijven, ga wat fietsen met Ralph, doe iets met vrienden of met Kiara, je mag je liefje niet zo verwaarlozen voor mij. Ik lig hier toch maar. Als er iets is, bellen ze je wel, hoor.'

Ja, denkt hij, *dan bellen ze misschien om te zeggen dat je dood bent. En dan was ik niet bij jou. Ik wil absoluut bij jou zijn.* Resoluut schudt hij zijn hoofd, de pet schudt mee. Geforceerd grijnzend zet hij hem recht.

'Kiara kan niet tippen aan jou', complementeert hij haar.

'Daar is een woord voor, hoor, zonen die zoveel houden van hun moeder', berispt ze hem welwillend en overstromend van liefde. Hoeveel moeders zouden zulke mooie woorden horen van hun zoon.

'Toffe gast, die Oedipus, je mag hem altijd mijn nummer geven, dan kan ik zijn moeder ook eens leren kennen. Misschien kunnen we wel eens een weekje ruilen', kaatst Nick terug en zo spelen ze nog even heen en weer tot ze de deur horen opengaan.

Zondag 14 augustus 2005, 11.00

Ze zal er oneindig lang nooit meer zijn.

'**D**ag Jess, Nick. Is het oké als ik binnenkom?'
Aarzelend blijft Jim bij de nog halfopen deur staan,
alsof binnenkomen hem moeite kost. Dat is waarschijnlijk ook
zo. Jims ogen proberen zijn angst te verbergen, wat schromelijk
mislukt. Zelfs een kind voelt aan dat zijn glimlach onecht is.
Jess kijkt lief naar hem en knikt.

Nick schuift een stoel langs haar bed voor Jim en trekt zich
terug op zijn vensterbank. Hij houdt elk bezoek nauwlettend
in de gaten. Ze mogen haar onder geen beding teveel vermoeien, ook al weet hij diep vanbinnen dat dat geen verschil
meer uitmaakt.

Nick mag Jim heel erg. Mede dankzij Jim is de rust in
zijn leven weergekeerd. Na het vertrek van zijn vader heeft
Nick twee mannen zien komen en gaan, hoe discreet Jess ook
probeerde dit buiten haar 'moeder'-uren te doen. Nutteloze
pogingen tot een relatie. Ze zijn dan ook niet lang gebleven. En
het was zijn moeder die ze aan de deur zette. Zij bepaalde de
regels. Nick zag ze afdruipen met gemeend verdriet. Wouter
en Yvan, of was het Yves? Zijn moeder was een onneembare
vesting. Geen list zou haar ooit nog overhalen definitief een
man in haar leven toe te laten. Hoe het juist zat tussen zijn
moeder en Jim, weet Nick eigenlijk niet. Het zou ook geen
verschil uitmaken in hoe hij over Jim denkt.

Jim was een constante, zolang Nick zich kon herinneren.
Vaag herinnert hij zich ook nog Jims vriendin Nicole waarmee
hij jarenlang samen is geweest maar nooit gehuwd. Ze was zijn
liefje vanaf het derde middelbaar en is dat gebleven. Kinderen
hadden ze niet, dat lukte niet, vertelde zijn moeder hem ooit.
Dat was een uitleg waar hij als kind genoeg aan had. Nick
vond seks toen maar een vies woord. Hij wist dat je 'het' moest

doen om kinderen te krijgen maar veel meer dan dat hoefde hij écht niet te weten. Zijn fantasie vulde de rest moeiteloos aan. Nick moet lachen om die herinnering. Wat mist hij nu al die kinderlijke manier van denken. Hij hoorde toentertijd bij gesprekken thuis wel dat Nicole het heel moeilijk had met het feit dat er geen kinderen waren en ook nooit zouden zijn. Op een dag kreeg ze de kans in Zuid Afrika te gaan werken als laborante in een filiaal van haar farmaceutische firma en ze zei ja. Jim zei neen en dat was het einde van Nicole. Nick heeft haar nooit meer gezien. Onlangs vroeg hij Jim er nog naar toen de geur van verfverdunner hem plots aan Nicole deed denken.

'Het enige wat ik weet is dat ze ginds gehuwd is met een zwarte Zuid-Afrikaan en nog steeds geen kinderen had maar wel een stichting steunt die aidspatiënten helpt. Ach, blijven hangen in het verleden is nergens goed voor', zei Jim en openhartig voor zijn doen vertelde hij over zijn relatie met Nicole.

'Dat hoofdstuk is voorbij, het heeft geen zin er nog veel bij stil te staan. Ik heb Nicole graag gezien maar ik heb nooit passioneel van haar gehouden en dat wist ze. Daar zal ik me altijd schuldig om voelen. Misschien is dat de reden waarom we geen kinderen konden krijgen, wat in een zeldzame ruzie al wel eens gezegd werd. Een medische reden is nooit gevonden. Ook niet bij mij. Dat kinderloos zijn stond toch soms als een onzichtbare muur tussen ons. Natuurlijk mis ik haar, maar het leven gaat verder.'

Ook na de breuk bleef Jim komen, nooit met een andere vrouw, altijd alleen. Nick heeft hem nooit over een andere vrouw horen spreken. Vanaf het moment dat zijn vader weg was, was Jim de man die er altijd was als er buizen lekten, belangrijke beslissingen dienden genomen worden, hij of Penny zich gedroegen als doofstomme, irritante kinderen of doodgewoon, als zijn moeder zin had in leuk gezelschap. Jim was er gewoon. En hij kwam nooit met lege handen. Altijd had hij toevallig 'een heerlijke fles wijn op de kop kunnen tikken', 'lachte die pizza vanuit het kraam zo verleidelijk naar hem', 'kon hij die oorbellen toch echt niet laten liggen, voor die prijs!' Of hij had lekkers mee voor Nick, voetbalruilkaarten, een T-shirt van het nationaal elftal of een boek dat hij 'moést lezen'. Penny kreeg die schoenen die ze van haar moeder niet kreeg wegens 'veel te hoog en niet geschikt voor haar leeftijd', een dvd-reeks die ze van haar zakgeld nooit zou kunnen betalen of een kaart voor het uitverkochte concert van haar lievelingsgroep van die tijd. Jim was de ontbrekende schakel binnen het gezin. Het huis leefde meer als hij er was. Er klonk gelach en gekibbel. De muren lichtten op en de tuin leek groener. Op een dag, toen zijn vader ongeveer een jaar weg was, vroeg hij zijn moeder waarom Jim niet gewoon bleef, dan was het elke dag feest. Ontwijkend antwoordde ze dat dat net alles kapot zou maken. Wat hij niet snapte. Het was duidelijk dat ze Jim graag mocht en dat ze elkaar gelukkig maakten. Wel dan? Zei ze niet tegen hem dat liefde net dat was? Als hij zo'n soort liefde zou ontmoeten, dat hij er ten volle moest van genieten? Waarom deed zij dat dan niet? Waarom zijn de regels voor volwassenen altijd anders dan voor kinderen?

Onzeker staat Jim voor het bed. Hij gaat niet neerzitten. Met een veel te grote ruiker lelies in zijn handen ziet Jess hem zoeken naar de juiste woorden. Ze leest zijn inwendige monoloog. Wat zeg je tegen iemand die stervende is? Wat zeg je als dit misschien de laatste ontmoeting is? Waarom moet er altijd iets gezegd worden. Jess herkent dezelfde schrik bij al haar bezoek. Gewoon praten over het weer of de laatste nieuwsfeiten durft niemand, terwijl dat net best kan. Het is toch te laat voor haar om grootse dingen te veranderen of er zich zorgen om te maken. Neen, over de dood praten, écht over de dood praten, durft niemand. Over de pijn van sterven. Doet doodgaan pijn? Over het moment dat je verglijdt. Dringt het moment tot je door dat je hart voor de laatste keer slaat? Over wat daarna komt. Zal er iets zijn of is het onherroepelijk gedaan? Over de angst om te sterven, of vreemd genoeg het gebrek daaraan. Is het niet vreemd dat ze helemaal niet bang is? Terwijl telkens als ze haar ogen sluit, ze misschien nooit meer wakker wordt. Nooit meer. Wat een oneindigheid. Wat een onvatbaar begrip. Nooit stopt niet. Ze zal er oneindig lang nooit meer zijn. Als ze daarover begint na te denken, wordt ze moe. Nog meer moe.

Als er nochtans één persoon op deze wereld is met wie ze dolgraag over al die zaken zou willen praten, is het Jim. Haar brede schouder met wie ze zoveel geheimen deelt. Behalve dat ene grote dat weegt op de sereniteit in haar borstkas. Al jarenlang hangt het onuitgesproken tussen hen in. Mocht hij de juiste vraag stellen, ze zou hem naar waarheid antwoorden. Maar hij stelt de vraag niet. Zoals hij nu ook de vragen niet stelt die zij graag wil beantwoorden. Met hem zou ze graag tot in detail over de dood praten. De dood die voor haar een grote onbekende is en die al naast haar bed staat maar die ze nog niet kan zien. Er gaat geen vijandigheid van uit, geen koude, geen overrompeling. De dood staat gewoon klaar. Voor als zij klaar is. Maar wie van beiden het signaal uiteindelijk zal geven, weet Jess niet. Ze kijkt naar Nick en van hem naar Jim die nog steeds ongemakkelijk voor haar bed staat. En weer is zij degene die haar bezoek over die vervloekte drempel haalt waar niemand schijnt over te geraken aan een doodsbed.

'Lief van je, lelies, al zijn het de enige bloemen die je best niet mee brengt op ziekenbezoek. Ze halen de zuurstof uit de lucht. Wil je me nog sneller dood of zo?' probeert ze met humor de spanning als een zeepbel kapot te prikken. Jim wordt lijkbleek, slaat zijn ogen neer, slikt en holt met zijn lelies de deur uit om ze in de eerste de beste verpleeghanden te stoppen. Onthutst komt hij terug binnen en gaat op net dezelfde plek staan als daarvoor. Hij heeft nog geen woord gezegd maar kijkt Jess aan met ogen die gevuld zijn met stille vragen.

'Oké, flauwe grap, excuseer mijn lugubere humor, maar je staat daar ook zo als een zoutpilaar. Kom nou toch zitten. Zal Nick je iets te drinken halen uit de automaat?' zegt Jess zacht, zo zacht dat Jim inderdaad vlakbij haar komt zitten om haar te kunnen verstaan. Voorzichtig, net of een luid geluid voldoende is om zijn Jess in twee stukken te breken. Hij legt haar hand op de zijne alsof het een kostbaar kleinood is, en omsluit haar vingers met zijn andere hand. Hij slikt, krijgt weer wat kleur en gaat met zijn tong over zijn lippen. Hij heeft een merkwaardig brede bovenlip, niet in proportie met zijn smalle neus waarvan de neusgaten veel te groot lijken. Zijn lichtblauwe ogen staan ver uit elkaar en kijken altijd verwonderd. Grijzende stoppels blijken altijd sterker dan scheerschuim en hij is terecht trots op zijn dikke peper-en-zout-haardos die net zomin als zijn baardgroei te temmen is. Het geheel is aantrekkelijk, een gezicht waar je lang blijft naar kijken, alsof het er elke seconde anders uitziet. Jim zweert bij pak en das, weer of geen weer, zomer en winter, uit en thuis. Hij laat ze speciaal maken in een godvergeten dorp in Wallonië bij een oud dametje dat de stiel nog van haar overgrootmoeder heeft geleerd. Ze begrijpen elkaar met een half woord, een lintmeter en een eerlijke lap stof. Vandaag is hij gekleed in antraciet met lila accenten. Onberispelijk, als altijd. Dat onberispelijke past niet bij zijn uitstraling en ogen. Ook daarom draaien de meeste mensen zich twee keer om. Er klopt iets niet aan Jim. En net dat maakt hem zo speciaal voor Jess. Het is als elke keer een andere man zien. Jim kijkt even naar Nick, als om steun te vragen. Nick kijkt fragiel terug.

Jim kan het nog altijd niet geloven. Een paar maanden geleden waren ze nog aan het discussiëren of mensen van hun leeftijd nog wel op een rockconcert pasten, nadat hij hen alle vier kaarten voor Rock Werchter had gekocht. En nu zit hij hier, naast haar sterfbed. Het is zo snel gegaan dat hij niet heeft kunnen volgen. Hij had vroeger moeten opmerken dat ze ziek was. Ze zag wat bleker, was wat meer moe, was vermagerd maar dat stond haar wel, klaagde vaak over buikpijn maar wie doet dat niet af en toe... Maar toch, hij had beter moeten weten en zich niet telkens met een kluitje in het riet laten sturen.

Ziek? Ik, nee hoor, wat slecht geslapen gewoon de laatste tijd.
Het is ook uitzonderlijk warm voor de tijd van het jaar, vind je niet?
Ik heb niet zo'n honger vanavond, maar geen erg hoor, ik ben
vanmiddag al uitgebreid gaan lunchen met Monica.
Heb je soms een Rennie? Ik heb wat last van mijn maag en het
straalt zo uit naar mijn rug. Komt vast en zeker door die wijn van
gisteren. Hij was té lekker, hé? Klara's feestjes zijn gewoon altijd
te lekker en vooral veel te laat, en dan lachte ze alle pijntjes weg..

Telkens hij aandrong dat ze misschien toch beter eens naar
een dokter zou gaan, wuifde ze zijn bezorgdheid weg als *char-*
mant maar echt niet nodig. Ze kon wel op zichzelf passen. Deed
ze dat al niet jarenlang? Wel?

Zijn Jess is doodziek en hij heeft het niet kunnen voorkomen.
Verdomme. Had hij vroeger ingegrepen, dan hadden de dokters haar misschien kunnen redden, maar alvleesklierkanker
noemen ze in het ziekenhuis de stille moordenaar. Hij besluipt
je, groeit in stilte in je lijf en als je hem voelt, is het te laat.
De diagnose was beenhard: drie tot vijf maanden, wie geluk
heeft, kan nog één keer van alle seizoenen genieten. *That's it.*
Achter haar rug om was Jim al met zo goed als elke oncoloog
in dit godverdomde ziekenhuis gaan praten. Hun antwoord
was hetzelfde: opereren kan niet en de chemo heeft enkel een
palliatieve werking. Ze konden haar niet helpen. Hoelang het
nog kon duren, daarop wou niemand begin juli een datum plakken. Elf dagen geleden is ook dat doek gevallen: 23 augustus.
Maximum. Sinds die dag krijgt ze ook geen medicatie meer.

Die ochtend was ze rond negen uur in elkaar gezakt bij de bakker. Die had onmiddellijk de ambulance gebeld en het eerste
nummer in haar gsm, de AAA waarachter zijn nummer verborgen zit, net voor dergelijke noodgevallen. Jim had onmiddellijk
alles laten vallen, gaf een ganse vergadering Amerikanen het
nakijken en was als een gek naar het ziekenhuis gereden. Daar
stelde hij iedereen die hij maar vond, persoonlijk verantwoor-

delijk voor haar leven, tot haar oncoloog professor Kim Jun, een in Amsterdam geboren kind van Koreaanse ouders met ogen waarin niks te lezen staat en die immer rustig zijn, hem kalmeerde. Dokter Kim Jun is zo rustig dat Jim er die vreselijke dag gek van werd. Het kostte hem zware inspanningen de man niet naar de keel te springen en er de belofte uit te wringen dat hij Jess zou redden. Alles had hij er die dag voor over om haar te redden. Maar zelfs alles was niet genoeg, legde de dokter kalm uit in zijn perfecte en toch anders klinkende Nederlands. Het einde was onafwendbaar en hij plakte er ook een datum op: ze zou 1 september niet halen. Het kon zelfs sneller gaan. De tumor had gewonnen, Jess had verloren. Ze was palliatief. Palliatief. Jim heeft het woord al zo vaak in zijn hoofd herhaald tot het zijn betekenis kwijt is. *Het spijt ons*, zei de oncoloog. Het spijt ons. Hoeveel keer per week moet die man die zin zeggen tegen ouders van kinderen, geliefden, kinderen? Wat een job.

Jims leven staat stil sinds die dag. Hij heeft zijn secretaresse zijn agenda zo goed als leeg laten halen, op een paar meetings met buitenlandse delegaties na. De luttele uren dat hij de slaap kan vatten, ligt zijn gsm op het luidste volume op zijn hoofdkussen. Elk boek dat over pancreas carcinoom is verschenen, heeft hij ondertussen gelezen. Elke website uitgeplozen, elke chatsite bezocht. Op een heel vreemde manier voelt hij zich schuldig, alsof hij persoonlijk de kankercellen in haar lijf heeft geplaatst toen ze een moment onoplettend was. Jim brak en huilde als een klein kind terwijl hij die dag wachtte om Jess te mogen zien. Ze leek te slapen als Assepoes, bleek maar mooier dan ooit. Hij kuste haar koude lippen, rechtte zijn rug, schudde het verdriet van zich af, belde beheerst naar Penny en ging Nick van school afhalen om hem te zeggen dat zijn moeder in het ziekenhuis was opgenomen. Ze was 'onwel' geworden, want hoe zeg je aan een kind van zestien dat zijn moeder gaat sterven? Niet over een maand, niet volgende maand maar misschien al morgen?

Het besef dat Jess eigenlijk alles voor hem betekent, ging die noodlottige woensdag als een blikseminslag door zijn hart. Hij wist het wel, allang, maar niet dat het zo erg was. Hij voelde zijn hart écht breken, zo pijnlijk dat hij naar adem moest happen. Zijn Jess zou sterven, zonder dat ze ooit helemaal zijn Jess zou zijn. Dat mocht niet, dat kon gewoonweg niet. Het doek zou vallen over het toneelstuk dat ze al jaren voor elkaar opvoeren. Ze dragen hun rol als een comfortabele mantel die ze nooit afleggen. Jess als de perfecte moeder en vrije vrouw met recht op mannen in haar leven, hij als de brave vriend des huizes en zakenman zonder tijd voor vrouwen. Het belangrijkste deel van het stuk bestond er de laatste jaren voor beiden in vooral niet te praten over hun gevoelens voor elkaar. Die mochten onder geen beding uitgesproken worden. Maar waarom eigenlijk, vraagt hij zich nu af. Een paar keer zijn ze uit hun rol gevallen en aan elk van die keren denkt Jim met een mengeling van warmte, passie en schuld terug. De eerste keer was een perfecte septemberavond, zeventien jaar geleden.

Zaterdag 10 september 1988, 01.42

De schone schijn als levensmotto.

Het was zo'n zaterdagavond waarop het geen enkele moeite kost te geloven dat het leven enkel uit schoonheid, vriendschap en liefde bestaat, warm en wolkeloos. Penny die net vier was, lag te slapen in haar pimpelpaarse kamer. Alles moest toen pimpelpaars zijn, net als in haar favoriete programma *Sesamstraat*. Marion, Klara en nog een paar vrienden waren komen barbecueën. De parktuin in lome septemberpracht werd beschenen door een lui liggende sikkelmaan. De stenen fontein in de vijver klaterde mee met de geanimeerde gesprekken. Als iedereen wat wankel op de benen was vertrokken, getuigden de lege flessen en borden her en der van een heerlijke avond. De klank van stemmen en gelach hing nog voelbaar in de lucht. Het bleef warm alsof de zwarte terrasstenen gedurende de dag warmte hadden opgeslagen en die nu gul afgaven. Jim en Jess bleven zoals zo vaak als laatste over, ruimden de rommel op en herhaalden een aantal uitspraken en grappen van die avond. Ze leunden even over de balustrade en keken hoe de maan de tuin versierde in wit en zachtgeel. A.J. was er niet en niemand had gevraagd waar hij was. Hij was er wel vaker niet. Zaken, zei Jess dan altijd en iedereen nam daar genoegen mee. Beste vrienden waren Jess' man en haar vriendinnen nooit geworden. Ergens tussen hen in was altijd een kilte blijven hangen, alsof je de winter niet uit je kleren krijgt en de lente nog niet helemaal vertrouwt. In het begin had Jess alle moeite van de wereld gedaan om haar vriendinnen en haar ouders te overtuigen van de liefde tussen haar en A.J. maar ze was daar nooit in geslaagd, hoeveel moeite A.J. ook deed om hen te overweldigen met zijn charme, humor en soms al te duidelijke tot hinderlijke openbare liefdesverklaringen die velen eerder gênant vonden. De schone schijn als levensmotto. Hij volstond niet met een simpele kus, hij overgoot Jess met kussen. Hij volstond niet met een intiem cadeau op Valentijn, hij ontvoerde Jess in het bijzijn van vrienden naar de luchthaven om een weekend Nice te doen. Hij volstond niet met een onhandig gekrabbeld liefdesgedicht, hij liet ter harer ere een kunstschilder een citaat van Woody Allen op de witgekalkte muur van het tuinhuis kalligraferen – *Vrouwen zijn het enige stukje paradijs op aarde* – dat hij op een zaterdagavond als verrassing voor de aanwezige familie en vrienden onthulde. Jess stond er onhandig bij en kreeg het geïmproviseerde laken niet meteen los, het bleef steken in de gouden regentakken, wat gelukkig iedereen aan het lachen bracht. Ook op het koetsiershuis prijkte al een gedicht, een huwelijkscadeau. Elke keer als Jess de poort binnenreed of het tuinhuis passeerde, las ze onbegrijpend de poëzie. Hoe kon een man die deed wat A.J. deed, zo'n gedicht kiezen? Jess herinnerde zich vooral de blik van Maximiliaan naar zijn zoon die dag. Hij was de enige die niet lachte en achteraf zag Jess hem A.J.'s arm vastpakken en met dwingende stem iets zeggen. Wat hij zei heeft ze nooit geweten.

Jess schudde die herinnering van zich af, keek nog éénmaal naar het citaat en draaide zich om. Ze balanceerde vijf lege champagneglazen tussen haar vingers, liep naar binnen en concentreerde zich op leukere dingen. Marion bijvoorbeeld, die absoluut niet tegen wijn kon en al na haar tweede glas chardonnay tipsy was en sappige verhalen had verteld over haar eerste vriendje. Gelukkig kon haar Charlie daar ook hartelijk om lachen. Die twee hadden geen geheimen voor elkaar. Marion was al jaren samen met Charlie, een Canadees die al sinds zijn tiende in België woonde maar nog altijd een grappig accent had, waarbij hij zijn tweeklanken net iets te lang rekte. Met zijn niet te temmen baard en snor zag hij er vervaarlijker uit dan hij was want Charlie was een immer goedgeluimde, sterke rots in de branding, in wiens armen de nog steeds magere Marion bijna helemaal verdronk. Die twee waren zo complementair als water en vuur en zo in balans als yin en yang. Hun geluk straalde af op wie ook maar in hun buurt kwam. Charlie was de enige die A.J. met een warme handdruk als volwaardig lid van de groep groette. Jess had geen idee of A.J. dat aanvoelde, die onderdrukte argwaan van de anderen, waardoor hij nooit écht deel uitmaakte van alles wat ze met de bende deden. Ze had het hem nog nooit gevraagd, misschien omdat ze het antwoord niet wou horen.

'Klara had het ook naar haar zin, dacht ik zo,' grinnikte Jim worstelend met teveel lege flessen die hij nooit in één keer zonder brokken naar binnen zou krijgen, 'ze had enkel aandacht voor Maurice, vond je niet?'

'Zo gaat het altijd toch... herinner je je Jean Marc nog, die goochelaar was op bedrijfsfeesten? Jongens, wat een opschepper met zijn stomme trucjes. Maar Klara vond ze fantastisch. Dat hebben Marion en ik haar gelukkig duidelijk kunnen maken. Ach, we weten dat ze zo is. Als ze verliefd is, verandert de immer alerte controlefreak Klara in een verstrooide vlinder en je ziet die mannen openbloeien als haastige sneeuwklokjes die de zon voelen na een veel te lange winter. Alsof ze zich laven aan haar aandacht. Hopelijk is die Maurice eindelijk eens de man waar we allemaal op zitten te wachten voor haar...'

Klara was alleen nog maar mooier geworden sinds hun puberteit, haar gezicht als een houtsnede omkaderd door krachtige, vrouwelijke lijnen, haar lichaam rijp zonder te uitdagend te zijn. *Een Elisabeth Taylor vrouw*, zo omschreef Jess' moeder Maureen haar – een Taylor-fan en dus haar grootste compliment – *maar dan met een vriendelijker uitstraling*. Haar opvallende schoonheid trok mannen aan als een veld klaver gelukszoekers. Ze kwamen in alle soorten en maten, opleidingen en hobby's, dromen en daden. Shakespeare zou er een heerlijke klucht over hebben kunnen schrijven, zei Marion vaak. Jess hield de tel allang niet meer bij. In alles was Klara de perfectie zelve... behalve in mannenzaken. Ze zag het niet. Telkens weer

trapte ze in de val van vleierij, eersteweekscadeautjes en inge-
studeerde intelligentie en grapjes. In week twee drong meestal
de droeve waarheid tot Klara door: foute boel. Sommigen liet
ze drie weken blijven en het was slechts een enkeling die de
maand haalde. Klara was als een plant die verdroogt als ze geen
intellectuele uitdaging kreeg, liefst nog gecombineerd met een
stevige en inventieve minnaar. En dat meneer ook nog eens
goed in de slappe was zat, vond ze ook geen bezwaar. Kortom,
op liefdesvlak was Klara een onverzadigbare jager die haar
prooien nietsvermoedend en zeer bewust gebruikmakend van
haar duivelse schoonheid, binnenlokte, om ze even snel met
dezelfde betoverende glimlach, bij het grof huisvuil te zetten.
Vreemd genoeg bleven al die mannen nog jarenlang een zweem
van hun obsessie voor haar behouden en bleven ze van ver
of nabij in haar leven. Het leek wel of ze konden ruiken dat
Klara weer vrij was, lachten Marion en Jess vaak. Dan kwamen
ze plots uit hoeken en gaten gekropen om elk vrij moment in
haar agenda op te vullen, hopend op een glimp van wat was,
bijna vragend om voor een tweede keer gedumpt te worden.
Maar Maurice behoorde dus tot de categorie mannen met wie
Klara het al langer dan een maand uithield. Het moest dus een
bijzonder specimen zijn en goed genoeg bevonden om haar
vriendinnen onder ogen te komen, meestal de ultieme test
die beklonken werd met één simpele blik of een woord in het
damestoilet. Er hadden er maar weinig ronde twee gehaald na
die genadeloze eerste keuring.

'Ach, weet je wat haar probleem is? Ze heeft gewoon te veel
keuze. Op welke man ze haar zinnen ook zet, hij ligt een minuut later hijgend aan haar voeten, gehuwd of niet gehuwd,
de oudste was zelfs eind de vijftig! Weet je nog? Hoe heette
hij ook alweer... ik kom er niet op. Maakt niet uit, die Maurice,
ja... die kan er wel mee door, voor Klara althans...' zei Jess
terwijl ze restjes chips plukte uit de geweven zittingen van
haar tuinstoelen.

'Viel inderdaad wel mee hé, die kerel?' trad Jim haar bij. 'Ik ken wel niks van schilderkunst, dus de helft van alle namen die hij noemde ken ik niet, maar beeldende kunstenaars promoten lijkt me wel boeiend, en zeker iets wat Klara boeiend vindt, met al dat reizen. Benieuwd hoe lang deze blijft. Mooie man ook, denk ik toch, altijd moeilijk om daar als man een oordeel over te vellen. Vrouwen kunnen dat beter, over vrouwen dan. Wat jij?'

Verstrooid antwoordde Jess: 'Of ik makkelijk van een andere vrouw kan zeggen of ze mooi is? Mja, al vrees ik dat mijn visie over schoonheid niet altijd overeenkomt met die van Marion bijvoorbeeld.'

'Ik bedoelde eigenlijk wat je van Maurice vond.'

'O, wel, kan er zeker mee door. Hij ziet er heel slim uit, daar valt Klara wel voor. Kleedt zich ook mooi, dat vindt ze ook wel belangrijk. Heeft een aangename, aanstekelijke lach en sierlijke vingers, viel me ook op. Zullen we zeggen dat ik hem nog een maand geef.'

'Hoe kom je daar bij? Je zei net alleen maar goeie dingen?' vroeg Jim verrast terwijl hij snel met een ouwe bezem het terras veegde. Als je alle voorwaarden voor de ideale man zou opsommen, zou Jim goed scoren. Jess volgde de bewegingen van het zwartzijden hemd dat mee bewoog over zijn gekromde rug. De bijhorende zilvergrijze das had hij in de loop van de avond toch maar over zijn leuning gehangen na goedbedoelde grapjes van Charlie. Zijn weerbarstige bos peper-en-zout-haar krulde lichtjes in zijn gebruinde nek. Jim was als Klara: die twee droomden nog maar over de zon of ze zagen al bruin.

'Net daarom, hij is te perfect, zeker zijn maniertjes', verplaatste Jess haar gedachten weer naar het gesprek. 'Als haar eerste verliefdheid wegvalt, en die fase breekt bij Klara meestal al snel aan, gaan die haar beginnen te storen. Let maar op.'

'En jij? Wat vind jij eigenlijk mooi aan een man?' vroeg Jim ondertussen ijverig vegend en daardoor beschermd voor haar ogen die hij op zijn rug voelde.

Jess antwoordde niet meteen, ze dacht na. Onbewust doemde

het beeld van A.J. op. Jim hoorde haar stilte en ook hij dacht aan A.J.. Hij had er bewust nog niks over gevraagd. Het was hem wel opgevallen dat Jess stiller was dan anders, meer in gedachten verzonken. Dat had ze goed verstopt door de immer perfecte gastvrouw te zijn die in en uit liep met glazen, hapjes, flessen en schalen vol lekkers.

'Verwacht je A.J. nog terug?' vroeg hij langs zijn neus weg terwijl hij de bezem achter de tuindeur wegzette en met een gevaarlijk hoge stapel dessertbordjes de keuken in het halfduister in liep. De cd van *Chet Baker* was al een halfuur geleden gestopt. Hij hield van *Chet Baker* en die avond hield hij heel erg veel van het leven. Zijn vriendin Nicole was met haar vriendinnenclubje op 'cultureel' weekend naar Barcelona en zou pas zondagavond thuiskomen. Hij voelde zich licht en koning van de wereld. Een wat vreemd gevoel voor de anders zo ingetogen Jim.

'Geen idee', antwoordde Jess schouderophalend. Ze zette een nog halfvol schaaltje guacamole op het aanrecht en rukte iets te vinnig het sjaaltje af dat ze in de zomer vaak als een zigeunerin om haar krullen droeg. Ze had het warm. Zelfs in de enkel door maanlicht en het licht van de dampkap verlichte keuken zag Jim onmiddellijk dat er een pluk haar ontbrak aan haar haargrens en dat ze daar een verse wond had, net striemen van nagels. En ineens legde hij de link met het *de-kraan-gaf-ineens-heet-water*-verband om haar pols.

'Jess, wat betekent dit?' vroeg hij bezorgd. Met haar rug naar hem haalde ze haar schouders op. Onhandig stapelde ze bordjes in de vaatwas tot er één brak. En toen brak ook zij. Stil wenend bleef ze gehurkt voor de vaatwas zitten. Jim ontnuchterde onmiddellijk. Het was weer gebeurd. Ze hadden er nog nooit over gepraat maar Jim vermoedde dit al een tijdje. Nu wist hij het zeker. Lief boog hij zich over Jess. Nicole was letterlijk ver weg. Hij nam haar schokkende gebogen rug in zijn armen en wiegde met haar mee. Hij legde zijn hoofd in haar nek en snoof haar geur op, een merkwaardige kaneel- en limoengeur die hij nooit meer uit zijn neus zou krijgen. Hij kuste haar nek zonder het te beseffen. Hij kuste haar tranen weg. Hij kuste haar pols met het verband, hij kuste haar hoofdwonde, hij kuste haar helemaal. Zijn tederheid deed haar zo'n deugd dat ze liet begaan tot het snikken was gestopt en ze zich realiseerde dat ze hem terugkuste. Eén moment hield ze zich in. Jim was een vriend, dit kon niet. Zij was getrouwd, hij had een vriendin. Dit was alles wat ze niet wou. Maar toch gebeurde het. En het was heerlijk. Geen van beiden hield er ook maar één seconde rekening mee dat A.J. wel eens zou kunnen thuiskomen. De keukendeur stond nog open. Jim legde Jess langzaam neer op de koude keukenvloer en betaste gulzig maar voorzichtig het lichaam dat zijn ogen zo goed kenden. Dit voelde zo natuurlijk aan dat hij zich geen vragen stelde. Perfect beheerst trok hij haar oranje jurk over haar hoofd en kuste haar blote borsten. Ze waren exact zoals hij ze had gedroomd. Hij kneedde ze tot Jess zelf zuchtend haar slipje naar beneden rukte en haar benen om hem heen sloeg. Het ging allemaal zo snel alsof ze in gedachten al vaak geoefend hadden en dit slechts de première was. Jess leidde hem naar binnen en hield hem bij zijn haar vast terwijl ze naar hun ritme zochten. De seks was wellustig, teder en heel uitdagend. Ze keken elkaar in de ogen, spraken geen woord en beseften heel goed wat ze deden. Dat was de eerste keer.

Jim was 's nachts nog vertrokken omdat hij bang was dat ze de volgende ochtend samen zouden wakker worden. Hij wou niet dat ze spijt zou hebben. Hij wou niet achterhaald worden door de realiteit van de kleine Penny die hem 's ochtends aan het ontbijt zou aantreffen. Maar de volgende avond na het werk kwam Jim terug. Niet voor Jess maar voor A.J.. Was die thuis geweest, dan had Jim hem tot moes geslagen. Mannen die hun vrouw slaan, zijn uitschot. Maar A.J. was er nog altijd niet. Weer was het een zwoele, drukkende avond. Jess en Jim gedroegen zich beschaafd, speelden met Penny, aten de restjes op van de vorige avond en stopten samen Penny in bed. Een onverwachte toeschouwer zou denken dat hij naar het perfecte gezin zat te kijken. Daarna zaten ze op het terras en keken hoe de schaduwen van de nacht bezit namen van de tuin.

'Kwam Nicole niet thuis vanavond?' probeerde Jess een veilige conversatie op gang te brengen die was stilgevallen nadat Penny was gaan slapen. Voorzichtig omzeilden ze wat gisteren was gebeurd terwijl ze allebei aan niks anders dachten.

'Heel laat, ja. Ze komt terug met één van die goedkope nachtvluchten. Dat kost bijna niks maar je reist op de meest gekke uren.'

Jim opende een blikje bier en stond aan de stenen balustrade die de overgang vormde van het terras naar de tuin. Die ademde zomerse geuren nu sproeiers overdadig water rondstrooiden. Heerlijk, de geur van nat gras. Even was het stil, elk verdiept in dezelfde herinnering.

'Je moet naar de politie, Jess, dat weet je toch, je moet dit aangeven', probeerde Jim haar te overhalen. Hij keek haar niet aan. Zou hij haar aankijken, dan zou hij weer net hetzelfde willen als gisteren en straks kwam Nicole naar huis. Het leven ging verder.

Jess schudde beslist haar hoofd.

'Dat heeft geen nut. Ik bén al naar de politie geweest, vroeger. Ze hebben mijn verklaring genoteerd en gezegd dat ze pas tussenbeide konden komen als ik het kon bewijzen.'

'Maar dat kan je toch? Maak gewoon foto's van hoe je eruit ziet, lieve God, Jess, kijk toch eens in de spiegel.'

Weer schudde Jess het hoofd: 'En wat dan nog? Alsof hij ooit zal toegeven dat die verwondingen door hem komen. Hij zal zeggen dat ik gevallen ben. Huiselijk geweld is een taboe en ik had de indruk dat die politiemannetjes er zich liever niet mee bezighouden en er al helemaal niks vanaf weten. Het was vernederend en heeft niks uitgehaald. *Ik moest maar terugkomen als hij het nog eens deed*. Tja. Neen, van hen verwacht ik niet veel. Mijn ouders, Marion en Klara... iedereen heeft me gewaarschuwd voor A.J. en ik wou niet luisteren. Trouwens, het zou zeker een rechtszaak worden en dat wil ik niet. De kans bestaat ook dat hij in een scheiding Penny één weekend om de twee krijgt. Of meer. Stel je voor dat hij het ook bij haar zou doen. Het kind is vier, wat kan ze doen? Neen, ik kan haar niet alleen laten bij hem. Ik moét bij hem blijven, al was het maar voor haar, snap je? Hier heb ik tenminste controle over hem.'

'Maar het kan toch niet dat hij hier zomaar mee wegkomt, Jess, dat laat ik niet gebeuren. Dat laat ik echt niet gebeuren. Ik hou...' en Jim slikte de woorden in. Hij schrok zelf van wat hij wou zeggen. Was dat waar? Hield hij van Jess? Of was hij betoverd door één nacht seks? Was die seks liefde? Jim was in de war. Ook Jess zweeg even.

'Je bent lief, Jim, zo lief maar je kan me niet helpen', antwoordde ze voorzichtig, haar woorden wikkend en wegend. 'Als A.J. zou weten dat je dit wist of wat er tussen ons is gebeurd, God mag weten wat hij zou doen. Je zou het alleen maar erger maken. Je kan niet de hele tijd bij mij zijn om me te beschermen. Hij is niet altijd zo, weet je. Ineens wordt hij zo en ik weet niet waarom. Wist ik maar waarom. Soms is één woord voldoende om hem boos te maken. Soms komt hij zo van het werk. Ik begrijp het niet. Ik dacht vroeger altijd dat dit enkel bij marginalen gebeurde maar dat is niet zo. En mijn ouders... die zouden het nooit begrijpen. Dat net hun vrijgevochten dochter dit overkomt. Ik wil hen allemaal dat verdriet besparen. Niemand mag dit weten, snap je? Snap je het een heel klein beetje?'

Jim probeerde het te begrijpen. Liefst zou hij het gezicht van A.J. met beide vuisten tot moes slaan en hem dan naar de politie sleuren. Nu. Kwam hij maar thuis, de schoft, maar in de weidse tuin klonk enkel het gezang van nachtvogels en het gestage geruis van de snelweg ver weg. Geen knerpende banden op het grind.

'Beloof me dat je hem niks doet', vroeg Jess hem met aandrang.

79

'Doe het voor mij. Doe het voor Penny. Als ik hulp nodig heb, zal ik er wel om vragen.'

'Zoiets kan ik niet beloven, Jess, dat moet jij ook van mij begrijpen. Die man doet je pijn. Hoe kan ik daar op staan kijken? Wat voor een lafaard zou ik dan zijn? Ik kan enkel proberen er zoveel mogelijk voor je te zijn. Meer beloof ik niet', zuchtte Jim die zich toch naar haar had omgedraaid en nu vlak voor haar stond. Jess leunde met een glas in de hand nonchalant tegen de koele muur. Ze besefte dat ze hem aan het verleiden was.

'Jim, over gisteren...' begon Jess maar Jim onderbrak haar onmiddellijk door zijn hand op haar mond te leggen. Hij voelde haar natte lippen onder zijn vingers en moest zijn uiterste best doen om zich te bedwingen. Zijn ganse lichaam verlangde naar meer van haar. Hij duwde haar krachtig tegen de witgepleisterde buitenmuur en blies hete adem in haar oor. Jess duwde hem niet weg. Na een paar minuten herpakte Jim zich. Langzaam trok hij zich van haar los en zei zwaar ademend: 'Ik weet dat het niet mag, maar godverdomme, wat heb ik zin in jou. Klootzak van een A.J., hij weet niet wat een prachtvrouw hij heeft. Daar is hij te dom voor. Ik hou hem in de gaten, als hij dat maar weet. Als hij ook maar één vinger naar je uitsteekt, sla ik hem halfdood. Dat zweer ik je.'

Jim zweette, herschikte zijn donkerblauwe zijden das en stak zijn lavendelblauw linnen hemd met korte mouwen terug goed. Zuchtend streek hij door zijn verwilderde haardos en nam afstand van haar.

'Het spijt me, het zal niet meer gebeuren. Bel me als er iets is, ik sta hier onmiddellijk', en hij was weg, Jess alleen achterlatend in de bijna windstille, halfslapende tuin waarin nauwelijks nog contouren te zien waren.

Zondag 14 augustus 2005, 13.00

Soms lukt het zelfs om leugens te geloven.

Nick is door de warmte in de kamer in een ongemakkelijke houding in slaap gevallen in de namaaklederen zetel, zijn pet schuin over zijn ogen. Jim zit stil aan Jess' bed en streelt geconcentreerd haar handen. Af en toe stopt hij een losse haarlok achter haar oor die steeds speels terugwipt als om de ernst van de situatie te bagatelliseren. Jim is alleen met zijn gedachten en zijn schuldgevoel. Die verdomde katholieke opvoeding ook, die alles herleidt tot de schuldvraag, alsof dingen niet gewoon kunnen zijn of gebeuren. Alsof het leven niet gewoon gebeurt. Hij heeft al vaak geprobeerd dat juk van schuld en boete van zich af te schudden maar zonder succes. Hij kan enkel met jaloezie kijken naar de veerkracht van Afrikanen die altijd weer opveren en slechte gebeurtenissen achter zich kunnen laten en in het nu leven. Jaarlijks gaat hij minstens één keer naar Afrika, meestal het duistere Kongo, omdat hij daar ooit een nonkel pater had wiens sporen hij jaar na jaar traceert. Telkens als hij daar is, doet hij bijna wanhopig zijn best zich de zwarte denkwijze eigen te maken, maar hij stapt nog maar op het vliegtuig terug naar België of hij voelt dat het hem weerom ontglipt. Hij mag nog streven naar een zwarte ziel, de zijne blijft ergerlijk wit. Wat kon hij daar uren met Jess over doorbomen. De laatste tijd ook met Nick. Heerlijke kerel, Nick. Als de zoon die hij nooit gehad heeft. Wat wordt hij groot en wat lijdt hij. Het doet Jim pijn hem recht in het gezicht te kijken omdat ook hij niet kan zeggen wat die jongen zo graag van iemand wil horen: dat zijn moeder zal blijven leven. Kon dat maar, iemands pijn overnemen.

Hij streelt Jess' handen terwijl al die gedachten een stille dood sterven, net als Jess. Het zijn andere mensen die sterven aan kanker, maar niet zijn Jess. Nog altijd heeft dat feit geen plek gevonden in zijn hoofd, laat staan in zijn hart. Af en toe voelt hij die gedachte koud door zijn bloed stromen tot ze in zijn onderbuik aankomt. Dan moet hij gaan zitten van misselijkheid. Als hij op heldere momenten durft te denken aan een leven zonder haar, wordt hij zo bang dat hij het dichtstbijzijnde raam moet opengooien en slokken zuurstof binnenzuigt. Jess kan niet sterven. Soms lukt het zelfs die leugen te geloven. Maar niet altijd. Telkens als hij deze kamer binnenstapt, en dat doet hij bijna dagelijks, stapt hij een andere wereld binnen. Er tikken geen klokken, er bestaan geen agenda's, er is niks. Er is enkel het wachten en het verzwijgen van wat zou moeten gezegd worden. Elke keer staat hij minutenlang voor de deur zichzelf moed in te spreken om te durven vragen wat hij écht wil weten. Is ze bang? Hoe voelt het om te weten dat je bijna gaat sterven? Hoe vaak hebben ze daarover op luie weekendavonden wel luide discussies gevoerd in haar tuin met de vrienden en de nodige flessen rosé. De hemel? Algemene hilariteit want het katholiek geloof was als een stel jonge ongewenste kattenjongen verzopen ergens ter hoogte van zijn grootouders. De hel? Daar maakten sommigen wel kans op, ja. Alweer gebulder. Verander je in een wolk? Of een ster? Of kom je terug als boom, zoals de animisten geloven? Nou, dan werd hij zeker een schonkige eik! Of een apenbroodboom! Of als wie zou je ziel willen terugkomen? Zeker niet als vrouw, wat een nachtmerrie! Hups, al die zotte vriendinnen op zijn dak. Straks, morgen, volgende week weet Jess wat het juiste antwoord is. Jim herinnert zich zijn oma, net voor ze stierf toen hij nog een klein ventje was. Verschrompeld maar nog steeds guitig, kneep ze in zijn hand en verzekerde hem dat hij elke nacht maar op de uitkijk moest staan naar een lachende ster. Dat zou zij dan zijn, wakend over hem vanuit die oneindige verte... Jarenlang heeft hij elke avond in de nacht getuurd maar een lachende ster heeft hij nooit gezien. Hoe jammer dat hij geen geloof aanhangt, dan leef je tenminste in de illusie dat er 'iets' is. Nu gaapt enkel het zwarte gat van het ongeloof. En Jess staat aan de rand. Maar als hij in haar ogen kijkt, zien die er helemaal niet bang uit. Ze kijken hem rustig en zonder pijn aan.

'Hebben ze je van de baxters gehaald?' vraagt hij, de implicatie van haar antwoord kennende. 'Ja, ik joeg ze hier teveel op kosten', antwoordt ze gespeeld vrolijk maar met een stem als een geest. Gepijnigd kijkt Jim weg.

'Sorry,' zegt Jess, 'sarcastische humor is nooit mijn sterkste zijde geweest, ik leer het ook nooit. Humor is het terrein van Marion. Wat zie je er weer Vogue-achtig uit. Afspraakje straks?' probeert Jess de gewone wereld in de kamer te halen. Gekwetst schudt Jim zijn hoofd en doet alsof hij de hint niet gehoord heeft.

'Die Chinezen komen in de late namiddag onderhandelen. Zondag of geen zondag. Ik had Natasha nochtans heel mijn agenda laten leegmaken maar daar trekken ze zich in China natuurlijk niks van aan. Die mannen werken altijd. Ik heb er je al over verteld, herinner je, ze weigeren ons hun fabriek in Guangzhou te laten bezoeken. En ik weiger samen te werken met mensen die de achterkant van hun tong niet laten zien. Ik weet zeker dat de aandeelhouders vragen zullen hebben over kinderarbeid en werkomstandigheden. Ik wil hen eerlijk kunnen antwoorden en geen bloed aan mijn handen hebben. Ik moet ze duidelijk maken dat als ik volgende maand kom, ik absoluut hun fabr...'

Jim stokt. Volgende maand. Dan zal er geen Jess meer zijn. Dan leeft hij in een zonder-Jess wereld. Dan kan hij haar niet meer bellen vanuit weer een andere hotelkamer om uitgebreid verslag te doen van zijn soms hilarische wedervaren met Zuid-Amerikanen, Chinezen of Russen. Niemand kan zo goed luisteren als Jess, op het juiste moment lachen of goedkeurend knikken. Niemand heeft zo'n immens vertrouwen in hem. Niemand kent hem zo tot op de draad dan zij. Niemand die haar zo zal missen als hij, behalve haar kinderen natuurlijk. Hij ziet Nick nictsziend naar zijn moeder staren, duidelijk oververmoeid. Hij is net wakker en de slaaprimpels staan nog rond zijn ogen. Hij strekt zich uit, schuift zijn pet goed en wrijft de slaap uit zijn ogen. Hij is uitgeput.

'Waarom ga je niet even rusten, makker, ik blijf hier wel', stelt Jim voor. 'Je hoeft zelfs niet naar huis. Ze hebben hier kamertjes voor families, in de materniteit. Misschien is daar wel een plekje.'

'Doe het voor mij, tijger, doe het voor mij,' treedt Jess hem bij, 'je ziet er inderdaad veel te moe uit. Jim blijft wel even hier.'

Met tegenzin gehoorzaamt Nick. Hij kan inderdaad nog nauwelijks op zijn benen staan. Zacht klikt de deur achter hem vanzelf dicht over het lichtgroene linoleum. Er valt een stilte. Jim blijft geconcentreerd haar vingers strelen, alsof alles ervan afhangt of hij dat kleine gebaar goed doet. Totaal onverwacht vraagt hij: 'Jess, wat zou je ervan denken als ik je vroeg of je met mij zou willen trouwen?'

Zondag 11 juli 1982, 14.00

Dit loopt fout af en iedereen voelt het.

'Weet je nu al wie die Sarah is, die blondine op de foto?' vroeg Marion, gulzig likkend aan een driedubbel ijshoorntje. Het was snikheet en de drie vriendinnen hingen in de tuin van Jess. Geen blad bewoog. De lucht was zwanger van een stevig onweer. Ze snakten ernaar.

'In ieder geval niet zijn moeder. Die is gestorven toen hij tien was. Dat was een grote, prachtige vrouw met gitzwart haar en van die ogen die altijd nat lijken te zijn, weetjewel? Er hangt een grote foto van haar in het bureau van Maximiliaan. Maar die Sarah... geen idee. Familie zeker? Hopelijk? Mocht het zijn vriendin of vrouw zijn, dan zou hij me dat toch wel vertellen?'

'Waarom zou hij dat doen, Jessie? Je bent toch maar een studente?' vroeg Klara zeer terecht. Jess vloekte binnensmonds. Opletten, nog niks verklappen.

'Klara heeft gelijk, en trouwens, alsof zo'n bink geen tien vrouwen kan krijgen aan elke vinger. Rijk én knap. Mij kan hij krijgen, hoor, geef hem gerust mijn nummer', lachte Marion luid, terwijl ze probeerde het driedubbele ijs op te likken voor het helemaal over haar kin droop. Jess' moeder vond Marion zo ongezond mager dat ze telkens ze kwam calorierijk voedsel op het menu zette. Waar Marion dan altijd drie keer zoveel van at dan de anderen... en geen gram aankwam. Ondanks factor vijftig was elk vrij stukje vel rozerood. Haar zongebleekte haarsprieten boden nooit genoeg bescherming voor haar hoofdhuid, waardoor ze ook die dag weer een poging tot elegante zomerhoed op had. Jess was dol op haar. Klara lag lui op een spierwitte handdoek in het gras en likte rustig aan haar bolletje aardbeienijs. Met haar vrije hand wuifde ze zich koelte toe met een opengeslagen weekblad. Zoals altijd zag ze er onberispelijk uit, ondanks de drukkende hitte. Haar donkeroranje bikini paste perfect bij haar huid. Haar dikke donkerbruine krullen golfden rond haar fraaie gezicht dat bijna volledig verborgen zat achter een gigantische witte zonnebril die ieder ander belachelijk zou doen lijken, maar haar niet. Marion likte met een lange tong het ijs van haar kin en vingers. Ze lachte niet meer toen ze merkte dat Jess niet lachte om haar grap. Nadenkend keek ze naar haar vriendin. Iets ging niet goed en ze ging hier niet weg voor ze wist wat.

'Hoe gaat het op je werk? Valt die A.J. wat mee in gebruik? Hoe komt ie op zo'n naam, net om op te vallen. Wat betekent het, weet je dat al?' vroeg ze, terwijl ze gespeeld ongeïnteresseerd van heup veranderde en een dappere mier vermorzelde onder haar duim.

'Alexander-Johannes. Blijkbaar was hij bij de geboorte deel van een tweeling maar z'n broertje, dat Johannes heette, is gestorven bij de geboorte. Zijn moeder heeft de twee namen dan maar aan elkaar geplakt, Alexander-Johannes. Maar dat vond hij dan weer te lang en zo werd het A.J, op z'n Engels', antwoordde Jess kort. Veel te kort naar de zin van Marion die niet van plan was op te geven. Als Jess zo vaag bleef over die A.J., lag daar waarschijnlijk het probleem.

'Nog iets van Peter gehoord?' vroeg Klara.

Jess draaide zich op haar buik en bestudeerde het gras met haar neus er helemaal in. Eigenlijk lag zo'n handdoek op het gras helemaal niet comfortabel. Straks moesten ze maar wat wandelen of zo, of een terrasje doen.

'Neen, gelukkig niet. Alhoewel, arme Peter, ik vrees dat ik hem best pijn gedaan heb, maar ik weet zeker dat ik de juiste beslissing heb genomen. Dat kwam nooit goed, hij en ik.'

'Alsof we dat allemaal niet wisten!' berispte Marion haar goedbedoeld terwijl ze weer een streep vanille van haar kin veegde. 'Jongens, wat een saaie kwast. Het enige avontuur dat je daar ooit zou mee beleven, is de Ring rond Brussel in de daluren!'

Alle drie moesten ze luid lachen. Haar moeder die verderop

een boek lag te lezen, keek glimlachend om. Eindelijk, een lach van haar dochter, die had ze al een week niet gehoord. Een beetje gerustgesteld dook ze weer in de onderzoekswereld van haar detectivehelden Sjöwall en Wahlöö, die het laatste hoofdstuk ingingen.

'Kom, Jessie, vertel: heb je al een nieuwe aanbidder?' fluisterde Marion geniepig. Ze kwam dichterbij gerold met haar hoofd nu vlakbij Jess. Die had haar twee vriendinnen nog niks verteld van wat er vorig weekend tussen haar en A.J. was gebeurd. Ze aarzelde. Klara voelde meteen dat er veel verborgen zat in haar stilzwijgen en speelde het spelletje mee. Dat bestond erin dat ze nooit zomaar verklapten over welke jongen het ging, het moest geraden worden.

'Kennen we hem?' begon Klara de vragenronde. Marion slikte snel de laatste happen ijs door om mee te kunnen raden. Het koude ijs gleed door haar keel en deed haar even door haar tanden naar zuurstof happen.

'Kennen niet, neen', antwoordde Jess stil voor haar doen. Meestal was dit het leukste deel van een nieuw lief hebben: het kunnen vertellen aan Klara en Marion. Maar deze keer was ze er helemaal niet zeker van dat ze blij zouden zijn voor haar. Viel er eigenlijk iets te vertellen? Eén nacht seks? Was dat een relatie? Misschien betekende het helemaal niks en zocht zij er met haar puberale, romantische ziel veel te veel achter.

'Maar hebben we hem al gezien?' vroeg Marion gretig. 'Het is toch wel een 'hij'?' waarop ze proestend door het gras rolden. Jess ontspande. Ze zouden haar wel steunen, dat moest wel. Vriendinnen moeten elkaar altijd steunen, ongeacht. Dat is de betekenis van vriendschap.

'Onnozel wicht! Tuurlijk is het een 'hij' of denk je dat ik na al die jaren gevallen ben voor die sproet onder je linkeroog?' hikte Jess na. Ze vond het best spannend nu. En ze was ook blij dat ze het eindelijk aan iemand kon vertellen. Zware geheimen dragen niet lekker alleen. Bij haar moeder kon ze met zulke dingen niet terecht. En kritiek kon ze nu wel missen. Ze had er al genoeg op zichzelf. Die gedachten vergalden haar voorpret op de onthulling.

'Maar we hebben hem al wel gezien. Onlangs? Is hij knap?' vroeg Klara nadenkend terwijl ze alle jongens die ze ook maar samen gezien hadden, de revue liet passeren. Het waren er wel wat maar ze elimineerde snel. Ze wist welke types haar vriendin aantrekkelijk vond.

'Onlangs en ja, hij is knap', bevestigde Jess.

'Is het die jongen die in *The Beta* achter de bar staat? Ik heb al een paar keer gezien hoe hij naar jou keek, maar je leek me niet echt geïnteresseerd. En hij heeft zo'n storend lachje. Neen, die is het niet... Is het soms een prof? Zou dat niet typisch zijn? Studente papt aan met prof? Hmmm, zo'n oudere man, dat moet nochtans vonken geven. Wat zou die ons allemaal kunnen leren...' en lachend rolde Marion genietend heen en weer over het gras. Jess lachte niet mee en dat bevestigde Klara's vermoeden.

'Is het die A.J.?'

Jess schrok omdat Klara blijkbaar zo recht in haar hart kon kijken. Dat deed ze nou altijd, alsof geheimen voor Klara minder geheim zijn dan voor anderen. Jess knikte en wachtte op hun verdict. Marion was gestopt met lachen en zat rechtop, de afdrukken en resten van het gras overal op haar onherroepelijk verbrande lichaam.

'Djeez Jessie, je meent het niet! Je baas! Hoe oud is die man?' vroeg Marion serieus ontdaan. Het spelletje was meteen afgelopen. Dat van die docent was maar een grapje.

'Ik weet het niet, ergens rond de dertig?' antwoordde Jess terwijl ze aandachtig het gazon bestudeerde. Oké, vuur maar los.

'Hoe... wat... sinds wanneer? Zijn jullie een koppel of wat? Meen je dat nou? Komaan, Jessie, je neemt ons in de maling. Daarom kijk je ons niet aan, je zou in de lach schieten. Is het niet? Jessie?' probeerde Marion. Het gras kriebelde overal op haar bezwete huid. Klara had onmiddellijk door dat het geen grap was, integendeel.

'Vertel, Jessie', zei ze simpelweg. En Jess vertelde over wat er vorig weekend was gebeurd, op een paar pikante details na, en over A.J.'s vreemde houding deze week, over al haar twijfels, over de vlinders in haar buik, over zijn vijandige huis en zijn tastbare geur die ze niet afgewassen kreeg. Haar publiek luisterde aandachtig. Voor ze iets konden antwoorden, riep Jess' vader vanuit zijn bureau.

'Jessie! Telefoon! Het is die man van je vakantiejob. Kom je?'

'A.J.?' zei Marion. 'Als je van de duivel spreekt. Ga maar snel!'

En Jess holde naar binnen met een hart dat bijna uit haar lijf danste. Haar moeder die het ook had gehoord, staarde haar na. Onrust versmoorde haar gevoel van alles-komt-uiteindelijk-welgoed van daarnet. Waarom belde die man op een zondag? Ze ving de blik van haar man in het raam en die stond op onweer. Ook Marion en Klara keken haar ongerust na. Dit liep fout af en iedereen voelde het.

Zondag 14 augustus 2005, 23.10

Alles is herleid tot de essentie.

De voetstappen op de gang zijn die van Jeanne. Jess luistert naar het ritme en klank. Het zijn rustige, lachende voetstappen. Ze stellen gerust. Als Jeanne er is, lijkt het of er niks kan gebeuren. Telkens als ze in dat betrouwbare gezicht kijkt, weet ze dat haar geheim voor eeuwig bewaard zou blijven, want ze moet het kwijt, denkt Jess. En ze heeft niet veel tijd meer. Gelukkig kleurt de morfine alles zachter. Deuren in haar herinneringskast die sinds haar kindertijd dicht zijn, openen zich. Ze droomt met haar ogen open. In gedachten schrijft ze voor zichzelf 's avonds het boek van haar leven. Het zou niemand anders interesseren, maar het is wel haar leven en daarom uniek.

Er blijven maar een paar gezichten over. Alles is herleid tot de essentie. Passanten zweven voorbij, maar meestal ziet ze fragmenten uit haar leven met Penny en Nick, haar ouders, A.J., Jim, Monica, Marion en Klara. Ongrijpbare glimlach-Klara die sneller je gedachten leest dan je ze kan denken. En Jim. Lieve Jim. Altijd aanwezige Jim die haar zo-even ten huwelijk vroeg. Ze schrok niet. Er is weinig wat haar nog van haar stuk brengt op dit moment in haar leven. Ze weet wel waarom hij haar dat vraagt. Waarschijnlijk uit echte liefde, dat weet ze al twintig jaar. Maar misschien ook een deel uit medelijden, of omwille van zijn levensgrote verantwoordelijkheidsgevoel? Misschien uit onmacht ook? Omdat hij haar niet kan helpen? Hij is rond drie uur vertrokken naar zijn Chinezen, zonder antwoord op zijn vraag. Hij heeft ze ook niet herhaald, maar haar bij het afscheid enkel zo teder gekust als de pootjes van een vlinder de stam van een sleutelbloem.

'Morgen kom ik terug, Jess', zei hij enkel, zo zelfzeker mogelijk, alsof hij vooral zichzelf wou overtuigen. 'Mijn gsm ligt naast me. Jeanne heeft nachtdienst. Ze heeft me verzekerd dat ze elk uur naar jou zal komen kijken en me zal bellen zodra er iets is. Maar er zal niets zijn, want morgen kom ik je gewoon weer bezoeken.'

En dan zijn Klara en Marnix nog gekomen, haar nieuwste verovering, en haar moeder die bijna de hele tijd heeft gehuild, Penny en Sam en Monica. Ja, diezelfde Monica waarmee ze vroeger als studente samenwerkte bij A.J.. In het begin klikte het absoluut niet tussen hen, maar die concurrentie die A.J. en Maximiliaan ten top wilden drijven, heeft hen net dicht bij elkaar gebracht en ze zijn altijd contact blijven houden zonder elkaars leven van nabij te volgen. Monica is blijven werken bij Maximiliaan LTA Inc. en is nog steeds de rechterhand van A.J., iets wat hun vriendschap vreemd genoeg nooit belemmerd heeft. Monica heeft zich afzijdig gehouden toen het tussen hen helemaal fout ging en heeft er nooit vragen over gesteld. Deze toch wat bizarre vriendschap staat ver van haar andere vrienden en stoelt op andere dingen: hun beider passie voor internationaal recht, fotografie en simpelweg het leven. Meestal gaan ze lunchen. Daarom hebben zowel de kinderen als Jim, Klara en Marion, Monica nauwelijks ontmoet. Een mens kan perfect verschillende parallelle levens leiden. Monica heeft een speciaal plekje in haar leven. Ze waarderen elkaar zonder te oordelen, wat in vriendschap heel uitzonderlijk is. Soms filosoferen ze een eind weg over iets banaals als de kunst van zwaluwen om hun weg te vinden of de schakeringen van avondblauw en de moeilijkheid om dat op foto vast te leggen. Monica is de enige die in deze onpersoonlijke ziekenhuiskamer al het woord 'dood' heeft uitgesproken. Puur en onverbloemd, waardoor het wat van z'n zwaarte verloor en even betekenisloos klonk als banale woorden als 'ochtend' of 'afwas'. Monica is eigenlijk de enige die er niet omheen danst maar haar toekomst benoemt: niks. Binnenkort is er niks meer. Gedaan. Monica heeft beloofd er te zullen zijn voor de kinderen, ook al kennen die haar nauwelijks. Ze heeft beloofd te harer ere die cursus macrofotografie te gaan volgen waar ze samen al jaren over praten maar die altijd moest wijken voor iets wat belangrijker leek. Even heeft Jess zelfs getwijfeld of ze haar geheim niet met Monica kon delen. Monica zou zwijgen. Maar Monica werkt samen met A.J. en de mogelijke implicaties van dat geheim in de levens van anderen, waaronder A.J., zou daar werken voor haar misschien onmogelijk maken, en dat wil ze niet. Monica is een geweldige advocate, was dat vanaf dag één. Jess heeft toen de weddenschap verloren, maar typisch Monica: ze heeft met dat geld Jess een weekend mee uit genomen naar een fototentoonstelling in Praag. Neen, Monica kan ze met dat geheim niet opzadelen.

Moe sluit Jess haar ogen terwijl ze met grote inspanning op het knopje drukt om Jeanne te roepen, niet dat ze iets nodig heeft, maar gewoon voor haar gezelschap. Het is een drukke dag geweest, veel te druk. Ze is uitgeput door de schijn op te houden dat ze maar gewoon ziek is en over een paar dagen terug de draad zal opnemen. Want dat is precies wat iedereen van haar verlangt: hoop. En dat is nu net wat zij niet meer nodig heeft. Zij beseft heel goed dat ze aan haar laatste dagen bezig is. Zij is er klaar voor, bijna, maar de anderen niet. Alsof ze door veel op bezoek te komen en veel op haar in te praten, de dood te slim af willen zijn. Ze forceert zich, probeert alert te blijven ondanks de morfine, bedankt voor de bloemen en aanhoort toekomstplannen waaraan ze nooit zal deelnemen. Om zeven uur hoorde ze gelukkig de ferme stap van Jeanne die aankwam voor de nachtdienst. Met een gedecideerde glimlach heeft die iedereen huiswaarts gestuurd. Iedereen kuste en omhelsde haar alsof het de laatste keer kon zijn. Allemaal verzekerden ze haar dat ze oneindig veel van haar hielden. Allemaal waren ze in tranen. Jess was kapot.

'Zo, en nou rusten, meisje,' zegt Jeanne rustig, 'ze bedoelen het goed maar ze doen het soms zo fout, he?'

Ze zet het raam even wagenwijd open voor wat frisse lucht. De kamer hangt nog vol parfum, de geur van fresia's en wasverzachter, zomerzweet en flarden gesprek. Er is nauwelijks nog zuurstof. Jess doezelt weg bij het geroekoe van de trouwe duiven die op haar vensterbank wonen en de koelte van de avond beleven met een blij gefluit. Zij bewijzen glashelder dat niks anders zal zijn op deze wereld omdat zij er niet meer is. Dat beseft ze en daar heeft ze vrede mee. Ze is slechts een passante zoals er miljarden zijn die elk op hun manier invulling proberen te geven aan hun leven. De één doet dat in stilte en onopvallend, zoals haar moeder, de ander met veel lawaai en zelfdunk, zoals A.J.. Het zal zijn wat het was, en zo is het goed. Het verleden kan je toch niet meer veranderen en van de toekomst heb je slechts de illusie.

Terwijl Jeanne bezig is, kijkt Jess voor de duizendste keer de vertrouwde, steriele kamer rond. Hier gaat het binnenkort gebeuren. Zal ze alleen zijn als de dood komt of zal ze het einde tijdig genoeg voelen aankomen om Jeanne te roepen? Ben je plots dood of blijf je nog even zweven in een niemandsland, zoals wanneer je flauwvalt? De kamer is ondertussen op het licht van de gang na duister, maar haar ogen onderscheiden vage vormen die ze al uit haar hoofd kent: het raam met de versleten gordijnen, de gifgroene muren die dringend aan een nieuw laagje verf toe zijn, de witte plafondtegels waarvan er twee los zitten door insijpelend water. De vensterbank vol met bloemen, zelfs een aquarium met een vis. Dan had ze wat beweging om naar te kijken, redeneerde Klara. Een stapel boeken die Marion had meegebracht, alsof ze ooit nog een boek zou lezen.

Ze heeft geen pijn. Ergens in haar lijf woekert de vijand maar ze voelt hem niet. Ze heeft de tumor nooit écht gevoeld. Ze weet dat hij er is en dat hij verantwoordelijk zal zijn voor haar dood. Ze kunnen hem er niet uitsnijden en hij is ongevoelig voor medicatie. Hij gaat net zolang door tot hij wint, en winnen zal hij. Vreemd. Iedereen hoopt oud te worden en met zijn kleinkinderen in de tuin te dollen. Ook Jess. Iedereen is ontzet als de natuur beslist dat dat niet mag, als een straf. Ook Jess. In het begin was ze volledig in paniek. Ze moest nog zoveel doen! Het boek van haar leven was nog niet eens half af! En haar ouders... wat met haar ouders, die hadden al één dochter begraven. Het lot kon toch niet zo wreed zijn ook hun tweede dochter af te nemen. Maar het lot zweeg en deed wat het moest doen. En Penny? Jess zou later toch voor de kinderen van Nick en Penny gaan zorgen? Dat was al afgesproken! Wie moest dat nu doen? En Nick. Dat was de grootste ramp van allemaal. Nick. Zestien is geen leeftijd om je moeder te moeten verliezen, niet na wat hij al allemaal had meegemaakt met zijn vader. Haar dood zou hem breken. En waar moest hij naartoe? Bij A.J. en al zijn vriendinnetjes? Alleen in dat grote huis met Penny? Bij haar ouders? Bij Jim misschien?

Toen ze pas wist dat ze kanker had, holde Jess door het huis als een kip zonder kop. Losgeslagen en wanhopig. Ze smeekte professor Kim Jun om haar opnieuw te onderzoeken. De diagnose was dezelfde. Achter zijn rug om heeft ze toch een tweede mening gevraagd. De diagnose bleef dezelfde: pancreas carcinoom, in een ongeneeslijk stadium. Dat zei haar allemaal niets. Ze wist alles van internationaal recht, maar deze twee woorden zeiden haar niets. Jess werkte vier dagen per week als advocate internationaal recht bij een trans-Atlantisch shippingbedrijf. Niet meteen de grootse carrière die ze zich ooit had gedroomd maar ze had er best leuke collega's en het werk was afwisselend en bood haar genoeg vrijheid om op tijd de kinderen af te halen. Maar van kanker van de alvleesklier had ze nog bijna nooit gehoord. Waar ligt dat ding ook alweer in haar lichaam en waarvoor dient het? Heeft een mens dat wel echt nodig om te leven? Kan dat niet gewoon weg, ver weg? Of een transplantatie. Dat was tegenwoordig toch dagelijkse kost? Doe maar, opereer maar. Snij verdomme, snij! Maar doé tenminste iets in plaats van zeggen dat ik doodga.

Jess lokaliseerde de vijand en probeerde de tumor met

woede en kruidenthee uit te drijven. Ze deed reinigingskuren en stopte onmiddellijk met werken. Als ze maar rustte, zou ze genezen. Haar ouders, Jim, Maximiliaan, Penny en Nick, iedereen holde en holt zijn benen van onder zijn lijf om iets te doen. Hun leven stond en staat stil. Marion en Klara die op het randje af agnosten zijn, plannen zelfs een voetreis naar Santiago de Compostella, half september, zo lang kan de dood toch wel wachten? Jim lette er op dat Jess braaf de palliatieve chemo nam die de arts haar gaf, het woord palliatief demonstratief negerend. Palliatief was voor oude mensen, niet voor vrouwen in de fleur van hun leven zoals zij. Eenenveertig. Gódverdomme, is dat nu een leeftijd om te sterven. Alles deed ze, behalve proberen de waarheid onder ogen te zien: ze zou sterven en daar was niets aan te doen. Tot vorige woensdag leefde ze in de illusie dat als ze maar hard genoeg wou blijven leven, dat ook zou lukken. Optimist tot in de kist. Maar sinds ze bij de bakker in elkaar was gezakt, had ze zich eindelijk bij het onherroepelijke neergelegd. Ze zou sterven, misschien al vannacht.

Een soort voorgevoel had haar op een dag begin juli door het ganse huis gestuwd, op zoek ook naar alles wat haar geheim ongewild zou kunnen onthullen. Ze vond niks tastbaars. Ze pakte dan maar stiekem spullen in voor Penny en Nick met de bedoeling dat zij die na haar dood makkelijk zouden vinden: rekeninguittreksels en andere bankdocumenten, dozen met hun oude schoolspullen, de enkele foto's van toen zij klein was. Toen moest ze eens een opstel schrijven voor juf Nina, over hoe zij dacht dat de hemel er zou uitzien. Ze stootte op dat opstel waarin ze een zomerse dag beschreef aan het strand met haar ouders en twee beste vriendinnen van toen. De zon brak plots door een dik grijs wolkendek en toverde een witte vlek op de kalme zee. Zo zag zij toen blijkbaar de hemel, en nog altijd vond ze dat een mooi en geruststellend beeld.

Sinds vorige woensdag is ze niet meer bang. Toen ze op de harde vloer van de bakkerij lag, zag ze de witte vlek op de zee uit haar opstel. Die opende zich voor haar, heel verwelkomend. Jess had het gevoel dat ze er naartoe liep en kon ademen in het water. Ze voelde zich vredig en warm. Tot iemand hard op haar gezicht sloeg en ze plots in het gezicht van een verpleger keek die eruitzag alsof hij haar niet zou laten sterven, niet tijdens zijn diensturen. Ze draaide zich nog één keer om naar de zee en keerde terug naar het leven. Nu vecht ze niet meer. Waarom vechten als je toch niet kan winnen? Ze weet waar ze naartoe gaat en ze is niet angstig, wel droevig en zelfs een tikkeltje nieuwsgierig naar wat er is achter die witte vlek in de zee. Waar zal ze terechtkomen? Zal ze ooit nog weten hoe het haar kinderen zal vergaan in hun verdere leven? Jess zucht diep. Ze moet wel Jim nog antwoorden want ze kan het hem niet aandoen te sterven zonder hem te antwoorden. Maar dan moet ze ook helemaal eerlijk zijn, dat is wel het minste wat hij verdient. Ze heeft met alles in haar leven de afgelopen dagen vrede genomen, behalve met wat al jaren onuitgesproken is.

Voetstappen in de gang houden halt voor haar kamer. Daar is Jeanne. Ze steekt haar hoofd door de halfopen deur. Haar lachrimpeltjes worden verdoezeld door de nacht, haar paardenstaart heeft ze vandaag strak naar achter met een elastiekje. Het lijkt wel of ze lichtblonde strepen door het vlasblond haar heeft getrokken. Dat doen mensen die niet aan het sterven zijn inderdaad op zondag. Gewone dingen. Gek hoe die plots heel vreemd en nutteloos kunnen lijken. Naar de bakker gaan, familiebezoek, wandelen, musea ontdekken, seks, luieren voor de tv op een regenachtige herfstdag, blonde lokken door je haar trekken.

'Iets nodig?' vraagt Jeanne vriendelijk. 'Iets om te slapen misschien? Je zal wel hondsmoe zijn na zo'n drukke dag. Clarissa van de dagdienst zei dat het hier een duivenhok was. Of wou je iets anders?'

'Neen, ik hoef eigenlijk niks. Maar wil je eens kijken naar mijn baxter? Ik denk dat die binnenkort leeg zal zijn, niet?' antwoordt Jess met een excuus.

Accuraat draait Jeanne aan een ventiel, het spel meespelend.

'Die houdt het nog wel tot morgenvroeg. Ik hoorde daarnet een leuk nieuwtje. Je weet dat ziekenhuisgangen de grootste roddeltantes zijn, geen geheim of het wandelt hier door de gangen, elke kamer zo binnen. Clarissa hoorde dat je ten huwelijk bent gevraagd? Door die knappe man? En... wat heb je gezegd? Als het mijn zaken niet zijn, moet je me nu gewoon de mond snoeren, hoor.'

Jess moet lachen. Dezelfde vraag van iemand anders zou haar vroeger geïrriteerd hebben, maar nu niet meer, en zeker niet van Jeanne met wie ze zo vertrouwd is als met vrienden die ze al de helft van haar leven kent.

'Verhaal waar, maar ik heb nog niet geantwoord.'

Jeanne kijkt haar vragend en gepleziered aan met haar hoofd een beetje schuin. Jess geniet van dit samenzweerderige moment in het schemerdonker, het eerste moment van de dag waarop ze helemaal zichzelf kan zijn en geen toneel moet spelen.

'Wat denk jij? Is het niet gek om een week voor je dood iemand je jawoord te geven? Beetje absurd toch?'

'Niet helemaal,' antwoordt Jeanne ernstig, 'toch niet als je iemand heel erg graag ziet. Wat bij die man echt wel het geval is, maar dat weet je maar al te goed, denk ik toch?'

'Ja, dat weet ik, maar nog niet zo lang. Een mens moet eerst bijna dood zijn om te beseffen waar het allemaal om draait. Wat maken we er toch een zootje van... onszelf prostitueren, negeren en in duizend bochten wringen om toch maar aan ieders ideaalbeeld van onszelf te voldoen. We vergeten onszelf in heel die wedren. Wat jammer dat je dat pas weet als het te laat is. De zin van het leven is helemaal niet zo moeilijk te vinden, de zin van het leven is doodeenvoudig liefde. Dood-eenvoudig. Of raaskaal ik maar wat? Zeggen alle stervenden dat? Ik heb er zo geen ervaring mee, op mijn leeftijd', probeert Jess een zwarte grap. Ze voelt zich moe genoeg om honderd levens te slapen en moet moeite doen om daar niet onmiddellijk aan te beginnen. Is dat doodgaan? Je ogen sluiten en ze nooit meer opendoen? Zoals wegzinken in een narcose. Snel opent ze weer haar ogen. Nu nog even niet.

Geruststellend klopt Jeanne het laken op en strijkt het kussen glad.

'Neen kind, je raaskalt niet. Integendeel, de meesten hebben het zelfs op het einde van hun leven nog niet door. Je gelooft het niet maar ik heb hier al patiënten gehad die hun laatste adem uitbliezen met hun laptop op hun schoot. Dàt vonden ze belangrijk, maar ze hebben nooit afscheid genomen van hun moeder. Ik heb er gehad die zich op één dag tijd bekeerden tot de islam, krampachtig op zoek in hun laatste dagen naar wat jij weet. Ik had er die dag en nacht met licht in hun bed lagen om zo in trance te geraken en pijnloos te sterven. Op een dag moet ik er een boek over schrijven. Elke mens sterft anders. Sommigen sereen, anderen in een gruwelijk oneerlijk gevecht. En de ergste gevechten zijn die die ze met zichzelf voeren.'

'En wat vind je van mij? Doe ik het goed?' grapt Jess. Dergelijke grapjes kan ze zich bij haar bezoekers niet permitteren.

Jeanne denkt even over de vraag na.

'Ik voel dat je niet meer bang bent en dat is goed. Je bent rustig en straalt dat ook uit, dat vind ik bewonderenswaardig. Ik heb de dood al zo vaak ontmoet en toch zal ik het zelf maar weten als hij mij komt halen. Als het een 'hij' is natuurlijk', lacht ze maar ze wordt meteen weer ernstig. 'Je bent zo warm en zo vol liefde dat het afstraalt op al wie je kamer binnenstapt. We zullen je hier niet snel vergeten. Niemand zal je snel vergeten, wees daar maar zeker van. Weet je, sommigen zoeken tot het bittere einde naar de zin van hun leven. Ze zoeken te ver. Ze zijn te veeleisend. Of het bevindt zich voor hun neus maar ze zien het niet, te druk bezig, te afgeleid. Ik kan alleen maar hopen dat jij het voor jezelf hebt gevonden in de korte tijd die je gegund is. Maar... mag ik eerlijk zijn?'

Een beetje overrompeld zegt Jess: 'Tuurlijk.'

'Het lijkt mij alsof er iets is wat je zorgen baart. Ik kan me vergissen, en zoals ik al zei: het zijn mijn zaken niet. Ik wil gewoon dat je weet dat ik er ben en dat ik kan zwijgen als een graf. Ook al is dat een luguber woord in deze palliatieve afdeling, niet?'

Jess antwoordt niet meteen. Dit is wat ze wil: iemand om haar geheim mee te delen. Iemand die haar kan zeggen of ze er goed aan doet het geheim te delen met de mensen die er recht op hebben. Maar het zit vast in haar keel. Ze kijkt Jeanne doordringend aan, maar de woorden willen niet komen. Jeanne begrijpt het onmiddellijk.

'Alles is oké, kind, je zou de eerste niet zijn die een geheim meeneemt in z'n graf. Soms is dat ook maar beter zo, want wat moeten de achterblijvers ermee als het hun leven niet echt beïnvloedt? Of je zadelt ze op met meer vragen dan antwoorden. Rust nu maar, ik breng je zo een slaappilletje. En... mochten de woorden er toch uit willen, dan bel je maar. Ik ben er de ganse nacht. Enne... ik zou toch maar eens goed over dat huwelijksvoorstel nadenken. Zulke knappe mannen maken ze niet elke dag.'

Met een zacht kneepje in haar handen draait Jeanne zich om en stapt de kamer uit. Geruisloos maar gedecideerd ritselen haar gedempte voetstappen van deur naar deur. Af en toe vangt Jess flarden op van andere geruststellende gesprekken, want in elke kamer op deze afdeling speelt zich een ander verhaal af, steeds wel met dezelfde afloop. Voor veel zieken is de nacht de grootste vijand omdat hij de toegang verspert tot de welkome, veilige slaap. Alles lijkt moeilijker en uitzichtlozer 's nachts. En hoeveel keer je ook de tegels telt, ze blijven onverstoorbaar weigeren antwoorden te geven. 's Nachts is een ziekenhuis ook onrustiger, alsof er iemand rondwaart in de gangen die zich niet laat zien maar zich door middel van angst wil laten gelden. De enige keren dat Jess in het ziekenhuis lag, was bij de geboorte van haar kinderen, en ze herinnert zich helder hoe blij ze was als ze naar huis mocht. Elke dag zoog het ziekenhuis een beetje levensvreugde uit haar. Telkens ze naar huis ging, veel te vroeg volgens de dokters, ademde ze dan ook diep de frisse lucht in.

Maar de schaduwen van de nacht hebben haar minder en minder in hun macht. Slapen doet ze toch niet echt meer, slaappilletjes of niet. Zal het donker zijn waar ze naartoe gaat? Zal ze er haar grootouders terugzien zoals juf Nina van godsdienst vroeger op school altijd vertelde. Of wacht enkel het grote niks, zoals haar vader eerder gelooft. De brombeer die nu geen woord over zijn lippen krijgt, uit angst te huilen, iets wat mannen van zijn generatie niet doen. Eén keer heeft ze hem zien wenen, op de begrafenis van haar zus Laura. Het was het ergste moment van die ganse donkere dag: haar sterke vader die weende als een kind.

Zo denkend en dromend sukkelt Jess toch in een half co-mateuze morfineslaap. Terwijl ze bijna wegglijdt naar de witte vlek op de voor de rest immer grijze Noordzee, verschijnt plots het gezicht van Nick in de vlek. Hij kijkt vragend zoals enkel Nick dat kan. Jess schiet wakker. Ze mòet het kwijt, ze moet haar geheim aan iemand kwijt.

Zondag 18 juli 1982, 11.00

Dit zou zó fout aflopen.

Langzaam opende Jess haar ogen. Het wit van de muren en de muurvullende witte kast brachten haar even in de war. De witte gordijnen wapperden lui uit de open ramen. De vogels waren nog bezig aan hun ochtendlied voor het te warm werd. Het moest nog vroeg zijn. Even wist ze niet waar ze is. Nog slaperig en zich ineens pijnlijk bewust van een kloppende hoofdpijn, en haar lichaam ruikend naar seks en vanbinnen gekneusd van genot, kwam ze plots recht. Ze wist het weer: ze was bij A.J. thuis. En de andere kant van het bed was leeg. Een vervelend gevoel bekroop haar. De eerste keer lag hij 's ochtends ook al niet in bed. Het gaf haar een goedkoop gevoel dat ze snel onderdrukte. Ze stond op en vond een naar lavendel geurende, frisgewassen witte badjas aan een kapstok achter de deur. De zomer waarde in stilte door de gang. Ze piepte in alle kamers op de verdieping. Alles zag er ongebruikt uit, alsof het huis wachtte op gasten. Bijna nergens stonden persoonlijke spullen. Behalve een bijna levensgrote foto van zijn moeder in de woonkamer. Ze keek haar lief aan als om te vragen goed voor haar zoon te zorgen. Jess keek met respect terug en las liefde in de donkere ogen. Arme Maximiliaan. Stil stapte ze verder door het ganse huis, op zoek naar A.J.. Het was exact twee weken geleden dat ze hier was en weer voelde ze de vijandigheid van het huis. Ondanks de vroege hitte rilde ze.

Het waren twee verwarrende weken geweest. A.J. behandelde haar als de rest van het personeel: correct maar koel. Ze had zelfs de indruk dat hij opzettelijk vriendelijker was en meer interesse toonde in Monica dan in haar, maar dat beeldde ze zich waarschijnlijk in. Wat een uitslover, die Monica, elke dag in een ander 'gewaad', want 'jurk' kon je die dingen nauwelijks noemen. Maar jongens, wat was ze goed. Jess kon zich niet concentreren. Omdat ze een kantoor deelde met A.J., zag en hoorde ze alles wat hij deed. Ze analyseerde elk gesprek dat hij voerde, zocht naar verborgen blikken, hunkerde naar aandacht en gedroeg zich kortom als een onnozele puber die nergens zeker van was. Niet van hoe ze eruit zag, niet van haar kleerkast, niet van haar zo kenmerkende humor, niet van niks. Heel frustrerend. Ze deed zo opvallend haar best hem te behagen dat Maximiliaan haar eergisteren in zijn bureau riep. Uitslover Monica met wie hij een bureau deelde, was er niet. Gelukkig, want het zou één van de meest bevreemdende gesprekken uit haar leven worden.

'Heb je met mijn zoon geslapen?' vroeg hij zo direct dat Jess alle kleuren uitsloeg en domweg knikte. Tegen deze man moest je niet liegen.

'Goed, dat dacht ik al, aan je gedrag te zien. Ik vind dat je moet weten dat hij nog niet zo lang geleden zijn verloving heeft verbroken. Sarah zit sinds een paar maanden in Amerika. Ze is ook advocate en is zich ginds gaan specialiseren in de Amerikaanse handelswetten voor klanten die daar filialen willen starten maar natuurlijk liefst zo weinig mogelijk belastingen willen betalen. Heeft Alex je dat verteld?'

Ontkennend schudde Jess het hoofd, mak als een schaap. Ze voelde zich naakt en betrapt. Ze voelde zich ellendig.

'Je hoeft je niet te verontschuldigen, jongedame. Mijn zoon is een knappe man, en rijk, maar ik zie dat het je niet om het geld te doen is. Geloof me, na al die jaren maak je mij niets meer wijs. Ik mag je graag, daarom vertel ik je dit. Ik hou van mijn zoon, het is een sterke persoonlijkheid. Alleen...' en hier haperde de zelfzekere Maximiliaan. 'Luister, ik moet me niet bemoeien met zijn privéleven. Hij heeft het ook niet makkelijk gehad sinds de dood van zijn moeder.'

Maximiliaan keek naar eenzelfde portret van de donkere vrouw als op A.J.'s bureau en bij hem thuis. Hij nam de foto op, schraapte zijn keel en even viel het laagje zelfzekerheid van hem af als poedersneeuw.

'Ze was zo mooi, Sofia. Sofia Imane, zo heette ze voluit. Ze had de donkere schoonheid van haar Marokkaanse grootmoeder, met ogen die zo zwart waren dat ik er niet genoeg van kreeg. Ze waren diep als een meer. Ik hield zielsveel van haar. Dergelijke liefde komt zelden voor, dat beseften we allebei, en Alex is de vrucht van die liefde. Zijn tweelingbroertje Johannes is bij de bevalling gestorven. Ook hij heeft dat ontembare, dat zuiderse, dat beetje wilde. Hij heeft haar schoonheid, haar lach en haar elegantie. Van mij heeft hij de energie en het zakentalent, denk ik toch', lachte Maximiliaan droevig. Hij nam een slok water en ging verder met haar foto in zijn hand. Jess verroerde geen vin. Waarom vertelde hij haar dit?

'Alles veranderde die noodlottige vrijdagnacht. Alex was toen tien. We kwamen terug van een heerlijk huwelijksfeest. Ik reed en Sofia lag in al haar schoonheid te slapen. Ik genoot na van de gesprekken, het dansen en het geluk van onze aanwezige vrienden. Ik heb hem nooit zien aankomen. Ineens was hij er, die opgefokte auto die met te luide muziek uit een zijstraat kwam, recht op ons af, maar ik kon nergens meer naartoe. Hij ramde ons recht in de flank met een veel te hoge snelheid. Ze was niet op slag dood. Ik besefte pas écht wat er gebeurd was nadat ze met mij klaar waren in het ziekenhuis. Ik had enkel een gebroken dijbeen en een eenvoudige heupfractuur. Maar die auto had Sofia wél volledig geraakt. De chauffeur bleek achteraf stomdronken en pas zeventien, dus ook niet verzekerd. Hij heeft jaren later, na zijn ontslag uit de gevangenis, nog geprobeerd contact te zoeken, maar die boot heb ik afgehouden. Ik wou zijn gezicht niet zien, zijn stem niet kennen. Hij heeft zich toen verontschuldigd in een brief. Maar wat deed het er nog toe, Sofia was weg. Ze heeft dagen gevochten voor haar leven, als een leeuwin. Maar haar ingewanden waren te zeer beschadigd. Haar hersenen waren echter intact en ze is de ganse tijd bij volle bewustzijn geweest. Ze heeft dus alles verdomd goed beseft. Zelfs haar laatste adem heeft ze er woedend uitgeperst, en met haar blik vastgeklonken aan de mijne is ze weggegaan uit mijn leven. Als ik aan haar denk, probeer ik me niet dat beeld voor ogen te houden, maar dat van haar mooie gezicht dat lacht in haar slaap. Ze lachte altijd in haar slaap. Ik weet niet hoe het voelt om te sterven, maar ik weet wel hoe het voelt om machteloos te moeten toekijken hoe iemand van wie je zielsveel houdt, sterft. En ik heb me sindsdien vaak afgevraagd welk van beide het ergste is.'

Maximiliaan nam nog een slok water en zocht de moed om zijn verhaal af te maken. Jess durfde zelfs niet te ademen. De sterke man, nooit verlegen om een kwinkslag, was veranderd in een gewone mens van vlees en bloed, kwetsbaar en heel erg eenzaam. Het maakte hem mooi en menselijk voor Jess, een gevoel dat ze voor altijd voor hem zou hebben. Aarzelend ging hij verder, zijn blik nog steeds op de foto gericht. Hij had Jess nog niet aangekeken en zou dat ook niet doen. Dat was haar enige gesprek met hem ooit waarbij hij dat niet deed.

'Alex heeft het nooit goed verwerkt. Sofia was zijn alles, ze was er altijd als ik helaas te vaak werkte, ze vertelde hem overgeleverde familielegenden uit Marokko, ze zong hem in slaap. Vreemd genoeg zijn er geen andere kinderen meer gekomen. We hebben dat aanvaard. De natuur is sterker dan de mens. Beseften we dat maar wat meer, we zouden het onszelf zo moeilijk niet hoeven te maken. Ik hou van mijn zoon, jongedame, meer dan van wie ook, maar ik weet dat iets in dat kind dat weekend is gestorven. We praten nooit over Sofia. Ik raad je ook aan dat nooit te doen. Haar dood heeft een duivel in zijn lichaam gebracht die hem af en toe van binnenuit opvreet, alsof hij het alle andere vrouwen kwalijk neemt dat zijn moeder dood is. Geen kan aan haar tippen. En Sarah... ik mocht Sarah, en ik mag jou. Soms denk ik dat die jongen niet in staat is tot het soort liefde dat Sofia en ik deelden, hopelijk vergis ik me en heeft hij gewoon de juiste vrouw nog niet ontmoet. Misschien ben jij dat wel. Hij mag je heel erg. Dat zie ik. De manier waarop hij vooral probeert te doen alsof het niet zo is, verraadt hem.'

Maximiliaan zweeg om Jess de kans te geven alles te verwerken. Ze staarde hem aan. Wat moest ze hiermee? 'Ik vertel je dit, Jessie, omdat ik het goed met je voorheb. Ik zie liever geen affaires op het werk, maar de liefde houdt zich niet aan muren en regels. *So be it.* Je bent slim, eerlijk en bruist van energie. Je hebt ook dat tikkeltje ongehoorzaamheid en durf dat ik zo graag zie in jonge mensen. Monica heeft dat ook, op een andere manier. A.J. en ik hebben een neus voor talent. Jullie komen er wel en ik wil jullie graag helpen. Dit is een zeer gereputeerd advocatenkantoor dat steeds op zoek is naar de beste advocaten. Jij hebt het in je, denk ik. Hopelijk slaag je erin werk en privé te scheiden, dan ben je hier altijd welkom, wie weet zelfs als je bent afgestudeerd. Ik wou je enkel waarschuwen voor mijn zoon.'

'Ik vind die notariële akte niet in het dossier, hoor', wandelde Monica zonder kloppen het bureau ineens binnen met haar neus in een lijvig dossier en haar lange froufrou tot over haar ogen, haar purperen wikkelrok wapperend achter haar aan. 'Ik denk dat het misschien in hun dossier zit van die andere overname. Zei je niet dat ze twee jaar geleden ook al een bod hadden gedaan op een concurrent en dat jullie hen toen ook vertegenwoordigden? Zal ik...' Dan pas merkte ze Jess op. Onmiddellijk lachte ze gezichtsbreed. Monica had vanaf dag één een diepe vriendschap voor Jess opgevat en was zich niet bewust van de jaloezie, want meer was het niet, die Jess verscheurde.

'Sorry, ik had moeten kloppen. Ik wist niet...' verontschuldigde ze zich toen ze het bleke gezicht van Jess zag en de ernst in de ogen van Maximiliaan. Wat was hier aan de hand? Jess stond onmiddellijk bedremmeld op.

'Hoeft niet, het is toch jouw bureau?' snelde Jess langs haar heen het bureau uit, Monica met open mond achterlatend.

Jess was blij dat de week achter de rug was. Ze was helemaal in de war. Haar moeder voelde dat er iets scheelde. Jess was twee weken geleden op vrijdag niet thuis komen slapen na haar etentje met die man en ze wou er met geen woord over praten. De sfeer in huis was op z'n minst gespannen te noemen. Haar vader keek haar de hele tijd boos aan waardoor Jess zich nog meer afsloot. Ze kon het niet hebben dat ze haar veroordeelden. Ze had de onverklaarbare behoefte A.J. te verdedigen, een gevoel dat zou blijven. Toen ze de vrijdagavond alweer landerig door het huis liep, van de tuin naar binnen en omgekeerd zonder duidelijk doel, probeerde haar moeder het nog een keer.

'Waarom ga je niet naar Klara, Jessie?'

'Jess, vanaf nu heet ik Jess, mams, dat heb ik je deze week al gezegd. Jessie is voor kleine meisjes', antwoordde Jess kortaf. Ze schrok er zelf van want ze had best een goeie band met haar moeder.

'Oké schat, als jij dat wil', antwoordde haar moeder gekwetst. Jess haatte zichzelf omdat ze zo stom deed. Wat was dat toch met haar deze week.

'Over Klara... ze heeft deze week al drie keer gebeld en je belt gewoon niet terug. Dat is ook niet erg netjes. Ze bedoelt het goed en het is je trouwe vriendin. Je weet toch, schat, dat...'

'...vriendschap altijd boven liefde gaat. Ja ja, mams, dat weet ik allang. Alsof jij daar zo'n mooi voorbeeld van bent.'

Onmiddellijk had Jess spijt van haar woorden. Haar vader vond de meeste van Maureens vrienden van vroeger maar niks. Hij verbood haar niet ermee om te gaan maar nodigde ze ook nooit uit. Geen van die vriendschappen heeft dan ook hun huwelijk overleefd en Jess wist dat haar moeder daar spijt van had. Met vochtige ogen staarde haar moeder haar aan, draaide zich om en ging zonder nog een woord te zeggen het huis binnen. Boos op zichzelf schopte Jess op wat losliggende steentjes op het terras. Ze hoorde de telefoon rinkelen en dwong zichzelf te blijven staan. Haar moeder zou wel opnemen. Ze spitste haar oren al hoopte ze te weten wie het was.

'Jessie... eu, Jess schat, het is je baas', riep die inderdaad door het open raam, waarna ze tactvol doorliep naar de keuken. 'A.J., mams, A.J.. Wen er maar alvast aan', riep Jess haar onvriendelijk na. Waarom deed ze dat toch? Haar moeder had haar toch niks gedaan? Voelde ze onbewust dat haar moeder gelijk had? Was het dat? Niemand wordt graag gedwongen in een spiegel te kijken van waaruit een lelijke waarheid je aanstaart. Desondanks vloog ze licht als een libelle naar de telefoon.

'Hallo?' probeerde ze zo sexy mogelijk te zeggen.

'Dag schoonheid. Je beviel me wel zo zonder kleren aan. Heb je al wat te doen morgenavond? Vanavond kan ik niet.'

Zonder haar antwoord af te wachten, ging hij verder: 'Kom om acht uur naar het Pakhuis. En wees mooi.' En hij haakte in. Hij vroeg niet hoe het was, niks. En wat had hij te doen vanavond? De jaloezie woelde in haar onderbuik. En wat moest ze aan? Boos schudde ze haar hoofd. Wat was dat toch met haar. Waarom had die man zo'n greep op haar? Dit zou zó fout aflopen. Waarom zei ze niet gewoon neen. Simpel: neen. Gewoon een werkrelatie en op een dag zou er wel een prins op haar pad komen. Maar dat lukte haar niet. Ze was volledig begeesterd. Neen zeggen was geen optie. Dat het toch wel eigenaardig was dat hij op het werk zo afstandelijk deed, die gedachte duwde ze prompt weg. Dat hij niet echt vriendelijk was, laat staan romantisch, schoof ze even gemakkelijk opzij. Dat hij haar mening niet eens vroeg of een simpele 'hoe gaat het' bleef langer hangen. Haar hoofd deed pijn van al die botsende gedachten waar ze niks mee opschoot. De telefoon rinkelde opnieuw. Ervan overtuigd dat A.J. iets vergeten was, nam ze snel op.

'Hallo?' zei ze met diezelfde stem, zij het wat beverig.

'Hi Jessie, ik ben het, Klara. Wat is er? Je klinkt zo raar? Ik probeer je al de hele week te bellen maar je belt maar niet terug. Is alles oké met je?' klonk de bezorgde stem van Klara. Haar leidde je niet om de tuin. Jess deed een poging.

'Klara, als je het niet erg vindt, zou ik graag hebben dat jullie me Jess noemen vanaf nu. Jessie is zo voor meisjes, vind je niet?'

Stilte aan de andere kant van de lijn.

'En voor de rest is alles oké. Veel werk gewoon op het kantoor', probeerde Jess ondanks de duidelijke en betekenisvolle stilte met gecontroleerde stem nonchalant het gesprek verder te zetten. 'Je kent het wel. Maximiliaan laat mij van hot naar her lopen, het lot van elke student zeker, best vermoeiend.'

'Oké... Jessie... Jess... whatever. Vertel op, hoe zit het met die A.J.?' vroeg Klara gretig.

'Goed.'

'Goed? Wat goed? Hoe goed? Wat is dat nu voor een antwoord: goed. Details, schat', drong Klara aan.

'Héél goed', lachte de stem van Jess, al ergerde het haar dat Klara niet meteen blij was voor haar.

'Zeg niet dat je al met hem geslapen hebt, Jessie. De eerste avond al!' zei Klara integendeel berispend. Ze hadden een code dat ze zich nooit aan one night stands zouden laten vangen. Ze zouden hun vel duurder verkopen.

'Je hoeft je heus geen zorgen te maken, het was geen one night stand. Hij houdt van me', verdedigde Jess zich fel. Het voelde als een foute B-filmdialoog. Klara wond zich ook op.

'Hoe kan je dat nu zeggen? De man is je baas! Denk je niet dat hij nog al eens met studentjes de lakens deelt? Jessie toch, komaan, zeg me dat het super was, alles wat je fantasietjes zich maar kunnen wensen, maar zeg me vooral dat het hier stopt', vroeg Klara hoopvol.

Nu was het Jess' beurt om te zwijgen.

'Jessie! Eu... Jess! Komaan! Zie je het dan niet? Die man is fout, helemaal fout voor jou. Jullie komen uit een ander milieu, hij is een pak ouder en er is iets gevaarlijks aan hem. Ik kan het niet benoemen maar ik vertrouw hem niet. Geloof me nou. Je weet dat ik een zesde zintuig heb voor zulke dingen. En het heeft me nog nooit in de steek gelaten. Jess...? Jessie...?'

'Ik ga morgen met hem eten dus ik kan helaas niet met jullie afspreken,' antwoordde Jess naast de kwestie, 'misschien

volgende week. Ik bel nog wel. Groetjes aan Marion. Dag dag.'
En ze haakte schuldbewust in. Klara en Marion waren haar
boezemvriendinnen. Waar was ze mee bezig? Minutenlang bleef
ze naast de telefoon staan. Ze dacht duizend dingen tegelijk,
geen van alle zinvol. Het enige wat ze zeker wist, was dat ze
morgen om acht uur in het Pakhuis zou zijn en weer mee zou
gaan naar zijn huis als hij dat zou vragen, of niet eens zou
vragen. Haar vader opende de deur van zijn studeerkamer en
keek haar aan. Hij had alles gehoord maar zei niets. Soms was
zijn zwijgen nog pijnlijker dan zijn harde woorden. Jess sloeg
haar ogen neer en ging de tuin in.

Die zaterdag duurde eindeloos, als een winter die zich voort-
sleept met niet meer tot doel dan de lente pesten. Ze las, nam
een uitgebreid bad, las nog wat, hielp haar bezorgde moeder
met groene vingers in de tuin, las nog wat, probeerde tien verschillende outfits en miste haar zus die bij haar vriend Claus
bleef tot de zondagmiddag. Eindelijk werd het dan toch zeven
uur. Ze weerstond de stille verwijtende ogen van haar ouders
toen ze vertrok. Het was het feit dat ze niks zeiden dat haar
stoorde. Ze was anders helemaal klaar voor een klinkende ruzie,
maar dat gunden ze haar niet. Als Assepoester vertrok Jess dan
maar in haar avondoutfit voor een lange busrit waarop iedereen
haar aanstaarde. Ze hoorde zo uitgedost niet op een bus. De
ganse dag was ze bezig geweest met haar uiterlijk, iets waar
ze meestal amper de tijd voor nam. Ze had een zijden rok die
ze in geen jaren had gedragen gecombineerd met een gewaagd
topje. Haar haar had ze aan de lucht gedroogd en met rozen-
water geparfumeerd waardoor ze zich een zigeunerin voelde.
Haar ogen had ze heel donker en heel erg on-Jess opgemaakt.
Ze was op tijd, A.J. was er al, de champagne stond koud.
   Jess vergat op slag alles waar iedereen haar voor waar-
schuwde. Ze dronk te snel twee glazen champagne na elkaar
en voelde zich een vrouw van de wereld in dat bomvolle,
hippe restaurant waar iedereen A.J. weer bleek te kennen en

hij alles weer bestelde zonder haar mening te vragen. Ze vond het best. Hij was grappig en flirtte onbeschaamd met haar. Ze was koningin van de nacht, onoverwinnelijk. Woorden als wulps en sexy pasten niet bij haar en toch voelde ze zich zo. Ze deed haar uiterste best grappig te zijn en vooral geen domme dingen te zeggen. Deze betoverende man was van haar. Trots keek ze het restaurant rond, ontgoocheld als niet alle vrouwen naar hen keken. Over het werk werd met geen woord gerept. Ze dansten met woorden om elkaar heen. Als hij haar hand aanraakte, tintelde het tot in haar onderbuik. Ze wou hem en ze las in zijn ogen dat hij haar ook wou. Elk gesprek was slechts een heerlijk uitstel van wat zeker zou komen. De vis was sappig, haar glas vulde zichzelf, ze zweefde en lachte luid met zijn stoute verhalen uit zijn studententijd, vergetend dat zij zelf nog studente was. Daar stond ze die avond ver boven. Leeftijd was van geen belang. Liefde kende geen regels toch? Had Maximiliaan zelf gezegd. Onderweg naar zijn huis stopten ze in een stille straat zonder straatverlichting en hij nam haar bruut in de auto. Gulzig dronk ze in het donker van zijn ogen terwijl ze hem als een volleerde hoer liet begaan. Dit had ze nog nooit meegemaakt en ze was er nu al aan verslaafd. Haar vorige vriendjes waren paters in bed vergeleken met dit geweld. Ze wist van zichzelf niet eens dat ze hiervan hield. Moest seks niet zacht zijn en romantisch? Lachend klemde ze zich vast aan zijn rug en hielp hem naar zijn climax die hij grommend en woest bereikte. Zonder iets te zeggen gleed hij van haar, startte de auto en reed naar huis waar dit spel nog uren doorging, tot Jess van uitputting in slaap viel. Nooit zei hij dat hij van haar hield, nooit was hij teder, maar Jess was te verliefd om daar om te treuren. Ze was volwassen geworden en ze genoot met elke vezel. Tederheid en romantiek was voor pubers die niet beter wisten. Dit was echt. Even dacht ze aan Klara en Marion. Ze zouden haar eens moeten bezig zien. Dit kon ze hen nooit vertellen. Ze zouden haar niet geloven.

'A.J.?' riep Jess door het huis. In de keuken lag een wilde poes die ze vorige week ook al had gezien, te kronkelen voor een aai. De grote deuren naar de tuin stonden wagenwijd open maar van A.J. geen spoor. Op het aanrecht stond een leeg glas van zijn fruitmix. Geen briefje, geen ontbijt voor haar, niks. Weer had ze dat onaangename gevoel. Ze ging huiverend op het grote terras staan en leunde over de stenen balustrade. De dauw lag nog fragiel op het gras, de lucht veranderde van nachtblauw net in het lichtblauw van een viooltje. Net als het huis was de tuin, of beter het park, perfect. En doods. Dit huis miste een ziel. Zou zij diegene zijn die er een ziel zou aan geven? Een onaangenaam voorgevoel kroop over haar rug en deed haar rillen. Toen zag ze hem. Zwetend en lachend kwam hij aangehold. Natuurlijk, hij was gaan joggen. Niks aan de hand. Zie je wel. Haar onzekerheid smolt weg. Hij nam haar in zijn armen en draaide haar rond.

'Goeiemorgen schoonheid! Ook zin in één van mijn fantastische fruitmixen, of meer zin in wat we vannacht hebben gedaan, hé?'

Het werd eerst het tweede en dan het eerste, waarna hij haar netjes thuisbracht tot net niet aan de deur omdat hij nog 'dingen te doen had'. Wat voor dingen zei hij niet en Jess vroeg het niet, maar ze zat er de rest van de zondag mee in haar hoofd.

Even leek alles weer onwerkelijk en sloeg de twijfel toe, zeker toen haar moeder nogmaals probeerde een redelijk gesprek met haar te hebben. Maureen zag er uit alsof ze nauwelijks geslapen had. Haar vader had weer een van z'n buien waarbij Maureen het had moeten bekopen. En dat was waarschijnlijk Jess' schuld. Toen Jess ostentatief met haar hoofd in de weekendkrant gedoken in bikini op het terras lag te piekeren, kwam haar moeder bij haar zitten.

'Om vier uur gaan we naar tante Netty, schat, weet je nog, de barbecue? Ze belde gisteren nog om te vragen of je nu kwam. Laura gaat ook, met Claus. Lieve jongen, gek snorretje, vind ik, maar dat schijnt nu de mode te zijn, zegt Laura. Allemaal goed, als jullie maar gelukkig zijn, schat. Dus: ga je mee straks?' probeerde Maureen via een voorzichtige omweg tot de hamvraag te komen.

'Kweenie, misschien', antwoordde Jess weer veel te kort naar haar zin. Verdomme.

Maar Maureen had zich voorgenomen zich niet te laten wegjagen.

'Hij spreekt Italiaans, Claus, geleerd door elk jaar naar Italië op reis te gaan. Volgende week komt zijn moeder even kennismaken. Dat klinkt wel serieus, vind je niet?'

'Zal wel.'

Maureen ging dapper door.

'Kan jij het goed vinden met je oudste baas? Maximiliaan heet-ie, dacht ik. Dat is de vader van A.J., is het niet. Wat gruwelijk toch van zijn moeder. Zoiets zouden kinderen nooit mogen meemaken.'

Maureen was behoorlijk geschrokken toen ze bij hun 'onderzoek' naar A.J. via kennissen uit de advocatuur hadden vernomen dat de vrouw van Maximiliaan gestorven was. Moeders zijn de buik van het leven voor Maureen. Zij had wel tien kinderen gewild, ware het niet voor Gust. Twee dochters vond hij al lawaai genoeg in huis. Mocht hij op voorhand geweten hebben dat het derde een jongen zou zijn, dan misschien. Mocht hij geweten hebben dat hij op een dag afscheid zou moeten nemen van allebei, dan was hij er nooit aan begonnen.

'Maximiliaan en ik kunnen het bijzonder goed met elkaar vinden. Nog iets?' vroeg Jess giftig. Zo is ze helemaal niet. Waarom deed ze dit dan?

'Neen, schat. Niks meer... maar... ben je voorzichtig? Die man is bijna dertig, dat is bijna twee keer jouw leeftijd. Dat belooft toch niet veel goeds, schat? Ben je dat niet met me eens?' zat Maureen haar passionele dochter hoopvol aan te kijken. Zou ze echt niet voor rede vatbaar zijn?

'Bedankt, mams maar dat wist ik al allemaal. En bedankt

voor de bezorgdheid, maar die is heus niet nodig, ik kan best op mezelf passen. Alsof leeftijdsverschil zo erg is. Kijk maar naar Naima uit je vrouwenbond daar, die is toch getrouwd met een man die meer dan dubbel zo oud is als zij. Trouwens, was je dan zoveel gelukkiger met een dweil als Peter waar ik me stierlijk mee verveelde? A.J. is zelfstandig, heeft z'n eigen advocatenkantoor, geniet aanzien en hij behandelt me als een prinses. Ik voel me voor het eerst in mijn leven écht vrouw, dat zou je net gelukkig moeten maken!' verdedigde Jess zich bitsig.

Maureen zweeg omdat ze besefte dat meer zeggen toch geen nut had.

'Goed dan, maar zeg niet dat we je niet gewaarschuwd hebben, papa en ik. En dat doen we alleen maar omdat we van je houden.'

En zwijgend liet ze een balende Jess achter, die door die laatste woorden een heel vervelend schuldgevoel door haar aders voelde kruipen waar zonet nog liefdesvlinders zaten. Ze vloekte nog eens stevig, maar het gevoel ging niet weg.

'Problemen?' plofte Laura naast haar neer, verlekkerd in een grote portie ijs met verse aardbeien duikend. 'Jij ook eentje?'

'Neen, dank je.'

'Ga je mee straks? De barbecue? Kan leuk worden. Sam en Luca zullen er zijn, die hebben we sinds vorige kerst niet meer gezien. Wat een slechte familie zijn we toch, hé?' En gulzig lepelde Laura haar ijs op. Jess haalde haar schouders op. Op haar zus kon ze onmogelijk kwaad zijn. Niemand kon ooit kwaad zijn op Laura. Daarvoor was ze veel te lief. Ze ontspande zich. Misschien zou ze van haar zus wel steun krijgen. Die was toch ook verliefd, op haar al even perfecte Claus. De naam alleen al. Die zou zeker haar zus niet bruut neuken in de auto. Jess bloosde diep door haar eigen gedachten. Ze had nog nooit aan haar zus gedacht in combinatie met het woord seks, laat staan het woord neuken. Dat woord klonk op zich al geheimzinnig, stout en 'enkel voor gevorderden', had ze altijd gevonden. Snel begon ze te babbelen voor Laura die gedachten zou kunnen aflezen van haar gezicht. Maar Laura had niks door.

'Misschien ga ik wel mee, waarom ook niet. Ik heb toch niks gepland.'

Jess zonk nog dieper weg in de zachte kussens van de tuinbank en achter haar krant waarin ze nog geen letter gelezen had.

'Dat klinkt vrolijk. Gaat het fout in de liefde? Mis je Peter, of heeft het wat met die nieuwe baas van je te maken? Mams en paps zijn er blijkbaar niet zo gelukkig mee. Hebben jullie wat?' vroeg Laura. Enkel Laura kon zich die vraag op zo'n moment permitteren.

'Ik denk het', antwoordde Jess voorzichtig.

'Je hoopt het', verbeterde Laura haar.

'Ja, eigenlijk wel. En ik ben het beu dat niemand me steunt.'

'Nou, daarvoor heb je mij dan natuurlijk.'

Jess kikkerde onmiddellijk op.

'Je zou hem best leuk vinden, sissie. Zin om met z'n viertjes eens iets te gaan eten of zo?' vroeg Jess. En meteen had ze spijt van die vraag. Wat als A.J. daar helemaal geen zin in had? Misschien lachte hij haar wel uit als ze zoiets zou voorstellen, maar ze kon niet terug.

'Lijkt me leuk', antwoordde Laura gretig met haar eeuwig lieve stem. Stom stom stom. Jess had zichzelf helemaal vastgezet. Hoe moest ze hier onderuit geraken. Claus en A.J., wat een totaal foute combinatie van mannen.

Verwachtingsvol en enthousiast keek Laura haar aan. Met een knoop in haar maag zocht Jess naar een uitweg uit de onmogelijke situatie waarin ze zichzelf had gemanoeuvreerd.

'Ik moet het hem natuurlijk wel eerst nog vragen, sissi, we zien wel...'

'Vertel eens iets over hem, iets beters dan ik paps hoor vertellen. Wat voor een man is het?' vroeg Laura en Jess wist dat ze oprecht geïnteresseerd was. Maar wat wist ze eigenlijk over hem? Ze kon de seks toch niet beschrijven aan haar zus? Veel meer was er niet echt, en weer bekroop haar een onaangenaam gevoel. Veel termen flitsten door haar hoofd terwijl ze over haar antwoord nadacht. Je kon A.J. bezwaarlijk 'lief' noemen, niet echt romantisch ook maar verdomd verslavend. Maar hoe leg je zoiets uit aan je zus? Aarzelend en over elk woord nadenkend, probeerde Jess: 'Intelligent, dat is hij zeker... dominant ook wel... Heel ervaren, een beetje... euh... gesloten, maar goed, ik ken hem ook pas... en vrij zelfzeker en onafhankelijk. Ja, dat is het zo ongeveer, denk ik. En hij heeft de mooiste ogen.'

'Mmm, klinkt niet echt bij jou passend, zus, jij, de romanticus van de familie', reageerde Laura eerlijk. 'Paps zegt dat hij rijk is?'

Jess wandelde in gedachten door het kille huis waarin ze zich niet thuis voelde alhoewel ze onmiddellijk dol was op de prachtige parktuin met zijn oude bomen en het geluid van de fontein in de vijver, gemaakt van grote rotsblokken.

'Rijk? Dat zal wel, denk ik. Maar je weet dat geld er voor mij niet toe doet. Dan was ik beter bij Peter gebleven. Maar A.J. doet het ook niet onaardig, dat klopt. Ik ken niks van auto's, maar zijn Mercedes ziet er heel duur uit en heeft alle snufjes. Hij woont in een statig oud huis met zachte tapijten en een keuken als voor een restaurant. Heel mooi, beetje koel wel, maar dat komt door de ontbrekende vrouwelijke hand', probeerde ze lacherig, maar de lach kwam er schor uit.

'En hoe zit het met vrouwen? Paps zegt dat hij via via te weten is gekomen dat A.J. al een verloofde heeft? Wist je dat?' vertelde Laura voorzichtig. Jess knikte.

'Yep, dat heeft zijn vader me verteld, en ook dat ze niet meer terugkomt, ze werkt nu in Amerika. Het klikte niet. Verder kan zijn reputatie me gestolen worden, ik heb toch ook al veel vriendjes gehad?' verdedigde Jess zich tegen een aanval die er niet eens één was. Laura lepelde bedachtzaam de laatste restjes uit haar beker ijs en keek haar zus dan indringend aan.

'Zul je voorzichtig zijn, zus? Hoe verliefd je ook bent? Ik wil je echt steunen, maar geef toe dat er weinig in zijn voordeel spreekt, zo op het eerste gezicht. En als er iets is, kom je het me dan zeggen?'

Jess voelde tranen prikken en ze wist niet eens waarom. Ze drong ze terug met een nerveuze lach.

'Mallerd, wat zou er nu zijn? Het ergste wat kan gebeuren is dat ik hem dump omdat het een saaie vrouwenversierder blijkt te zijn. Dàn mag je zeggen: 'ik heb je gewaarschuwd', oké? Maar wie weet lukt het ons wel en leven we nog lang en gelukkig. Als we in de toekomst konden kijken, dan zouden we nooit fouten maken. Maar fouten maken kan soms zo zalig zijn, sissi... een mens leeft maar één keer. Ik wou dat iedereen me mijn geluk met A.J. wat meer gunde', en bruusk stond Jess recht omdat de telefoon rinkelde. De krant viel ongelezen op de grond. Laura zette haar lege ijsbeker op het terras en raapte ze op. De lange frisgroene in elkaar gedraaide nieuwe twijgen van de wisteria waaiden lui langs de muur. Eind augustus snoeide hun moeder hem altijd krachtig in, dan gaf hij de volgende lente steeds een muur vol paarse pracht. Op het terras kweekte Maureen kruidige potplanten zodat de wind altijd een amalgaam aan geuren het huis in woei. Laura ademde die weldaad diep in.

'We zullen zien, zus, we zullen zien. Laat maar weten of en wanneer ons etentje doorgaat', riep ze haar na, maar Jess hoorde het al niet meer. Ze holde naar de telefoon, hopend dat het A.J. was. En tegelijk wist ze dat dat niet kon. Hij had toch 'iets te doen' vanmiddag? Ze was als eerste bij de telefoon en nam toch zo sexy mogelijk op. Het was Marion.

'Jessie? Wat is er met je stem?' klonk de altijd vrolijke stem van Marion.

'Niks, alles oké. En zeg maar Jess vanaf nu. Hoe gaat het met jou?' kaatste Jess de bal terug.

'Nou goed, wat je wil... Jess. Zeg jij dan maar Marie, neen, grapje. Met mij gaat het prima, alleen dacht ik zo, met dit uitputtend hete weer, dat het wel leuk zou zijn om samen wat te hangen en dan vanavond naar een filmpje. Wat denk je?'

Even wikte en woog Jess de kans dat A.J. toch nog zou bellen. Neen, die kans was klein.

'Goed, waarom niet. Kom jij hier naartoe?'

'Oké', en dan was er even stilte. 'Jessie, oeps, Jess... zal ik Klara meebrengen? Ze zegt dat ze je aan de lijn had gisteren maar ze was behoorlijk ongerust. Haar auto is uit de garage, heeft ze dat verteld? Cherokee rijdt dus weer, maar de kosten zijn niet niks. Gelukkig was de garagist akkoord dat hij het tweede deel van zijn geld pas zou krijgen eind deze maand, na jouw vakantiejob.'

Jess staarde naar de glimmende parketvloer onder haar blote voeten en wreef met haar middelvinger onbewust steeds over hetzelfde plekje van het siertafeltje waarop de telefoon stond. Erboven hing een spiegel die het zicht door de open deur naar de tuin weerspiegelde. En de wilde krullenbos van Jess rond een bruinverbrand gezicht. Pure schoonheid zoals ze enkel op de leeftijd van achttien kan zijn.

'Wie heeft dan het eerste deel betaald?' vroeg de mond in de spiegel onder verbaasde ogen. Zij had nog niks aan Klara gegeven sinds het ongeval. Ze wachtte op de factuur. Waarom had Klara haar dat gisteren niet gezegd?

'Klara zelf, van haar spaargeld. Zo is ze toch. Nou, bel ik haar op of wat?' drong Marion aan.

'Doe maar, ik ben gewoon thuis. Er is een familiebarbecue maar daar wou ik toch niet echt heen. Dus hebben we het huis voor onszelf.' Nadenkend haakte Jess in. Ze wist dat haar vriendinnen haar zouden willen uitvragen over A.J. Alleen had ze daar, voor het eerst bij een nieuw lief, absoluut geen zin in. Zuchtend slenterde ze naar de keuken om alvast drie glazen bekers met ijs en verse aardbeien klaar te maken.

Vrijdag 16 december 1988, 19.15

Nooit nog zou het leven blauw zijn.

Jess schonk Klara een glas saint-émilion in. Een dure fles maar de omstandigheden rechtvaardigden dat. Zelf dronk ze spuitwater, Marion vreemd genoeg ook. Die zei anders nooit neen tegen een heerlijk glas. Klara snoot haar reeds rode neus omstandig, nam wanhopig een slok alsof daarin verlossing zat en snikte zacht na. Penny sliep en A.J. was er nog niet, maar hij kon elk moment thuiskomen. Dacht Jess, want met hem wist je nooit.

'Wat een lafaard, écht, hoe durft-ie het om de dag van jullie vertrek alles af te blazen. Geloof me, Klara, die man verdient jou niet. Het spijt me dat ik het moet zeggen maar ik wist het van het eerste moment dat ik Maurice zag. Hij had iets... hoe zal ik het zeggen... iets heel erg onnatuurlijks, alsof hij een rol speelde. En nu blijkt dat ook zo te zijn', troostte Marion verontwaardigd haar vriendin. Ze had rode vlekken van verontwaardiging op haar winterbleke gezicht. Haar wangen leken voller dan anders, viel Jess op. De kerstboom verlichtte zacht en stoïcijns zijn cadeautjes en de hoek van de kamer. Ze lagen met z'n drieën onder een deken in de diepe fauteuil terwijl buiten de winter heerste en de kou door spleten naar binnen joeg. Nergens in het huis was dubbel glas, dus ondanks dikke tapijten en fraaie gietijzeren verwarmingstoestellen waar je je aan verbrandde in elke kamer, raakte het huis in de koudste winterdagen maar moeilijk opgewarmd. De speelse, weerbarstige hand van Jess was nu overal voelbaar in het huis, sinds ze het de oorlog had verklaard in het begin van haar relatie met A.J.. En het huis had zijn verweer tegen de uitbundigheid en de koppigheid van Jess om zijn gastvrijheid af te dwingen, moeten staken. Het had zich gewillig laten schilderen, bepleisteren en omzomen met groen, om tenslotte zijn nieuwe bewoonster eindelijk te verwelkomen. Sindsdien voelde Jess zich toch al iets meer thuis en behandelden ze elkaar met respect en geduld.

'Lieve Klara, volgens mij is kerst vieren op een strand in Tenerife ook helemaal fout. Met kerst moet het vriezen, zoals nu, moeten er kerstbomen zijn en pakjes en klagende mensen over hoe koud en grijs het wel niet is. Je kan echt onmogelijk kerst vieren in je bikini en barbecueën in plaats van met ons de obligate kalkoen te verorberen', hielp ook Jess haar verscheurde en diep ongelukkige vriendin te troosten die net die namiddag de bons had gekregen. Via de telefoon dan nog. Klara was linea recta met haar reeds gepakte valies vol zomerspullen en een reeds gekocht duur kerstcadeau voor Maurice, bij Jess gekomen. Ze zouden die avond met een nachtvlucht vertrokken zijn.

Jess was na Klara's telefoontje zo snel mogelijk van kantoor naar huis gekomen. Ze had Penny vroeger dan anders uit de opvang op school opgepikt. Ook Marion was onmiddellijk gealarmeerd. Hoe meer de avond vorderde, hoe lager Maurice in hun aanzien zonk. Een vrouw als Klara dump je niet. Dat hij zelfs dat niet doorhad, o mannelijke dwaasheid. Klara was nog nooit gedumpt. Ze raakte zelf snel verveeld, legde dat beleefd maar duidelijk uit aan de man in kwestie en stapte met opgeheven hoofd en veel goede voornemens een nieuw avontuur in. Nu bleef er van hun mooie vriendin weinig meer over dan negenenvijftig kilogram woede. Met z'n drieën zonnen ze op wraak. Wraak in z'n lelijkste, meest pijnlijke vorm. De geur van bijna aangebrande pizza verstoorde even hun ondertussen bijna sadistische plannen met Maurice.

'Zo terug', zei Jess maar toen ze opstond, zakte ze even terug in de zetel met een van pijn vertrokken gezicht. Daardoor zakte haar knalrode losse rolkraag wat naar beneden en toonde haar hals en nek. Toen zag Marion de striemen. Onmiddellijk gealarmeerd sprong ze recht.

'Jess, wat is dit?' vroeg ze kalm maar dringend. Ze vermoedde allang dat er iets heel erg fout ging in het leven van haar zo dierbare vriendin, maar ze kon er de vinger niet opleggen. Jess had veel te vaak hoofdpijn, droeg opvallend veel hoofddoekjes of rolkragen, verzwikte enkels en polsen die ze dan verborg in een verband. Maar elk gesprek was teruggekaatst op een muur van stilzwijgen of een ontwijkend lachje. Marion begon ook A.J. te observeren. Beiden gedroegen zich in gezelschap heel normaal. Toegegeven, hij was er niet vaak de laatste maanden, maar ze had nooit hoog met hem opgelopen, dus dat vond ze helemaal niet erg en dat bewees ook niks. Vaak bestudeerde ze haar dierbare vriendin en merkte een leegte op in haar blik. Ze was er, fysiek, en toch was ze afwezig, alsof een deeltje van haar zich meer en meer afsloot. Ze had het er met Klara al schoorvoetend over gehad, want ze hadden niet de gewoonte over elkaar te roddelen. Ook Klara was het opgevallen, gaf die betrapt toe, zelfs al langer dan Marion. Het was onmogelijk ook maar iets voor Klara verborgen te houden. Maar ook Klara raakte nergens als ze Jess ermee confronteerde. *Nee, alles was uitstekend! Tuurlijk was ze gelukkig! Wie zou dat niet zijn: een gezond kind, een mooie man, een stabiele carrière als advocate en twee fantastische vriendinnen!* En dan draaide Jess zich om en begon steevast over iets anders. Neen, Marion en Klara maakten zich allang ernstig zorgen. Wat konden ze doen als Jess zelf niks loste?

Klara vergat haar tranen en greep Jess vast bij de pols. Maurice werd op één seconde totaal irrelevant en zou dat de rest van haar leven ook blijven. Het deken viel op de grond en nam in z'n val de fles saint-émilion mee die het centimeter-dikke tapijt meteen donkerrood kleurde, als bloed. Ze stonden alledrie op en de tv die op *mute* stond en beelden uitzond van een Amerikaanse sitcom, gaf de situatie iets clownesk. De geruststellende cadeautjes onder de kerstboom pasten niet bij het besef dat langzaam groeide bij Marion en Klara. Marion was zo in shock dat ze happend naar adem begon te huilen.

'Jess, zeg me alstublieft dat dit niet is wat ik denk... alstublieft...' en ze zakte totaal verbouwereerd in de zetel. Op tv kantelde een brandende auto tien keer om zijn as en reed toch nog verder, registreerde het bewustzijn van Jess. Verslagen bleef ze staan waar ze stond. Klara had haar pols stevig vast. Alle kleur was uit haar gezicht weggetrokken.

'Heeft A.J. dit gedaan, Jess?' vroeg ze met hese stem en tranen in haar ogen. De lichtjes van de kerstboom weerkaatsten erin, merkte Jess op. Het was alsof de tijd even trager liep en ze elk detail opmerkte. Ze zou zich deze scène ook altijd haarfijn herinneren, net als het moment dat ze voor het eerst alleen kon fietsen of helemaal alleen de speelplaats van het middelbaar opliep. Langzaam sloeg Jess haar blik op, trok haar rolkraag weer omhoog en las in de vragende ogen van haar vriendin enkel diepe vriendschap.

'Ik ben zwanger', verbaasde ze haar vriendinnen met een repliek die niks met de vraag te maken had. Ze had hen niet meer kunnen verbazen. Marion vergat te wenen en keek Jess enkel met wijd open mond aan terwijl op tv een brandende man uit de auto kroop en een rivier indook. Het was seconden lang stil. Klara bewoog geen vin en liet de volle betekenis van die beladen zin tot zich doordringen. Als om zeker te zijn dat ze het goed had gehoord, herhaalde ze hem.

'Je bent zwanger.'

Een poes kwam miauwend binnen uit de vrieskou, nestelde zich in de nog menswarme zetel en begon uitvoerig haar pels te likken. Alle drie keken ze ernaar.

'Jess toch...' was het enige dat Marion kon uitbrengen.

'Ben je zeker?' vroeg Klara overbodig. Jess knikte en bleef staren naar het schreeuwerige tv-scherm.

'Weet A.J. het al?'

Weer knikte Jess.

'Hoelang al?' vroeg Klara verder. Om een situatie grondig te analyseren en op te lossen, moet je eerst alle feiten kennen. Zo is Klara. Ze was samen met Jess en Marion afgestudeerd, met grote onderscheiding, en onmiddellijk ingelijfd door Corma, een grote internationale firma die bijna failliete bedrijven opkoopt, herstructureert en daarna met winst doorverkoopt. Elke zaak die ze aannam werd een geheid succes. Ze had dan ook resoluut de kaart van carrière getrokken. Kinderen krijgen kon nog altijd, redeneerde ze. Of niet. Ze zag vooral hoe ongelukkig mensen soms werden door hun kinderen.

'Jess... als het waar is wat ik denk... wat Marion en ik denken... dan moet je, ik bedoel, dan kan je dit kind toch echt niet houden? Dat weet je toch? Je moet hier zo snel mogelijk weg. Is Penny veilig?'

Zacht snikkend knikte Jess. Ze stond met haar rug naar haar vriendinnen. Haar schouders schokten nauwelijks merkbaar. Haar verdriet deed Klara onmetelijk pijn. Niks is erger dan iemand die je graag ziet, te zien lijden. Het maakte haar woest.

'Jess? Dat begrijp je toch?' herhaalde Klara haar vraag. Marion stond op en sloeg haar armen om Jess' gekromde rug. In hetzelfde ritme weenden ze in stilte.

'Ik kan niet weg, dat gaat niet,' sprak Jess eindelijk haperend, 'jullie hebben geen kinderen. Jullie weten niet hoe dat voelt. Je kind graag zien is de essentie van het leven. Niks is me dierbaarder dan die kleine Penny die nu ligt te slapen en op mij vertrouwt. Ik kan haar niet in de steek laten en ik weet gewoon honderd procent zeker dat A.J. me nooit met haar laat vertrekken. Als ik wegga, verlies ik haar en dat is gewoonweg geen optie. Zeker nu hij weet dat ik zwanger ben, laat hij me nooit gaan. Door Penny, door deze zwangerschap heeft hij me helemaal in zijn macht, omdat hij weet dat ik altijd zal kiezen voor mijn kinderen.'

Klara's gezond verstand begon eindelijk weer te werken nu de eerste shock was weggeëbd. Probleem is gelijk aan oplossing.

'De politie, we gaan maandag onmiddellijk naar de politie', sprak ze hen alledrie moed in. Ze werd bozer en bozer.

'Ik wíst dat die vent niet oké was, ik wist het van in het begin, Jess! Sorry maar ik móét het zeggen: we hebben je allemaal voor hem gewaarschuwd.'

'Klara!' kwam Marion tussen. 'Ik denk dat Jess dergelijke

opmerkingen nu écht wel kan missen. Wat was, was. De vraag is: wat doen we nu? Je kan hier echt niet blijven, Jess, je mag dit niet laten duren. Hoe lang is dit al aan de gang? Wat doet hij precies?'

Jess zonk neer naast de poes die onverstoord bleef likken, ademde diep in en vertelde eindelijk haar verhaal zonder ook maar één detail weg te laten. Het kwam er uit als een vloedgolf die jarenlang was tegengehouden door een barricade van angst en liefde voor Penny. Door liefde ook wel, want ze hield nog altijd van hem. Ze kon zich geen leven zonder hem voorstellen, ook al wist ze natuurlijk ook wel dat zijn geweld niet door de beugel kon. Als ze even afstand van hem nam, smeedde ze plannen om weg te gaan, maar zodra ze hem zag, had ze zichzelf niet onder controle. A.J. was vanaf de eerste seconde dat ze hem zag een verslaving. Ze raakte er niet van los. Vrijen met hem was gewoonweg fantastisch en daarmee paaide hij haar keer op keer. Maar dat deel van het verhaal liet Jess achterwege. Dat durfde ze niemand te vertellen. Ze zouden haar gek verklaren.

Marion en Klara verroerden geen vin terwijl ze het gruwelijke maar gekuiste relaas van vernederingen en slagen aanhoorden. Soms schieten woorden écht tekort. Ineens was de beloftevolle wereld die ze deelden, sinds de dag dat ze elkaar nieuwsgierig opnamen in de aula van het eerste jaar rechten, anders. Nooit nog zouden ze even uitgelaten en wild lachen, nooit nog zouden ze onbezonnen plannen maken en aan dwaze grillen toegeven. Nooit nog, zou het leven blauw zijn.

Jess streelde de poes die zich gewillig op haar rug draaide en spinnend haar witte buik liet strelen, en wachtte gelaten op hun reactie. Ze voelde zich smerig, dom en laf nu ze hun blikken van ongeloof en verontwaardiging voelde. Zo voelde ze zich al jaren, maar ze hoopte dat ze dat gevoel had weten te verbergen voor de buitenwereld. Zoals een actrice in iemands huid kruipt, zo had zij zich in de loop der jaren een tweede huid aangemeten waarin ze zich veilig waande en waarin ze buitenshuis zo goed mogelijk functioneerde. Ze had zelfs haar haviksogenvriendin Klara om de tuin geleid. Ze leefde een dubbel leven waarvoor ze ten dele zelf verantwoordelijk was, zo pijnigde ze zichzelf en elke dag dat het langer duurde, was een dag verder van een oplossing, tot ze uiteindelijk ophield daarnaar te zoeken en leerde leven met haar tweede huid. Jess, de vechter, de dromer, de vrijgevochten vrouw die alles durfde, heilige huisjes intrapte en leefde als de wind. Die Jess was niet meer, allang niet meer.

Ze kon zich perfect in de plaats stellen van haar vriendinnen. Natuurlijk hadden ze gelijk en moest ze dit niet toelaten, moest ze weg, moest ze, moest, moest ze. Ze moest zoveel.

Met stille tranen die van haar wangen drupten, nam Klara haar handen vast en vroeg: 'Jessie, wees niet boos, maar waarom in godsnaam... hoe kan het dat je... nu zwanger worden is toch helemaal ongelooflijk? Het spijt me, maar dat begrijp ik niet. Ik probeer, echt, maar het lukt me niet. Die man heeft je zo pijn gedaan en nu vertel je me dat je zwanger bent? Schat toch, wat ga je doen? Met nóg een kind erbij kan je hier helemaal niet meer weg en je moét weg hier. Waarom kom je niet een poos bij mij? Plaats genoeg nu...' en ze lachte triest door haar tranen.

'Weten je ouders hiervan? Jim? Iemand anders? Jess toch... waarom heb je ons toch niet in vertrouwen genomen? Wij delen toch alles? *The Three Sissies*, weet je nog? En net zoiets belangrijks wisten we niet... We hadden het moeten weten... We hadden het godverdómme moeten zien! Ik had het moeten zien!' werd Marion boos op zichzelf.

'Wat voor een vriendin ben ik dat ik niks in de gaten had. Neen, zo is het ook niet. Ik zag en voelde wél dat er iets fout was, maar ik wist niet wat. Had ik het maar vroeger gezien, dan had ik je kunnen...'

'Marion! Lieve Marion... het is jouw schuld niet,' kwam Klara tussen, 'het is onze schuld niet. Laten we dit niet doen, het heeft geen zin. Hier is maar één schuldige en dat is A.J..

We mogen onszelf niet de schuld geven en zeker Jess niet', herpakte de analytische Klara zich.

'Deze situatie is een vaak bestudeerd onderwerp in de psychologie: waarom blijven vrouwen bij een man die hen slaat en waarom doen mannen dat? Daar bestaan, geloof me, bibliotheken vol literatuur over. Laten we dus niet eindeloos naar het waarom vragen, daar komen we toch niet uit. We moeten de situatie nemen zoals ze is, en die lijkt me duidelijk: Jess, je moet hier weg. We halen Penny uit haar bedje en je komt nu mee met mij. Dat gaan we doen. En morgen zien we verder.'

Klara stond bruusk op, klaar om de situatie onder ogen te zien. Ook Marion stond al recht. Alles was beter dan te berusten. Maar Jess bleef zitten. Ze streelde gedachteloos de buik van de poes verder en zei rustig:

'Ik wil dit kind houden. Ik zie het nu al liever dan mezelf. A.J. zal me niks doen nu ik zwanger ben. Hij is geen onmens, hij...'

'Geen onmens?! Jess, wat zég je nu toch? Hoor jezelf nu toch bezig!' vloog Marion uit. Ze kreeg er nog meer rode vlekken van. 'Die man slàát je verdomme! Ik ben er voor je, ik ga voor je door het vuur maar alsjeblieft, vergoelijk hem toch niet.'

Klara nam sussend haar arm vast. Jess keek hen indringend aan.

'Ik weet wat jullie denken en jullie hebben overschot van gelijk maar ik kén A.J.. Hij zal me nu wel met rust laten, en na de zwangerschap zien we wel weer. Ik moet voor mezelf en dit kind nu vooral rust vinden, snappen jullie? Stress is heel schadelijk voor foetussen.'

Uitgeput sloot ze haar ogen en leunde achterover tegen de zachte rug van de zetel. Besluiteloos stonden Klara en Marion voor haar. Ze beseften dat haar proberen overreden geen zin had.

'Je moet slapen, ook voor de baby. Maar we laten je hier niet alleen. Zal ik gewoon bij je blijven, voor de zekerheid?' stelde Klara voor, 'op Tenerife geraken doe ik deze week toch niet meer.'

'Waar is A.J. eigenlijk?' vroeg Marion. Jess haalde de schouders op.

'Weet ik het? Hij komt en gaat vaak zonder me iets te vertellen. Daar stel ik me allang geen vragen meer bij. Neen, ga
maar, echt, hij zal niks doen. De komende maanden ben ik
veilig. Weet je, en ik weet dat dit raar zal klinken: als dat beest
in hem achter tralies zit, heb ik een andere man. Soms zijn
we maandenlang het perfecte gezin. Dan is houden van hem
makkelijk. Ik weet dat jullie A.J. niet mogen en nooit zullen
vertrouwen, maar toch is het zo. Alleen weet ik nooit wanneer
dat monster diep vanbinnen weer opduikt en alles kapot maakt.
Het is vooral heel erg vermoeiend allemaal.'

'Je moet slapen nu, schat, kom, ik help je naar boven', en
Klara ondersteunde de uitgeputte Jess naar boven. De twee
vriendinnen wisselden betekenisvolle blikken. Hun vriendin
raaskalde, ze moest nu vooral slapen. Marion ging voorop en
opende nog even de deur van Penny's kamer die baadde in
een geruststellend paars licht. Alledrie bogen ze zich over het
bedje dat plots een oase van veiligheid leek. En Klara voelde
het, wat Jess voelde: de liefde voor dat kind. En ze wist dat
ze haar dat nooit zou kunnen verwijten. De liefde voor Penny
en het kind in haar buik maakten haar tot wat ze was en deed
haar de beslissingen nemen die ze nam. Ook al vond de hele
wereld dat het foute beslissingen waren. Ze kneep Jess in de
schouders en knikte haar met betraande ogen toe. Jess las begrip en voelde een immense druk van haar schouders vallen.

In de kamer van Jess en A.J. trok Marion onwennig de zware
witfluwelen gordijnen dicht. Ze kwam zelden in deze kamer. Ze
dacht te voelen hoe de slechte kant van A.J. er rondwaarde, maar
dat verbeeldde ze zich waarschijnlijk. Ze wou al helemaal niet
denken aan wat haar vriendin hier soms meemaakte. Fantasie
is veel sterker dan de ergste waarheid. Marion kon en wou niet
aanvaarden wat ze net allemaal gehoord had, maar hoe ze best
haar vriendin kon helpen, wist ze al helemaal niet. Hoe hielp
je iemand die blijkbaar niet geholpen wilde worden? Moest
je dan je hulp opdringen? Moest ze zich hiermee bemoeien en

misschien alles nog erger maken? Marion wreef bedachtzaam en zacht over haar onderbuik. Ze was zelf ook zwanger en had dat heerlijke nieuwtje opgespaard voor hun eerste samenkomst. Dat die zo zou eindigen, had ze nooit kunnen denken. Onder haar hand zweeg het prille leven dat ze samen met Charlie uit het niets had getoverd. Charlie was eerlijk en lief en dat was voor Marion belangrijk. Ze zag hoe ongelukkig al die opvallende types haar vriendinnen maakten, en dat wou ze niet. Ze wou gewoon armen om lekker in weg te kruipen, een doodgewone man om het pad van het leven mee te bewandelen, af en toe eens via een onverwachte zijstraat, maar toch liefst gecontroleerd, rustig en overzichtelijk. En zo was Charlie, dol op haar bleke haar, haar uitstekende botten en witte huid. Ze hield wel van hem, maar niet op de manier die altijd beschreven werd in tijdschriften en in films. Ze besprongen elkaar niet, dronken geen champagne uit elkaars navel en vrijden soms een week lang niet. En dat was best oké, films en tijdschriften maken hun eigen realiteit waar ze geen voeling mee had, noch naar dorstte.

Marion voelde zich zo één met Jess dat haar verdriet ook onder haar vel kroop. Dat had ze de afgelopen dagen sowieso wel meer, en ze vond het vreselijk. Ze huilde om het minste, kon zelfs bijna de krant niet lezen of naar het nieuws kijken. Ze had haar leuke nieuwtje opgespaard voor een vriendinnenmoment als dit, maar het kon wachten. Haar vreugde voelde bijna misplaatst. Hoe kon zij nu nog genieten van haar eerste zwangerschap als ze wist wat haar vriendin meemaakte? Alle vreugde om zoiets heerlijks als samen met je beste vriendin zwanger zijn, verdween als het maanlicht dat ze verborg achter de dikke gordijnen. Klara zat op het bed en stopte Jess in.

'En Jim? Weet hij hiervan?' vroeg Klara.

'Ja, maar ik wil niet dat hij iets doet. Ik wil dat niemand iets doet, hoor je. Zo erg is het ook allemaal niet. Het komt en het gaat en wie weet komt het op een dag niet meer. En de periodes dat het er niet is, zijn best oké, meer dan oké zelfs. A.J. is en blijft een bijzondere man. Als hij wil, kan hij de meest ongelooflijke vent zijn. Ik wou maar dat jullie het niet wisten, ccht, het is niet zo erg.'

En Jess geeuwde als een poes voor ze inslaapt. Klara streelde haar krullen en zei bij het buitengaan binnensmonds: 'Maar we weten het nu wél, Jess, we weten het nu wél.'

Opeens schoot vreemd genoeg het beeld van Sarah door haar hoofd, de blonde verloofde van A.J. die zo plots met de noorderzon was vertrokken. Wat was daar gebeurd? Het was voor Klara opeens glashelder dat ze die vrouw koste wat kost moest zien te vinden.

Dinsdag 3 augustus 1982, 18.30 uur

Soms is het leven pijnlijk mooi.

Jess en Laura zaten onderuitgezakt in de malse tuinkussens aan de rand van het terras met een glas koude ijslimonade in de hand over de turbulente avond te denken. Hun blote voeten vonden verkoeling op het al wat nevelnatte gras. Door het licht van de bijna volle maan werd de tuin merkwaardig helder verlicht, zo helder dat je geen ster kon zien. Een zucht wind deed de donkere silhouetten van de bomen van gedaante veranderen als in een schaduwspel. De door de avondkoelte vrijgemaakte geuren van de kruidenpotten flaneerden van neus naar neus. In de woonkamer brandde nog licht. Dat betekende dat Maureen en Gust ook nog aan het nakaarten waren. De gesloten ramen verhinderden dat Jess iets kon opvangen, maar haar moeder kennende zou die straks nog wel even bij hen komen zitten.

'En? Ging het zoals je wou?' vroeg Laura nieuwsgierig. Er was die avond zoveel gebeurd dat ze het nu pas allemaal eens rustig op een rijtje konden zetten.

'Ik durf te hopen van wel... Papa's ogen lachten wel niet mee maar al bij al heeft hij zich goed gedragen, vond ik. Alleen toen ik de sleutels van die Kever kreeg dacht ik dat hij alles ging verpesten, maar ik denk dat mams hem op het hart gedrukt had vooral te zwijgen en zijn mening voor zich te houden, denk je niet? Hoe hij A.J. de hand gaf! *Goedenavond,* zei hij, zo ouderwets! *Goedenavond',* imiteerde Jess met diepe stem haar vader. 'Toen dacht ik: dit komt niet goed!'

Lachend nipte ze van haar glas. De kou deed pijn aan haar tanden. Ze voelde de ijsthee naar beneden glijden tot in haar maag.

'Stond jij dan niet perplex? Wist je dat je zo'n cadeau zou krijgen? Een auto! Jongens, als ik jou was, ik was ter plekke flauwgevallen!'

Het maanlicht scheen blauwig op de spiksplinternieuwe Volkswagen Kever die op de oprit geparkeerd stond.

'Daar had ik toch geen tijd voor, sis! Alles gebeurde tegelijkertijd. A.J. die kwam aangereden in die Kever, papa die buitenkwam, de begroeting met mams, A.J. die de sleutels van die Kever nonchalant in mijn handen gooide... Het duurde even voor ik doorhad hoe de vork in de steel zat, dat die auto een cadeau voor mij was. Tuurlijk bestierf ik het! Wat dacht je. Wie krijgt er nu ooit een auto cadeau? Dat gebeurt toch enkel in de film, maar daar moet de actrice de sleutels teruggeven, ik mag ze tenminste houden!' lachte Jess luid.

Ze kon het nog altijd amper geloven. Kon ze dit maar onmiddellijk aan Marion en Klara vertellen. Maar ze stelde zich tevreden met haar zus die gelukkig haar enthousiasme deelde. Wat was ze nerveus geweest...

Ze had handenwringend in de gang gelopen, telkens ze passeerde in de spiegel gekeken en zichzelf gekeurd. Haar wilde krullen wipten alle kanten uit maar haar door de zon gebruinde gezicht leek haar best aantrekkelijk. Jess leed zelden aan de onzekerheid, pubers eigen, behalve wat haar wilde haardos betrof. Ze had walgelijk veel geld uitgegeven aan een jurk die eruitzag als een verzameling blauwige katoentouwen, een Monica-jurk, om indruk te maken op A.J.. Niet alleen had die de uitnodiging aanvaard om met Laura en Claus te gaan eten, hij had meteen haar ouders én Maximiliaan mee uitgenodigd. En hij had dat in stijl gedaan met een handgeschreven uitnodiging, een gebaar dat haar moeder wel kon waarderen. Ze was de voorbije weken dan ook minder kritisch geweest ten opzichte van A.J.. De man maakte haar dochter duidelijk gelukkig en Jess was er ook in augustus mogen blijven werken, zodat ze de kosten aan de auto van Klara volledig had kunnen terugbetalen en zelfs nog wat overhield. Daarmee spaarde ze voor een klein eigen wagentje, tweedehands. Ze was bloednerveus en het was haar vader die haar het meeste zorgen baarde. Haar vader hield niet van aanstellers en woorden om de woorden en als hem iets niet aanstond, dan mocht de koning voor hem staan, hij zou niet zwijgen. Het was dus alles of niets tussen hem en Maximiliaan en zeker tussen hem en A.J..

'Papa zegt dat 't Laurierblad een fijnproeversrestaurant is', huppelde Laura om iets voor halfzeven die avond de trap af, mooier dan ooit in een witte linnen jurk die als een handschoen om haar heupen paste, en vol zelfvertrouwen.

'Als er maar geen tien couverts liggen, want dan weet ik het niet meer. Ik doe gewoon wat mams doet. Claus heeft een week gepiekerd wat hij zou aandoen om in zo'n restaurant te gaan eten, want hij draagt nooit een pak en het is zo warm. Hij ging het houden op een witte jeans met een neutraal lichtblauw hemd en een das. Ik vind het wel spannend, sissie, je amant ontmoeten...' ratelde Laura terwijl ze op de trap zittend hoge witte sandalen ombond waardoor haar dikke bruine krullen helemaal rond haar gezicht vielen. 'De korte keren dat ik hem nog maar heb gezien, leek hij wel een filmster! Zo, klaar. Ik ben al weg met papa's auto en pik Claus op, want we kunnen niet allemaal mee met één auto straks. Dan zien we elkaar daar om zeven uur. Hopelijk klopt de wegbeschrijving een beetje. Tot zo, sissie!' en nog altijd huppelend stapte ze in de stevige ouwe Volvo van hun vader en stoof de oprit af.

Bijna onmiddellijk daarna draaide een witte Volkswagen Kever de oprit op. Wie was dat nu? Onaangekondigd bezoek konden ze wel missen op zo'n cruciaal moment. Maar het bleek A.J. die uitstapte. Jess snapte het niet, hij reed toch met een Mercedes? Misschien een vervangwagen. Net op dat moment stapten haar ouders naar buiten die de auto hadden horen aankomen én reed Maximiliaan met de Mercedes ook de oprit op. Jess snapte het nu helemaal niet meer. Het was één chaos van onderzoekende, formele begroetingen waarin taxerende blikken over en weer gingen en A.J. met zijn onweerstaanbare glimlach onmiddellijk het hart stal van haar moeder, die echt moeite had gedaan. Ze had haar comfortabele tuinkleren omgeruild voor een elegante, asymmetrische knalrode jurk die haar vervlogen schoonheid even liet doorschemeren. A.J. gooide Jess de sleutels toe van de Kever, waar ze geen blijf mee wist. Gust en Maximiliaan vonden onmiddellijk een veilige, zakelijke omgangsvorm die ze pas zouden durven lossen na de dessertwhisky. Dergelijke ongemakkelijke momenten wil iedereen altijd liefst overslaan. Je voelde dan ook iedereen herademen nadat dat onwennige moment voorbij was. Na een paar keer: *drinken we hier nog iets – aperitief? – neen, laat ons onmiddellijk vertrekken,* gaf Jess verstrooid de sleutels terug aan A.J. en wou samen met Maureen achter in de Mercedes stappen.

'Hou ze maar, die zijn vanaf nu van jou. Mooie jurk trouwens', zei hij simpelweg, haar met een grote glimlach aankijkend en knipogend naar Maureen. Nog had Jess, die het open portier van de Mercedes al in haar hand had, het niet door. Ze keek hem vragend aan.

'Ik wil niet dat mijn vriendin in een goedkope en dus per definitie gevaarlijke tweedehandsauto rijdt. Ik heb deze Kever speciaal in Mexico besteld, in Europa zijn ze nieuw niet te krijgen. Hij is vandaag net aangekomen. Beschouw het dus minder als een cadeau voor jou dan als een geruststelling voor mij', sprak A.J. zelfzeker terwijl hij zonder knipperen Gust recht in de ogen keek, een cruciaal moment. A.J. wou hem tonen dat hij het meende met zijn dochter, het was aan Gust om te laten merken of hij hem in die rol aanvaardde. Even hing de spanning voelbaar tussen de twee mannen in. Dan knikte Gust, maar zonder een zweem van een glimlach. Het was eerder een korte knik van iemand die zich nog niet gewonnen gaf, maar bereid was tot een open gesprek. Jess was nog altijd zo verbouwereerd dat ze hun mentale evenwichtsoefening niet had gevolgd.

'Je bedoelt toch niet dat die auto van mij is?' vroeg Jess met een domme grijns die steeds breder werd naarmate de waarheid tot haar doordrong.

'Ik denk, schat, dat dat exact is wat hij bedoelt', merkte Maureen nuchter op, hopend dat haar man geen opmerking zou maken over het overdadige cadeau. Gust nam nooit een blad voor zijn mond, hij kon iemand afmaken met één zin en één blik van onder die zware wenkbrauwen. Maureen had hem bijna gesmeekt zich rustig te houden die avond en A.J. een kans te geven. Ze was een beetje gerustgesteld toen ze hoorde dat zijn vader, Maximiliaan, ook zou mee komen. Een vriendin van haar kende hem vaag en had niks dan lof over hem. Dat dat oordeel juist was, zag Maureen in één oogopslag. Ze mocht de energieke, directe, uitermate intelligente Maximiliaan onmiddellijk. En vriendschap was bij Maureen voor het leven. Ook A.J. viel haar best mee, als ze zijn ogen tenminste juist las. Een mooie man, barstend van energie, net als zijn vader, tikkeltje wild misschien maar dat was haar dochter ook. Het zou een turbulente, passionele relatie worden, dat zag ze zo: twee sterke persoonlijkheden, dat botst altijd, maar dat hoeft niet noodzakelijk slecht te zijn.

Triest keek ze even naar haar man die haar veel had gegeven: geld, zekerheid, twee prachtige dochters, maar nooit passie. Het woord passie was voor haar als een zongerijpte perzik waar het sap uitdruipt als je er je tanden inzet. Dat had ze nooit gekend, maar ze had er steeds nieuwsgierig naar verlangd. In elke vrouw schuilt een klein meisje dat nooit stopt met verlangen. Vaak had ze erover gedacht passie te gaan zoeken als het gemis eraan haar depressief maakte, of droevig of onzeker. Passie moest toch vindbaar zijn? Verscholen waar je dat het minst verwachtte. Na weer een uitbarsting van Gust was ze twee jaar geleden effectief op zoek gegaan, zonder medeweten van haar dochters. Dit was iets van haar. Langzaam herwon ze haar vrijheid, belde vriendinnen op die ze al eeuwen niet had gezien en ging moedig de confrontatie aan met een wereld buiten haar tuinmuren die ze nauwelijks nog herkende. Ze vond die wereld ruw en destructief, snel en meedogenloos. Maar ze had er passie gevonden, alleen smaakte die niet als de perzik die ze zich voorhield maar eerder als een onrijpe, verboden vrucht die je misselijk maakt. De passie had haar misbruikt, vanbinnen uitgehold en na een paar weken uitgespuwd. Ze was slechts één van de tussendoortjes geweest van een gehuwde man. Wekenlang was ze letterlijk ziek geweest van vernedering en liefdesverdriet, tot grote ergernis van Gust, die niet snapte wat er aan de hand was, en tot verdriet van haar dochters die ze de waarheid niet kon vertellen. Voor je kinderen moet je bepaalde illusies hoog houden, een geslaagd huwelijk is er daar één van. De illusie van passie was Maureen kwijt, maar gelukkig ook het verlangen ernaar. Ze schikte zich weer netjes tussen haar door Gust uitgetekende lijnen en leefde daar sindsdien vrij gelukkig. Ze vond haar geluk in haar tuin en haar dochters. Laura, haar heerlijke Laura, verlangde minder van het leven en werd dan ook minder teleurgesteld. Haar Jess, die het meest op haar leek, was ontembaar, speels, slim en immer zoekend naar ik-weet-niet-wat. Haar zoektocht bracht haar woede, pieken en dalen, en nu dus deze passie die de kleur had van haar jurk.

Maureen keek naar haar uitzinnig kussende dochter in de armen van die bruisende man, en herademende nu haar eerste oordeel over hem helemaal niet zo nefast bleek te zijn als ze had gevreesd. Gust stond zwijgend toe te kijken. Die was duidelijk nog niet overtuigd van het nut en de kracht van passie. Haar man hield meer van zijn dochters dan van zichzelf, dat wist ze, hij vond het alleen zo aartsmoeilijk om dat te tonen. Was hij een muzikant geweest, hij had ze bezongen. Was hij een schrijver geweest, hij had ze odes geschreven. Maar hij was geen van beiden, hij was een accountant met een grote liefde voor klassieke muziek en voor zijn bloeiend en zeer gereputeerd bedrijfje met de drie zelfde collega's waarmee hij nu al jaar en dag hetzelfde kantoor deelde. Woorden geraakten nooit van zijn hart naar zijn mond, ergens onderweg vervormden ze. Ze draaiden hem een loer en uitten andere dingen dan hij bedoelde. Hij vertrouwde woorden niet en gebruikte ze dan ook zo weinig mogelijk. Dat zou vanavond niet anders zijn. Desondanks verliep de avond vrij rimpelloos. A.J. toonde zich een begenadigd causeur die veilige thema's aansneed, over alles iets wist en een mening had die hij niet te duidelijk poneerde, de drie dames te gepaste tijde maar niet overdreven complementeerde en als vanzelfsprekend voor iedereen de heerlijkste proefbordjes bestelde met aangepaste wijnen die versmolten met de smaak van het eten. De wijn stemde iedereen mild en bereid. Zelfs Claus waagde zich na het dessert aan grapjes. Jess' ogen flitsten van A.J. naar haar vader, van Maximiliaan die in Maureen een uitdagende gesprekspartner had gevonden naar Laura, van Claus naar A.J.. Twee mannen die werkelijk geen haar met elkaar gemeen hadden. Deze avond was erop of eronder. Veel te gretig dronk ze de heerlijke wijnen en zakte zalig weg in een roes die alles vredig kleurde. Ze ontspande en liet de avond zijn gang gaan. Onder tafel kneep ze in A.J.'s hand. Af en toe rustte de ernstige blik van haar vader op haar, maar de alcohol klasseerde die blikken meteen bij de rubriek niets-terzake-doende. Niets stond hun relatie nog in de weg. Helemaal niets. En Jess glimlachte breed om een flauwe mop van Claus. Ze was zelden zo gelukkig geweest.

Samen met Laura staarde Jess gelukzalig naar het schaduwspel van de nacht en genoot na. Haar hoofd tolde en niet enkel van de alcohol. Ze was gewoon tot over haar oren verliefd op die heerlijke man. Zijn afstandelijkheid op het werk, het feit dat hij soms een weekend weg was en het niet nodig vond haar te zeggen waar hij was, zijn ergerlijke gewoonte om vroeg op te staan zodat ze altijd alleen wakker werd, ze vergoelijkte het makkelijker en makkelijker. Want als hij bij haar was, was hij er honderd procent. Hij kon maken dat ze zich een koningin waande, een rijpe vrouw die niks uitstaans had met het meisje van net achttien wat ze tenslotte nog maar was. Hij overdonderde haar met kennis, kracht en mannelijkheid waarvan ze bij haar vroegere liefjes niet eens wist dat het bestond. Hij was man, op en top man en ze was nu al verslaafd aan het zichzelf verliezen in hem. Met hem zijn voelde als een trein die steeds maar aan snelheid wint en wint, om tenslotte aan topsnelheid te blijven denderen. Soms vergat ze te ademen, zo intens was haar leven sinds die vijfde juni. Niks was nog hetzelfde en niks mocht ooit nog worden wat het was.

Jess en Laura draaiden zich tegelijkertijd om toen Maureen ook buiten kwam. Het licht in de woonkamer was uit. Hun vader was gaan slapen. Maureen zei niks maar nam een stoel. Ze ging tussen haar dochters zitten die snel plaats maakten voor haar. Ze legde haar armen om hen heen en samen keken ze naar de nacht. Soms is het leven pijnlijk mooi.

Maandag 15 augustus 2005, 10.26 uur

Goed nieuws komt nooit 's ochtends vroeg.

'Het spijt me schat, ik had me nochtans voorgenomen niet te huilen om je niet nog meer van streek te maken, maar ik kan het gewoon niet. Het spijt me, schat, ik kan het echt niet', snikt Maureen hartverscheurend. Haar tranen druppen gestaag op het witte laken van Jess' bed. Haar verdriet voelt als zout in een wonde voor Jess die machteloos het verdriet van haar moeder moet aanzien. Ze is te zwak om veel te zeggen en bewegen kan ze niet meer. De afgelopen nacht heeft haar de controle over haar lichaam afgepakt. Haar hersenen leven nog, haar hart klopt zo zacht als dat van een mus, maar haar lichaam is z'n functie kwijt. Het weigert nog mee te doen aan de charade van het sterven, het is al dood. Zonder zich te kunnen bewegen ligt ze te kijken naar haar hartgebroken moeder die bezig is met het onmogelijke: afscheid nemen van je tweede kind terwijl het eerste afscheid al zo'n mokerslagen heeft uitgedeeld, dat het een wonder mag heten dat Maureen dat heeft overleefd.

Het was een dinsdagochtend heel vroeg toen de telefoon rinkelde, 11 april 1998. Jess logeerde met de kinderen het weekend bij haar ouders om de volgende dag Pasen te vieren. Laura zou er niet zijn. Die was met twee bevriende koppels en Claus, met wie ze ondertussen gehuwd was en een tweeling had van drie, Arend en Jarne, gaan skiën in Italië. Maureen had het huis gevuld met tulpen en haar tuin kleurde geel en blauw van de narcissen, boshyacinten en blauwe druifjes die parmantig de lente lokten. Maureen was verdiept in de weekendkrant in haar favoriete uitgesleten bruinlederen zetel met een uitschuifstuk om je benen te laten rusten. Van in haar zetel had ze een magnifiek uitzicht op de tuin en zijn aprilse vrolijkheid.

Ze was meestal wakker voor de zon en die piepte al vanachter het bomenscherm dat hun tuin scheidde van de straat. Het beloofde een mooi weekend te worden. Er kwam nog familie en het huis rook naar zelfgemaakte lekkernijen en oude port, de lievelingsdrank van Gust. Ze leefde helemaal op als haar huis lachte en vol was van leven. Ze keek dromend naar de ontwakende tuin en verheugde zich al op wat nog moest komen. Jammer dat Laura en Claus en de kinderen er niet waren, maar dat maakten ze volgend weekend wel goed. Zelfs Gust was gisteren goedgeluimd geweest, wat haar dubbel vrolijk maakte. Want dat gebeurde niet al te vaak, haar man die glimlachend door het huis liep. De lente had dus zelfs Gust in z'n greep. Hij had haar gisteravond omhelsd in de keuken, zomaar. Ze schrok toen de telefoon rinkelde, zo vroeg! Het hele huis sliep nog. Om niemand wakker te maken haastte ze zich naar de gang en nam verontrust op. Goed nieuws komt nooit 's ochtends vroeg. Goed nieuws wacht op zijn moment.

'Met Maureen.'

Ze hoorde verwarrende geluiden en stokkend geween. Jess, die ook wakker was geworden van de telefoon, stond met een haastig dichtgeknoopte versleten badjas onderaan de trap vragend te kijken, haar krullen nog in nachtelijke wanorde. Maureen keek naar haar en haalde haar schouders niet begrijpend op.

'Hallo?' probeerde ze nogmaals. Een rood alarm flitste aan en uit in haar achterhoofd. Iets was héél erg fout aan het gaan, maar wat? Ze stond te trillen op haar benen en wist nu al dat ze zich dit moment haar ganse leven tot in detail zou herinneren: de poes van de buren die door de tuin sloop als een rover, de onuitputtelijke groentinten die weerkaatsten in dikke dauwdruppels, de geur van verse basilicum en dragon. Haar teennagels waarvan het oranje afgeschilferd was, de vlek op het behang in de gang waar de meisjes jarenlang hun boekentas tegenaan hadden gegooid en dat dringend aan vervanging toe was. Tien voor zeven, las ze op de zware antieken wandklok met bolgewichten die zij nooit mooi had gevonden maar die als relikwie aan zijn moeder door Gust gekoesterd werd. De slaapogen van haar jongste, omlijst met vrolijke krullen, haar blote voeten op de koude marmertrap.

Dit telefoontje moest wel een flauwe grap zijn, hield Maureen zichzelf tegen beter weten voor. Niemand verwacht ooit slecht nieuws van een aard om je leven helemaal om te gooien. Daar is niemand ooit klaar voor. En toch gebeurt het. Het leven houdt zich niet bezig met flauwe grappen. Jess stond inmiddels naast haar moeder en voelde haar trillen. Ze zag intussen ook lijkbleek.

'Maureen?' hoorde ze eindelijk de wanhopige stem van Claus, krakend en donker alsof er ginds storm woedde. Maureen zakte door haar benen. Ze wist instinctief dat er iemand dood was, maar wie? Haar dochter? Eén van haar kleinkinderen? En ze wist ook dat ze dat nieuws nooit zou kunnen verwerken. Kinderen en kleinkinderen gaan niet dood. Er flitsten onsamenhangende woorden en beelden door haar hoofd. Ze leunde op haar hurken tegen de muur en had het plots zo ijskoud dat ze klappertandde. Jess nam in een automatisch gebaar de hoorn van haar over. Haar moeder hoefde niet te zeggen wie het was. Paniek gierde door haar lichaam. Ze hield zich vast aan het gangtafeltje waar een boeket melkwitte tulpen ineens leken op een doodsboeket.

'Claus? Ik ben het, Jess', zei ze met een kurkdroge keel.

'Jess? O Jess... het is... ik krijg het bijna niet gezegd... maar toch is het zo en ik snap niet hoe het kan gewoon... maar ze is dood, Jess, Laura is gewoon dood, het is... het leek helemaal niet zo erg, gewoon een val, gisteren op de piste. Je kent Laura, altijd voorzichtig en toch was ze gevallen en haar been lag zo raar... ik moest even omhoog klimmen om bij haar te geraken, gelukkig zat de tweeling in de les, die waren er niet, we waren maar met ons zessen, een makkelijke rode piste nochtans, Laura is niet zo'n skiër... ik was snel bij haar en ze bewoog niet en ik dacht nog even dat ze me voor de gek hield. Maar ze bewoog nog altijd niet en toen zag ik dat haar hoofd wel heel raar lag en we wilden haar recht helpen maar dat hoofd viel opzij, ze was net een voddenpop, Jess, ze moet onmiddellijk haar nek gebroken hebben, zeggen de dokters. Begrijp je dat nu? Zo'n stomme val en je nek breken! Dat kan toch gewoon niet? Er waren ondertussen al mensen gestopt, iemand zal wel de hulpdiensten verwittigd hebben want we hoorden al na een paar minuten een helikopter en er was ook zo'n slee waar ze haar dan oplegden, ik weet het allemaal niet meer zo goed. Ik krijg al die gedachten maar niet geordend. In die helikopter hebben ze nog van alles geprobeerd. Gelukkig spreek ik wat Italiaans en kon ik volgen. Ik had ze wel door elkaar kunnen schudden toen ik ze hoorde zeggen dat ze dood was. Zoiets geloof je toch niet? Eén van die mannen heeft mij dan een tablet gegeven en ik was meteen zo weg als iets, ik neem toch nooit medicijnen. Vanaf dan is alles een waas, om vijf uur daarnet ben ik wakker geworden in het hotel en Lennie, één van mijn vrienden die hier ook is, zat bij mij, die zei dat de kinderen oké waren en lagen te slapen bij hen op de kamer. Die weten het nog niet. Ze wilden ook jullie niet bellen, misschien wou ik dat liever zelf doen en dat doe ik dus, daarom bel ik dus... om te zeggen dat ze dood is. Godverdomme, Jessie, mijn Laura dood!... Dat vat je toch niet? Het spijt me dat ik het niet beter uitleg of zo maar ik ben toch zo in de war, ik kan gewoon helemaal niet denken. Is Maureen daar nog? Heeft ze het gehoord? Wil je haar zeggen dat ik er écht niks kon aan doen? Het was een ongeluk, een ongelooflijk fúcking stom ongeluk... Jessie?... Ben je daar nog?'

Dikke tranen drupten sinds het eerste woord van Claus op de kille vloer. Jessie kon niet ademen en staarde met grote ogen naar haar moeder die de luide, overslaande stem van Claus woord voor woord had kunnen volgen. Ze was even wit als de tulpen en zakte zachtjes in elkaar. Haar ogen draaiden weg en tien jaar rimpels baanden zich op één minuut een weg door haar huid.

'Papa!' wou Jess haar vader luid om hulp roepen, maar haar stem weigerde. Ze kon er zich niet toe bewegen iets te zeggen tegen Claus of haar moeder te helpen. Ze stond daar maar, onbeweeglijk terwijl de gruwelijke waarheid doordrong tot in elke vezel van haar lichaam. Haar zus was dood. Haar ongelooflijke, fantastische, unieke zus was dood. Vier letters die een nieuwe wereld inluidden en het einde van een andere. Alles zou voor altijd anders zijn. Langzaam draaide ze zich om toen ze pantoffels de trap hoorde afkomen. Het was haar vader, gewekt door het gestommel. Hij hoefde geen uitleg. Hij wist het. En stond daar maar. Die brute, autoritaire man, plots zo kwetsbaar en menselijk, en kapot, vanbinnen helemaal kapot. Jess kreeg weer gevoel in haar lichaam en knielde neer naast haar moeder, met de hoorn zo hard in haar hand geklemd dat haar knokkels wit zagen. Er was nog geen halve minuut voorbij.

'Claus? Je, we zijn hier allemaal, papa ook... Ach Claus, ik weet niet wat ik moet zeggen... en mams is flauwgevallen en ik voel me ook wat draaierig. Het spijt me zo, meer weet ik niet te zeggen, dan dat het me zo spijt. Ik denk niet dat ik het goed besef, het dringt niet goed door. Jij en de jongens zijn oké, dat is goed, dat is alvast goed. En Noëlla en Sandrien zijn daar en de mannen, dat is ook goed, ja... ik ga nu mams helpen, Claus, eerst mams helpen. We bellen je straks terug. Waar is Laura nu eigenlijk?' slaagde Jess met vlakke, metalen stem er in te vragen. Ze had het koud tot op het bot en ze kokhalsde. Het huis bewoog.

'Laura is... Laura ligt hier in het ziekenhuis. Morgen vliegen we naar huis, allemaal naar huis, ook Laura. Bel me straks terug, Jess, we moeten zoveel afspreken. Ik... zeg aan Maureen en Gust dat het mijn schuld niet was, het was een ongeluk, doe je dat?' snikte Claus als een klein kind.

'Natuurlijk was het jouw schuld niet, Claus, ik bel straks terug, eerst nu mams helpen. Tot straks, Claus.'

Langzaam haakte Jess in en zo bleef ze staan, met de in-gehaakte hoorn nog steeds vastgeklemd. In de spiegel zag ze haar vader op de trap staan. Ook hij had nog niet bewogen. Hij weende schokkend en zonder tranen en omklemde met beide handen de trapleuning. Jess probeerde haar moeder bij te brengen. In die chaos kwamen Penny en Nick naar beneden. Die hadden het slechte nieuws tot boven gevoeld. Het waarde ondertussen door het ganse huis en verdreef de lente en de vrolijkheid. In plaats daarvan dwaalden leegte en koude rond en vertelden die met leedvermaak het nieuws verder.

En vanuit haar bed kijkt Jess opnieuw neer op het grijzende hoofd van haar moeder dat met kleine schokjes probeert een ondraaglijk verdriet te torsen. En opnieuw kan ze haar niet troosten. De dood is onoverwinnelijk. Ze wou maar dat ze nog controle had over haar handen om Maureens haar te strelen maar dat gaat niet meer, ze kan enkel nog lijdzaam toekijken. Ook huilen doet Jess niet meer, het hoeft niet meer. Ze heeft verdriet om andermans verdriet, niet om zichzelf. De morfine verzacht alles en geeft er zelfs een behaaglijke gloed aan, alsof het allemaal niet echt is. Zacht lacht ze haar moeder toe als die er zich eindelijk kan toe brengen haar dochter aan te kijken. Haar ooit mooie gezicht is oud, haar ogen rood, haar lippen omlijnd met kleine rimpeltjes van te veel opgekropte emoties. Bruusk wordt hun innige moment onderbroken door een jonge verpleegster die Jess nog nooit heeft gezien. Ze heeft nog die onweerstaanbare energie van de jeugd die de wereld kan omvatten, maar die soms ook storend kan zijn, zoals nu. Gelukkig lacht ze alleen maar terwijl ze de baxter controleert. Nutteloze woorden hebben in deze kamer niks meer te zoeken. Ze ziet er een beetje Oost-Europees uit, lang, hoekig maar met te zware trekken en te veel haargroei op haar gezicht. Katalin staat er op haar naambordje. Ik wens je een mooi leven, Katalin, denkt Jess.
'Zei je iets?' veert Maureen recht. Ze zit met zoveel vragen aan haar dochter, ze wil haar nog zoveel vertellen, maar het lukt haar niet. Het verdriet staat elke conversatie in de weg.
Jess schudt moe een klein beetje het hoofd en kijkt met ogen

vol liefde naar haar moeder. Ze was er altijd, ze gaf liefde en oordeelde niet vaak. Ze was een moeder zoals elk kind er één verdient, een moeder van een huis vol bloemen, pannenkoeken als er vriendinnetjes waren, zakdoekjes in de aanslag als er liefdestranen vloeiden bij wie dan ook, een bed stond altijd klaar. Voor iedereen die het huis binnenkwam had Maureen een emmer liefde, aandacht en lekker eten. Jess kon zich niet inbeelden dat er iemand kon zijn op de planeet die haar moeder niet graag zou zien. De woorden innerlijke schoonheid zitten haar als gegoten. Maar na de dood van Laura is ze nooit meer echt volledig hersteld. De tien kilo die het onmenselijke verdriet na het drama haar gekost hebben, zijn weggebleven. Ze lacht nog wel, nadat het verdriet was gaan rusten in een kamertje in haar hart, maar nooit meer uitbundig. Ze lacht immer triest. Daarom kon Jess haar vroeger onmogelijk opzadelen met de trieste waarheid over haar huwelijk met A.J.. Er kon geen verdriet meer bij. En Jess is blij dat haar tenminste dat is bespaard, ze hoeft het nooit te weten. Niet dat haar contact met A.J. na de scheiding zo familiaal is, maar er is contact omwille van de kinderen die ze koestert als een zeldzame bloem waar je behoedzaam moet mee omspringen. Maureen kan naar Nick kijken alsof ze via een onzichtbare lijn liefde in hem pompt. Hij is op zijn beurt dol op zijn oma. Samen kunnen ze uren in oude fotoboeken bladeren, over tante Laura praten, onder een deken films kijken, en hij heeft tot haar grote vreugde haar groene vingers geërfd. Die twee bezig zien in de tuin is balsem voor de ziel. Ook haar knorrige vader windt hij als geen ander om zijn vinger. Tot frustratie van Penny die alle moeite van de wereld doet om haar deel liefde af te dwingen, maar al van kindsbeen af voelt dat dat nooit zal lukken. Mensen zeggen vaak dat ze van al hun kinderen evenveel houden, maar dat is niet zo.

Met haar slanke vingers snuit Maureen haar neus. Soms lijkt het of je geen tranen meer overhebt. Ze is leeg. Aan Gust heeft ze niets. Die stelt een bezoek aan zijn dochter elke dag maar weer uit. Hij loopt als een donderwolk door het huis en vindt in alles een reden om luid woede te ventileren tegen iedereen. Nick is de enige die hem dan kan kalmeren. Penny kan er niet tegen en is daar weinig. Ze logeert bij Sam of is gewoon thuis bij Nick. Brave jongen, Sam maar hij doet Maureen altijd denken aan die saaie Peter, een ex-liefje van Jess uit de tijd dat ze nog Jessie mocht genoemd worden.

Als Maureen niet kan slapen, dwaalt ze door het huis. Haar huis is zo vol herinneringen dat het op haar begint te wegen. Het wordt tijd om te verhuizen, na dit hoofdstuk. Ze weet niet wanneer het hoofdstuk afloopt, enkel dat het zeker fout afloopt. Daar wapent ze zich al maanden tegen. Bij Laura kwam dat moment als een dief in de nacht, deze keer krijgt ze tijd om elke cel van haar lichaam voor te bereiden op de klap die als een pletwals over haar heen zal rijden om haar in duizend stukjes te breken. Wat zal haar leven nog waard zijn als ze aan niks meer mag denken omdat het verleden een taboe is? Omdat elke herinnering je aan flarden rijt? Hoe kan je leven zonder verleden? Hoe kan ze blijven kijken naar een tuin waarin ze haar twee meisjes ziet ravotten? Hoe kan ze eten in een keuken waar ze het gelach en geruzie van die twee maar blijft horen? Hoe kan ze ooit nog verder leven met hun vader, nu de grootste reden van hun samenzijn weg is? Liefde is er allang niet meer. Moet ze verder proberen te leven voor Nick en Penny? Met haar andere kleinkinderen, Arend en Jarne, heeft ze een moeilijk contact dat haar meestal met een grote kater achterlaat. Drie jaar na Laura's dood is Claus hertrouwd met een tien jaar oudere Italiaanse vrouw. Hij woont sindsdien in Sorrento en probeert af en toe een vakantieweek bij hen door te brengen. Maar de kinderen kennen nog amper Nederlands en het duurt vaak dagen voor het contact enigszins vlot. Jarne lijkt ook zo sprekend op zijn moeder dat het Maureen pijn doet. Het is als kijken in de ogen van haar dochter. Claus en de kinderen zijn welkom, maar die Italiaanse heeft ze nog nooit gezien en dat zal zo blijven ook.

De keren dat ze zeer concreet over zelfmoord heeft nagedacht zijn legio, maar één laatste strohalm houdt haar tegen. Wat als de dokters geen gelijk hebben? Wat als Jess toch geneest? De hoop van een moeder is onverwoestbaar. Ze houdt de wereld recht.

'Jessie?' vraagt Maureen bezorgd als ze ziet dat de ogen van haar dochter wegdraaien. Ze is altijd koppig Jessie blijven zeggen op belangrijke momenten. Haar vader moest van het ganse Jess-gedoe al helemaal niks weten. Hij had zijn dochter Jessica gedoopt, punt.

'Jessie, schat', vraagt Maureen met wat meer aandrang. Zachtjes schudt ze aan haar schouders. Haar dochter beweegt niet meer. In paniek holt Maureen de gang in als Nick net de kamer binnenkomt met een kopje koffie voor zijn oma en een cola voor hem. Hij zet meteen alles morsig op tafel en grijpt de handen van zijn moeder. Is het zover, is dit nu het moment? Van ver hoort hij zijn oma huilend om hulp roepen, en gedempte voetstappen door de gang richting kamer 52 hollen. Zijn mama beweegt niet meer.

*Het was één van die momenten uit het leven waarbij je wou
dat de tijd kon stilstaan, al was het maar voor even.*

Lang leve Nick!'riep Klara uitgelaten terwijl ze de champagne
liet knallen. Het schuim vloeide over de haastig uitgestoken
glasranden en bevlekte de propere ziekenhuisvloer, maar wie
kon dat wat schelen. Buiten wou het weer van geen vreugde
weten en bleef koppig grijs. Maar in de kamer scheen de zon.
De kleine Nick, amper tien uur oud, lag met toegeknepen vuist-
jes onbezorgd uit te rusten, terwijl de felicitaties, bewonderde
blikken en algehele feeststemming helemaal aan hem voorbij
gingen. Klara had er met moeite een proficiat uitgeperst toen
ze binnenkwam en zag dat A.J. er nog was. Gelukkig was
hij nu wel even weg om het geboortesnoepgoed te halen, de
hond eten te gaan geven en een aantal mensen te verwittigen
dat zijn zoon een week te vroeg geboren was. Daarna zou hij
op kantoor Maximiliaan oppikken en terugkomen. Maureen
en Gust hadden Penny opgepikt na school en waren met hun
overenthousiaste kleindochter onderweg.

Penny had op haar pop geoefend hoe je baby's eten moest
geven en luiers verversen en had bloedserieus verkondigd
dat niemand zich zorgen hoefde te maken: zij zou wel voor
'het baby' gaan zorgen. Penny was een perfecte peuter, altijd
vrolijk, leergierig en behulpzaam. En ze had de mooiste ogen
en een zeer sterke wil: wat 'Penny niet wou, Penny niet deed'.
En die strijd won ze elke keer. Kleine Penny stond wijdbeens
en goedlachs in het leven en torste toen al een veel te zwaar
verantwoordelijkheidsgevoel met zich mee. De wereld zou niet
vergaan zolang zij in de buurt was. Ze was het lievelingetje van
de juf en de oogappel van Maximiliaan, die zo graag met haar
pronkte op kantoor. Dan draaide ze iedereen met een pirouette
en een lach om haar vingertjes en deed problemen en fronsen

verdwijnen. Het leven was gewoon mooier als Penny in de buurt was. Ze had de komst van haar broer minutieus gevolgd. Elke morgen legde ze haar oor op de buik van Jess en sprak met hem. Ze vertelde ernstig over het weer, wat er bloeide in de tuin of wat er dat weekend op het programma stond. En als hij daar geen zin in had, hoefde hij maar te schoppen of het plan werd afgelast. Naar het einde toe reageerde de baby inderdaad af en toe op haar mededelingen door stevig de buikwand van Jess te teisteren met zijn voetjes, waarop ze prompt concludeerde dat 'broer geen zin heb in zee', en dan gingen ze ook niet naar zee. Ingaan tegen Penny was onbegonnen werk. Ze maakte zich behoorlijk boos op hun stokoude hond Dagobert als die durfde te snuffelen aan de wieg of het verzorgingskussen dat klaarlag. Dan kreeg hij 'straf' en mocht hij een week lang niet met haar naar tekenfilmpjes kijken met zijn snuit op haar schoot. Ze had opa en oma gewaarschuwd dat ze haar nu wel minder zouden zien 'omdat broer veel werk is' maar ze had hen ook gerustgesteld dat ze hen nog even graag zou blijven zien. Ja hoor, Penny was er klaar voor en dat was dan ook exact wat ze zei toen Jess haar na school even aan de lijn had om het goede nieuws te melden. 'Naam goed', verklaarde ze zich gelukkig akkoord, want totnogtoe ging het altijd over 'broer' of 'het baby'. Had Penny de naam Nick niet leuk gevonden, ze zou hem niet gebruikt hebben, zoveel was zeker. Toen ze pas drie was, zei ze op een dag dat de 'boom blauw is' en niemand die er haar van kon overtuigen dat dat niet zo was. Bomen waren blauw voor Penny, de zee groen.

'Op Nick! Moge hij al het mooie van zijn moeder geërfd hebben', toostte Marion terwijl ze zuinig van haar glas nipte. Ze dronk nog af en toe een glaasje champagne, maar niet veel. Ook dik en rond van nieuw leven, boog ze zich naar voor om te klinken met Jess die voorzichtig een slok nam. Het was geen al te zware bevalling geweest maar de vermoeidheid sloeg toch ongenadig toe. Ze keek gelukzalig naar haar kleintje dat na negen maanden ineens een gezicht had. Hier lag een kleine nieuwe mens, God weet welk zijn pad zal zijn. Hij had een fijne neus, een dikke bovenlip en zijn oogjes stonden ver uit elkaar. Jess hief haar glas en klonk haar zoon toe. Iedereen deed mee.

'Let jij maar op dat jouw baby ook de sprong niet waagt, Marion, deze omgeving kan inspirerend werken', lachte Nicole, haar arm om de schouder van Jim. Ze deed haar best om te delen in de vreugde, maar iemand zien stralen met een kersverse baby deed haar toch altijd pijn. Ze wilde zo graag kinderen met Jim, maar dat lukte maar niet en noch bij haar, noch bij Jim vonden de dokters de reden. Ze moest de idee even laten varen, gaven ze haar als raad mee. Misschien wou ze het te graag en lukte het daarom niet, mentale blokkade. Nonsens, dacht Nicole, alsof al die vrouwen die wél zwanger raakten daar niet maandenlang luidop hadden van gedroomd. Ze deed ook echt haar best vlotjes om te gaan met de vriendschap tussen Jess en haar man, maar toch was ze nooit helemaal zeker. Ze voelde zich altijd de mindere als Jess in de buurt was, terwijl die haar daar nochtans helemaal geen aanleiding toe gaf, integendeel. Jess zorgde ervoor altijd eerst Nicole te begroeten, ze vroeg altijd echt geïnteresseerd hoe het met haar ging en belde naar haar om hen uit te nodigen. Maar ze wist dat Jim ook vaak zomaar eens langsging, ook als A.J. niet thuis was, wat blijkbaar wel vaker gebeurde. En dat wrong. Ze voelde dat haar man vrolijker was bij Jess maar ze durfde hem niet rechtuit te vragen waarom, uit schrik voor het antwoord. Ze had onlangs een aanbod gekregen om als laborante voor een jaar in Engeland te gaan werken. Ze had er Jim niks over verteld en na lang wikken en wegen beslist om het niet te doen. Jim was het waard om tot het einde voor hem te vechten.

Marion deed even of ze weeën kreeg en proestte het daarna uit. Ze straalde en zag er schitterend uit nu de zwangerschap haar wat voluptueuzer had gemaakt. Zelfs haar anders flinterdunne haardos zag er voller uit. Nicks speelkameraadje was voor volgende donderdag uitgerekend. Af en toe polste

Marion bij Jess naar de toestand achter gesloten deuren, en Jess bevestigde haar dat alles prima was, de duivel rustte en A.J. was zijn eigen beminnelijke zelve. Op die momenten leek het of hun leven bestond uit feesten, genieten met z'n allen en vooral veel lachen. De schaduw van geweld hield zich al zo lang gedeisd dat ze die bijna zou vergeten, bijna.

'En nu onze Klara nog, hé schat?' lachte Marion, 'we moeten dringend een vrijgezellenbal organiseren voor Klara, vinden jullie ook niet?'

'Vind daar maar eens kandidaten voor: ze moeten een IQ hebben van minstens 120, knap zijn, grappig, bereisd, galant, enzovoort... es kijken, dan ken ik er...' en Jim telde zogezegd op zijn vingers, '... geen enkele! Het spijt me, Klara, maar geen enkel van mijn vrije vrienden komt in aanmerking. Jan misschien, maar die heeft maar een IQ van 115 en we moeten streng zijn, nietwaar.'

Klara lachte mee. Ze zag er weer uit als om door een ringetje te halen, één en al witte stof en zilveren juwelen. Elk jaar legde een patina van elegantie meer. Ze was één van die weinige vrouwen die mooier werden met de jaren. Haar kater om Maurice was allang verwerkt. Haar liefdesverdriet was als een zomerstorm: destructief maar snel over. Ze had een mannen-rustpauze ingelast en zich de afgelopen maanden volledig op haar werk gestort. Liegen tegen Klara was onmogelijk. Ze had de afgelopen maanden met argusogen elke beweging van A.J. gevolgd en hem niet op leugens kunnen betrappen. Het moeilijkste was doen alsof, dat lukte dan ook zelden. Op aandringen van Jess ging het leven gewoon verder: ze feestten, gingen uit, maar er was iets gebroken. De zorgeloosheid die hen vroeger als een witte wolk omhulde, was vergrijsd, en hoe ze ook hun best deden om hun vroegere *je m'en fou*tisme-houding voort te leven, de schim van A.J. volgde hen overal. Eén keer had Klara een glas teveel op en wou ze hem zijn gedrag in het gezicht slingeren. Gelukkig zag Marion de bui hangen en kon ze haar tijdig wegsleuren, voor ze onherroepelijke dingen zou zeggen en daarmee misschien voor altijd het vertrouwen van haar vriendin kwijtspelen. Klara vond het aartsmoeilijk niet te mogen ingrijpen. Ze deed echt haar best om te begrijpen waarom Jess in hetzelfde huis bleef wonen als die man, maar eerlijk gezegd begreep ze het niet. Hoe kon je nu zo'n intelligente vrouw zijn en je laten vernederen en slaan? Het wou er bij Klara niet in. Dat kwam omdat ze geen kinderen had, herhaalde Jess geduldig, maar meestal wimpelde ze elke conversatie af. Ze wou er niet over praten, ze wou geen hulp, ze had alles onder controle, zei ze. Klara maakte zich samen met Marion de grootste zorgen. Ze kenden ook de verhalen die slecht aflopen omdat niemand tijdig had ingegrepen. Ze stonden allemaal klaar voor het moment dat hij opnieuw zou toeslaan, maar het leek er inderdaad op dat hij gekalmeerd was. Maar schijn bedriegt, wist Klara allang. Ze keek toevallig recht in Jims ogen en las dezelfde bezorgdheid. Ze hief het glas en toostte hem in stilte toe. Met z'n allen zouden ze waken over Jess.

Die lag moe maar voldaan de cirkel rond te kijken en hun voelbare vriendschap deed haar deugd. Ze zag de beschermende arm van Nicole om Jim en probeerde de steek van jaloezie te negeren. Jim was haar beste vriend, en niks meer. Zij waren allebei niet vrij. Wat gebeurd was had zich sinds ze zwanger was niet meer herhaald, zorgzaam maar van op een veilige afstand bemoederde Jim haar gedurende de ganse zwangerschap. Elke kus op de wang, elke aai, elke glimlach absorbeerde Jess gulzig. Elke zin las ze tussen de regels. Sinds die nacht was ze nooit meer met hem alleen geweest, er was ander bezoek of hij kwam met Nicole. Jess mocht Nicole wel, maar ze hadden weinig samen, hoe ze ook haar best deed. Soms deed ze zo haar best dat ze dacht dat het wel moest opvallen. Ze forceerde zich tot vriendschap terwijl ze diep vanbinnen wou dat Nicole er niet was, een gedachte waar ze zich vreselijk voor schaamde maar die ze niet uit haar hoofd kreeg. Ze werd heen en weer geslingerd tussen loyauteit voor haar zo dierbare vriendschap met Jim, de schrik die door seks kapot te maken en toch het sluimerende verlangen ernaar.

Soms voelde ze zich zo sterk als alleen zwangere vrouwen dat kunnen en klaar om alle bruggen op te blazen. Ze zou weggaan van A.J., bij haar ouders gaan wonen en vechten voor Jim. Die euforie duurde tot ze effectief haar koffers begon te pakken. Dan sloeg de twijfel weer toe. A.J. zou haar achtervolgen, zelfs al vluchtte ze naar de andere kant van de wereld, want wat voor een duivel hij in zijn duistere momenten voor haar ook was, nooit zou hij haar laten weggaan met Penny. Met dit tweede kind zat ze nog meer vast en dat besefte ze maar al te goed. Terwijl het leven in haar groeide, zakten haar kansen om weg te gaan. En vreemd genoeg wou ze eigenlijk, heel diep vanbinnen, niet weg. A.J. was zo overheersend dat ze zich niet kon inbeelden hoe ze zonder hem kon bestaan. Hij bepaalde haar leven in zo grote mate dat ze bijna bang was van een leven zonder hem. En ze hield van hem, hoe onverklaarbaar ze dat zelf ook vond. Het was geen houden van zoals de meeste koppels die ze kende, teder en respectvol. Hun relatie was dwingend, seksueel heel opeisend en verslavend. En dat deel kreeg ze niemand uitgelegd. Dus bleef ze. Als de duivel in huis zat of dagenlang niet thuis kwam, stortte ze zich op haar werk, zocht heil in daarna nog urenlang in de keuken staan om ingewikkeld te koken, ondertussen een supermama te zijn voor Penny, het ganse huis op orde te zetten en als er dan nog tijd om na te denken overbleef, vluchtte ze weg in andermans leven in dikke boeken. Als ze maar niet tot de kern moest doordringen. Hoe moest haar leven verder, ze wou het niet weten. Ze wimpelde elke poging tot een dergelijk gesprek af, wetende dat haar vriendinnen wachtten op een teken van haar om in te grijpen. De situatie was niet leefbaar, voor niemand. Alle verhoudingen zaten fout en zij was daarvan de spil. Zij kon de cirkel weer rond maken, zij alleen. Maar ze stelde het uit, en uit, en uit. En elke dag groeide het kind in haar en wist niemand waar en aan wie ze dacht als ze het streelde.

Hoe ze zich voelde hing ook tijdens de zwangerschap helemaal van A.J. af. Die gedroeg zich voorbeeldig, berispte haar als ze te druk deed, masseerde haar rug en haar opgezwollen enkels, kwam om de haverklap thuis met spullen voor de baby en ontving hun vrienden en ouders in de hem kenmerkende stijl. Dan keek Jess hem aan en vroeg zich af welke nu de echte A.J. was. Op deze man was ze nog steeds verliefd. Hij deed zijn duistere alter ego vervagen tot ze niet meer ineenschrompelde als hij haar aanraakte en boos was op zichzelf omdat ze vol overgave had deelgenomen aan een vrijpartij. De zwangerschap maakte haar rijp als zomerfruit en ze liet zich gewillig plukken. Ze gebruikte parfum, maakte zich op en liep ongegeneerd bloot met haar dikke buik trots vooruit door het huis. De eerste keer kon ze zichzelf wel slaan, maar daarna ging het steeds vlotter. Seks met A.J. was altijd hemels geweest en ze kon het verlangen ernaar niet tegenhouden. Vaak dacht ze aan Jim als ze vrijden en dan voelde het verboden en dus nog beter. Ze kende zichzelf niet meer. Ze voelde zich een stuurloze zwaluw die de weg naar huis helemaal kwijt is en vertwijfeld overal landt. Elke dag was een rollercoaster van tegenstrijdige gevoelens. Het was een huzarenstukje acteertalent dat ze die innerlijke chaos voor iedereen verborgen kon houden. Klara keek af en toe dwars door haar heen zoals enkel Klara dat kon, maar Jess liet haar niet dichterbij komen. Ze propte elke minuut zo vol dat niemand tijd had om te ademen of antwoorden te vinden in de stilte. Ze had energie voor tien en leefde elke dag gewoon op tot hij leeg was.

Pas gisteren was ze gaan zitten en niet meer rechtgekomen. Ze kon niet meer, en de baby stampte haar met zijn voeten murw. Hij had geen plaats meer en werkte zich naar beneden. Om de zoveel minuten rustte hij om daarna met nog meer volharding verder te gaan en haar dubbel geplooid van de pijn naar adem te doen happen. Het voelde alsof hij haar in stukken wou scheuren. A.J. was zo bezorgd dat hij van geen tegenstribbelen wou weten en haar veel te vroeg naar het ziekenhuis bracht. Daar gunde de baby Jess nog een paar uur slaap voor hij met zo'n kracht de laatste tocht naar het leven inzette, dat hij er na vijf keer persen al uit floepte. Hij zette het even op een heftig wenen maar viel al snel voldaan in slaap op de pijnlijke buik van zijn moeder, waar hij voor het eerst haar unieke kaneelgeur opsnoof. Hij wist dat hij veilig was en begon zijn eerste ademende dag vol vertrouwen en met een rust die later vaak voor luiheid zou aanzien worden. Hij weende toen de verpleegster hem meenam voor zijn tests, hij weende toen A.J. hem oppakte, hij weende net zolang tot ze hem terug op de buik van zijn moeder legden. En zo werden ze gedrieën naar de kamer gebracht waar A.J., die de ganse nacht gewaakt had, uitgeput in slaap viel in de ongemakkelijke zetel, zijn lange ledematen vreemd verwrongen. Die zou de eerste uren niet wakker te krijgen zijn.

Jess wou zo snel mogelijk haar geluk delen en zette gedecideerd het telefoontoestel naast zich op bed, voorzichtig om Nick niet wakker te maken. Haar vingers aarzelden over de toetsen als vlinders over een bloemenzee. Ze beet op haar lip en vormde in gedachten het nummer dat ze zo goed kende, maar haar vingers volgden niet. Die draaiden eerst het nummer van haar moeder, die zoals te verwachten viel, huilde van geluk. Ze haakte in. Weer aarzelden haar vingers en draaiden een ander nummer dan ze verondersteld werden, het nummer van Marion die joelde van blijdschap. Jess had Klara en Marion allebei meter gemaakt, Laura was meter van Penny. Maximiliaan was peter van Penny en Jess wou niks liever dan Jim peter maken van Nick, maar waarom had ze het zo moeilijk hem te bellen en gewoon te zeggen dat zijn petekind geboren was? Ze staarde maar naar het toestel maar draaide zijn nummer niet, ze belde Klara. Ook die kon haar geluk niet op, was apetrots met haar status van meter en beloofde na het werk onmiddellijk te komen. En of Jim het al wist? Zo nonchalant mogelijk zei Jess van niet. Ze vroeg Klara hem even op de hoogte te brengen, 'ze was wat moe en had geen zin iedereen zelf op te bellen'. Boos om haar lafheid haakte ze in. De vermoeidheid overviel haar en een paar uur lang was de kamer in diepe slaap gehuld. Af en toe stak een verpleegster even het hoofd om de deur, glimlachte en verdween. Maar even over vieren was het afgelopen met de rust en zwaaide de deur onophoudelijk open. De geur van rozen vulde de kamer en ongeopende cadeautjes stapelden zich op. Nick knorde af en toe en zocht blindelings een tepel om dan onmiddellijk onder veel bewonderende oh's en ah's verder te slapen. Niemand zou het aangedurfd hebben hem van zijn moeders buik af te halen. Ze waren een twee-eenheid. Toen Jess toch naar het toilet moest, legde ze Nick even in zijn glazen wiegje, waar hij toch zonder morren verder sliep te midden het tumult waarvan hij het voorwerp was.

Met een grote zwaai van de deur rende Penny de bomvolle kamer binnen, gevolgd door een hijgende opa en oma. Zonder de rest van het gezelschap ook maar een blik te gunnen, dook ze in het glazen wiegje en inspecteerde haar broer. Vertederd stond iedereen toe te kijken. Jess wachtte met een trotse glimlach op het verdict van haar dochter die probeerde de vingertjes te tellen, maar verder dan vier raakte ze tot haar grote frustratie nog niet.

'Nick heb groene ogen, mooi', lachte ze van onder haar opvallend lange wimpers plots iedereen toe en ze aaide zacht zijn wang.

'Blauw, schatje, baby's hebben altijd blauwe ogen', verbeterde Maureen haar automatisch, maar Penny gaf zich niet gewonnen. Ze schudde haar hoofdje zo hard dat de oranje strikjes rond haar mahoniekleurige lange vlechten op en neer dansten.

'Oma mis, Nick heb groene ogen, kijk maar oma', en ze trok Maureen met haar twee handen naar de wieg en dwong haar in zijn ogen te kijken. Blauw, maar Maureen wist dat ze beter toegaf, anders begon haar koppige kleindochter gegarandeerd een zinloze discussie. Nick zou tot zijn zesde groene ogen hebben, volgens zijn zus. Toen zag ze van dag op dag opeens de kleuren juist en werden de bomen groen en de ogen van haar broer lichtblauw.

Iedereen lachte uitbundig en voelde de kracht van het nieuwe leven door hen stromen. Het was één van die momenten uit het leven waarbij je wou dat de tijd kon stilstaan, al was het maar voor even.

Als kanker een land was,
hij zou het eigenhandig kapot bombarderen.

Allemaal staan ze om haar bed. De dokter is net weg en heeft hen kalm uitgelegd dat Jess half in coma is gegaan. Dat was te verwachten. Misschien wordt ze nog wakker, misschien ook niet. Deze situatie kan dagen duren, weken misschien, maar die kans is klein. Ze moeten voorbereid zijn op het ergste.

Verslagen staart iedereen naar het witte gezicht dat lijkt te slapen, Assepoes met fel uitgedunde krullen, alsof ze met een simpele kus gewekt kan worden. Ze hebben allemaal alles laten vallen en zijn in allerijl naar hier gekomen. Maureen zoekt steun bij Maximiliaan die er eerst was, samen met Monica, Penny heeft Sam thuisgelaten, in dergelijke situaties is hij compleet waardeloos. Nick staat veilig bij zijn vensterbank. Dichter durft hij niet te komen. Jim staat naast hem met zijn arm troostend om zijn schouders geslagen. Niemand heeft A.J. gebeld. Klara en Marion zijn onderweg van thuis.

'Denk je dat ze ons kan horen?' vraagt Maureen met een stem licht als een veertje.

'Natuurlijk, Maureen, daar ben ik zeker van', houdt Maximiliaan zich dapper. Zolang Gust er niet is, zal hij haar toeverlaat zijn. Letterlijk, en hij schuift zijn arm onder de hare en dwingt haar te gaan zitten, wat ze van kop tot teen bevend doet. Trillend legt ze haar hand op de bijna doorschijnende, magere hand van haar dochter die koud aanvoelt. Maximiliaan voelt haar ineenkrimpen.

'Jessie? Schat? Ik euh... ik weet niet of je me kan horen, maar ik wil alleen maar zeggen dat we allemaal bij je zijn', probeert ze dapper en ze kijkt haar dochter hoopvol aan. Maar het zo vertrouwde gezicht beweegt niet. Het kloppen van haar hart is onder haar slaapkleed nauwelijks zichtbaar. Het is een crèmekleurig zijden slaapkleed dat Klara speciaal nog heeft gekocht. Ze wou niet dat haar vriendin in zo'n harde, witte, onpersoonlijke ziekenhuis-'jurk' zou moeten liggen. Penny kan het allemaal even niet meer aanzien. 'Kom oma, laten we iets gaan drinken in de cafetaria. Wat denk je? Het heeft geen zin hier allemaal rond mamsie te blijven staan. Je hoorde wat de dokter zei, dit kan nog wel even duren. Kom. Ga je mee, opa Max? Monica? Jim?' Ze weet dat ze haar broer hier nu niet weg krijgt. Hij vergeeft het zichzelf nooit als hij er op het meest belangrijke moment niet zou zijn.

'Neen Penny, ik blijf wel hier, bij Nick', voelt Jim de situatie perfect aan. Zelfzekerder dan ze zich voelt begeleidt Penny iedereen uit de kamer, waar ondanks de veel te hoge verwarming een soort kilte hangt die haar doet huiveren. Haar moeder is aan het sterven. Haar moeder is aan het sterven. Ze herhaalt die zin sinds het telefoontje van Nick daarnet al de hele tijd. Ze wil dat het zijn betekenis verliest. Ze wil dat het voorbij is, zodat ze haar dood kan beginnen te verwerken. Nu is haar moeder er nog en ook weer niet. Dat is een heel verwarrende toestand. Moet ze nu blij zijn omdat ze nog leeft, of droef? Wankel ondersteunt ze bij elke stap haar gebroken oma door de witte, zwijgende gangen die al duizenden voetstappen als de hunne over zich heen hebben gehad, allemaal op zoek naar hoop.

'Wil jij niet zitten, Nick? Ben je zeker dat je niet mee wil om iets te drinken? Een sterke kop koffie of een Cola? Om wat suiker binnen te hebben?' probeert Jim. Hij masseert de gespannen schouders van zijn petekind. Al het verdriet en angst zitten daar opgepropt. Kon hij hem maar helpen. Maar de dood is iets wat ieder voor zich moet verwerken.

'Hoeft niet, ik ben prima zo.' Stug blijft Nick met zijn rug naar zijn moeder staan, uit het raam starend waar diep beneden vreemd genoeg het leven gewoon verdergaat. Hier is iemand aan het sterven en de wereld daar draait gewoon door: vrolijk, zonnig, files, radio-uitzendingen, familieruzies, ontslagen, bruisende bouwwerven, plannen, vliegtuigen die opstijgen, spijbelen, houden van. Niks zal stoppen als zijn moeder er niet meer is. Wat oneerlijk. Hoe vreemd. Want de wereld zal nooit meer hetzelfde zijn, beseffen ze dat dan niet? Eindelijk winnen de tranen hun gevecht om vrijheid en nu ze mogen gezien worden, stromen ze onophoudelijk. Jim blijft die stugge schouders masseren en duwt al het verdriet eruit tot hij voelt dat de spieren ontspannen. Nick snikt in stilte en laat zijn tranen op de vensterbank druppen terwijl hij telt hoeveel keer het licht beneden op rood springt. Hij moet zich op banale dingen concentreren of hij kan wat gebeuren gaat, niet aan. Minutenlang zijn de knedende handen van Jim het enige wat beweegt in de kamer. Dan rukt Nick zich los.

'Dank je', zegt hij onhandig en hij trekt zijn pet tot diep over zijn gezicht en snuift luid de laatste traan weg. Hij schudt zijn haar als een pantser voor zijn ogen. 'Ik ga toch even naar buiten, wat frisse lucht.' En weg is hij, met zijn rug naar het bed, handen diep in de zakken van een broek die wel twee maten te groot lijkt en veel te laag hangt. Jim zucht en gaat naast Jess zitten. Hij prent zich elke lijn van haar fel vermagerde gezicht in. Hij weet nu al dat hij dit beeld van haar nooit meer van zich af zal kunnen schudden. Dit beeld zal altijd de andere verdringen, beelden van een lachende Jess die haar hoofd in haar nek gooit waardoor haar krullen dansen. Liefkozend draait Jim een krul rond zijn vingers. Hoe kan in zoiets moois als zij zo'n monster zitten? Als kanker een land was, hij zou het eigenhandig kapot bombarderen. Hij kijkt naar elke lijn in haar gezicht, haar nagels, haar wimpers, haar dodelijk vermoeide borstkas waar het hart tegen beter weten in maar blijft zwoegen. Wanneer zal het stoppen?

'Weet je, Jessie, ja, ik weet dat je er een hekel aan hebt dat iemand je Jessie noemt, maar dat deed ik toch altijd om je op je paard te krijgen, weet je nog? Man man, wat kon je dan boos worden. En wat vind ik je mooi als je boos bent. Dan vlammen je krullen en bries je als een draak. Lieve Jess, ik weet dat je dit niet haalt, wat voor vechtersbaasje je ook bent, welk een vrijgevochten meisje ook, deze smerige truc van het leven heeft je beet. Ik heb geen idee of je me hoort nu, ik hoop van wel, want er is nog zoveel dat ik je wil zeggen. Waarom wachten mensen toch zo vaak om de dingen tegen elkaar te zeggen die ze echt willen zeggen? Er worden toch zoveel halve waarheden verteld, vind je niet? En we zijn allebei schuldig. Hebben we tijd verloren, wij samen? Misschien. De rol van goede vriend des huizes paste me op den duur als een ouwe jas. Niemand weet dat we al die jaren veel meer zijn geweest dan dat, niemand hoefde het ook te weten. En op den duur had ik helemaal de behoefte niet meer uit die schaduw te treden en opeens openlijk je man te zijn. Voor mij was het eigenlijk goed zoals het was. Anderen zouden dat waarschijnlijk vreemd vinden, maar ik niet. Ik had wat ik wou en erg ongelukkig leek jij me toch ook niet, hè Jess? Wat hebben we het goed gehad samen... elk moment dat ik bij je was en ben, is heerlijk. Wat ik mis, vul jij aan. Wat ik denk, voer jij uit. Wat ik aanbied, tover jij om tot iets magisch. Dat heb je altijd gehad, Jess, in jouw handen werd de wereld mooier en kleurrijker. Ik ben maar een saaie man, toch vergeleken bij kerels als A.J. die leven als een diamant, fonkelend en rijkelijk. Ik ben zo niet. Voor mij volstaat een anoniem plekje aan jouw voeten. Ik zie je graag met elke vezel van mijn lichaam en ik wil dat je weet dat ik tot mijn laatste snik voor Nick als een vader zal zijn. En voor Penny natuurlijk ook. Slaap nu maar, Jess, slaap nu maar als je kan. Slaap maar in...'

Huilend omklemt Jim haar koude handen met de zijne en snikt met gebogen hoofd. Even heeft hij het gevoel dat ze terugkneep toen hij het over Nick had, maar als hij tegen beter weten in hoopvol haar marmeren gezicht bestudeert, op zoek naar een opflakkering van leven, ligt ze nog altijd even bleek en al mijlenver van hem vandaan, haar bewustzijn op een plek waar geen levende ooit geweest is.

Zondag 12 november 1989, 21.25

Zelfs de hemel leek te koop.

'Het leven is zo kort, men kan het niet wel genoeg savoureren, schoonheid!' Van de wijze Guido Gezelle, je ziet, ik ken mijn klassiekers. Kom. Schenk je man nog eens in', gebood A.J. Jess die stil en afwijzend recht stond. Hij had teveel gedronken en dan was het gevaar van de duivel nooit ver weg, had Jess helaas de laatste weken weer af en toe moeten ondervinden. Hij had erop gestaan de kinderen bij haar ouders te laten logeren en haar mee te nemen naar Parijs. Daar had hij belachelijk veel geld betaald voor de Errol Flynn suite van het Hotel Napoleon van waaruit ze de Eiffeltoren zou kunnen zien, zei hij. Ze zouden morgenvroeg vertrekken. Ze had de kinderen, Nick pas een paar maanden oud, voor het eerst allebei afgezet bij haar ouders. Met haar verzet dat Nick toch nog heel klein was en ze hem liever geen volledig weekend wou achterlaten, had hij op pijnlijke wijze korte metten gemaakt. Thuis voelde ze zich nog een beetje veilig, met de kinderen in de buurt zou hij nooit heel erge dingen doen, toch?

Het ging al een paar weken weer helemaal fout. Ze analyseerde elke dag van die voorbije weken maar vond niks dat deze verandering van gedrag rechtvaardigde. Tijdens haar wekelijkse lunch met Monica had ze langs haar neus weg gevraagd of alles lekker liep op bureau en dat was schijnbaar ook zo. Ook thuis ging alles z'n gewone gangetje. Nick was een heerlijke baby die al maanden doorsliep en Penny was een zonnetje in huis. Ze waren vrij gelukkig, Jess was de schaduw van geweld al bijna vergeten. Bijna.

Ze was op het aanrecht handdoeken aan het opvouwen, toen hij haar die avond met een duidelijke drankadem onverhoeds langs achteren beetgreep en speels in haar oor beet. Ze had geen zin in seks, al zeker niet als hij gedronken had en weerde hem af. Hij pakte haar wat steviger vast en trok de handdoek uit haar handen en duwde haar ruw tegen het aanrecht. Dit was geen spelletje zoals ze soms wel speelden, seks mocht best wat wild zijn, maar dit voelde anders. Alle alarmlichtjes gingen branden bij Jess maar het was te laat om te ontsnappen. Ze probeerde zich uit zijn greep los te wrikken maar hoe meer ze wrikte, hoe meer hij aandrong. Hij beet nu door in haar nek en ze voelde zijn lust tegen haar drukken. Met één hand hield hij haar armen achter haar rug, met de ander trok hij haar jurk omhoog. Jess wou niet gillen maar probeerde hem met haar hielen te raken. Natuurlijk was hij sterker. Ze wist dat ze zich best zo stil mogelijk hield, dan zou het snel voorbij zijn maar A.J. zocht weerstand. Toen hij die niet vond, werd hij nog agressiever en draaide haar bruut om met haar gezicht naar hem. Zijn ogen stonden donker en vijandig. De man op wie ze zo makkelijk verliefd kon zijn, was weer helemaal weg. De trekken in zijn gezicht stonden hard en wat anders een bijzonder aantrekkelijk gezicht was, vertrok nu in grimassen. Ze was bang. Hij hield haar armen nog altijd op haar rug gebogen vast. Hij ademde snel in en uit op nog geen vijf centimeter van haar gezicht en lachte sardonisch.

'Wat is er mis met mijn vrouwtje? Heeft ze weer een eigen wil? Is ze weer niet van plan te doen wat ik zeg? Vraag ik te veel? Heeft die vader van jou je niet geleerd dat je je man moet gehoorzamen? Foei, foei, schatje, ik had je intelligentie hoger ingeschat. Gelukkig zijn er vrouwtjes die beter luisteren en waar ik af en toe naartoe kan. Dat wist je niet, he? Dacht je nu echt dat jij voldoende was voor mij? Ach, hoe lief, huisje-boompje-beestje, echt schattig maar daarvoor moet je niet bij mij zijn, schoonheid, ik ben een echte man, ik onderwerp en sommige vrouwen worden maar al te graag onderworpen. Behalve de mijne, een vrije geest niet? Zonde. Bij die lamzak van een Jim zou je gelukkiger zijn, dat denk je toch? Dat zie ik je denken als hij hier met zijn onvruchtbare del rondhangt. Is nog niet mans genoeg om zijn wijf te bevruchten, de sukkel.

Wel, zet hem uit je hoofd, schatje, je bent van mij en je blijft van mij. Dat besef je toch? Ik laat je nooit gaan. Je bent veel te leuk om mee te spelen. Of misschien laat ik je wel gaan maar dan zonder je kinderen, dat weet je. Ga dus maar als je wil, ik zal je altijd vinden. En nu ga je zeggen: ja A.J., ik blijf bij jou. Kom op, zeg het maar, en een beetje lief ook, hoer.'

Jess stond te trillen op haar benen. Het aanrecht duwde pijnlijk in haar onderrug. Ze had nooit echt geweten dat hij haar bedroog, ze had er nooit naar gevraagd en was tijdens zijn duistere periodes meestal gewoon blij als hij weer eens verdacht lang moest werken of een nacht niet naar huis kwam. Dat was de laatste maanden niet gebeurd. Vreemd genoeg deed het haar pijn zo keihard met zijn schaduwleven geconfronteerd te worden. De tranen stroomden over haar wangen, haar keel zat dicht. A.J. nam haar kin hardhandig in zijn hand en duwde haar gezicht omhoog zodat ze hem moest aankijken.

'Oei! Is het vrouwtje geschrokken? Tja, de waarheid kan pijn doen. Maar ik hoor niks? Moet je me niks zeggen? Ik luister', en hij draaide zijn oor naar haar. Jess kreeg het niet gezegd en wist dat ze dat zou moeten bekopen. De eerste slag kwam onverwacht en voelde alsof er een bom ontplofte in haar hoofd. Onmiddellijk kreeg ze een stekende hoofdpijn op de kruin van haar hoofd. Op de tweede slag was ze meer voorbereid. Ze proefde bloed en voelde steken in haar rechteroog. Hij had haar handen in een stalen greep, geen denken aan dat ze weg kon geraken. Ze wist dat ze maar één manier had om zichzelf voor erger te behoeden: ze moest doen wat hij zei. Ze slikte het bloed door en zocht haar stem. Eerst kwam er enkel gepiep uit. A.J. bulderde om nog geen seconde later nog bozer te worden.

'Lach je me uit? Is dat het? Vind je mij grappig? Dat lijkt me geen goed idee. Als ik jou was, ik zou héél snel zeggen wat ik wil horen of je komt morgen best niet buiten. Ik hoef ook niet ter herhalen dat als je er ook maar aan denkt iemand te vertellen over onze leuke spelletjes, ik je nek breek? Zo slim ben je wel, hoop ik?'

Jess weende zo ingehouden mogelijk om hem niet nog bozer te maken. Het gevoel van onmacht en vernedering maakte haar woest maar ze was totaal aan hem overgeleverd. Met onmenselijke inspanning dwong ze haar stem te zeggen: 'Ik blijf... bij... jou.'

Hij duwde haar armen nog wat omhoog wat de pijn in haar onnatuurlijk achter haar rug gevouwen schouders en ellebogen verdubbelde. Ze schreeuwde schor. Hij duwde boos zijn geslacht hard tegen haar aan. Ze voelde haar onderrug schaven tegen het aanrecht.

'Wat zeg je? Ik hoor je niet? Wat luider graag!' en hij legde zijn oor tegen haar mond. Zijn ruwe baardgroei schuurde tegen haar neus. Nu pas besefte ze dat hij zich inderdaad al in geen dagen had geschoren. Had ze daarin een teken moeten zien dat hij zichzelf weer aan het verliezen was? Ze besloot tegen beter weten in hem te proberen paaien, al was het maar omdat haar schouders zo'n pijn deden dat ze dacht dat ze zouden breken.

'A.J.', begon ze dapper en zo verstaanbaar mogelijk. De smaak van haar eigen bloed in haar keel maakte haar misselijk en haar rechteroog klopte vanbinnen, 'natuurlijk ga ik niet weg, we hebben twee kinderen samen. Ik doe wat je vraagt, echt. Zou je alsjeblieft mijn armen even willen losmaken? Zo kan ik je niet omarmen, niet? Als je wil dat ik je hoer ben, geef me dan even ademruimte, dan kan ik me wat opfrissen en klaarmaken, he schat? Is het dat wat je wil?'

Het toneelspelen kostte haar gruwelijk veel moeite, vooral het besef dat ze al haar waarden moest proberen te vergeten en zich verlagen tot iets wat ze niet was. Maar daartoe was ze bereid, als het dan maar snel over was. A.J. grijnsde en loste inderdaad zijn greep op haar polsen. Het opnieuw stromen van bloed deed zo'n pijn dat ze naar adem hapte en even wankelde. Toch slaagde ze erin hem toe te lachen terwijl ze haar polsen leven in wreef. Haar jurk hing van haar schouders. Hij kneedde ondertussen hard haar borsten en trok met zijn andere hand haar slip omlaag. Ze voelde het aanrecht koud tegen haar billen. Ongeduldig stroopte hij zijn eigen broek af en liet haar amper ademen toen hij haar ene been ophief en zonder aankondiging bruut in haar stootte. Ze voelde haar droge vel vanbinnen scheuren. Ze zocht steun tegen het aanrecht en probeerde zich zo goed mogelijk te ontspannen, dan deed het minder pijn. Hij gromde en beet in haar hals, zijn linkerhand neep in haar billen. Plots sloeg hij zijn blik op. Die leek in niks op de ogen van de man waarmee ze jaren terug een leven was begonnen, blind van verliefdheid. Hoe was het mogelijk? Had ze dit moeten zien?

'Kijk me aan, ik wil dat je me aankijkt, dat ik zie hoe je geniet. Zeg dat je geniet. Zeg het!' riep hij terwijl hij haar als een brok graniet neukte. Het had niks menselijks meer. Het deed alleen maar pijn. Het lukte Jess echt niet om die leugen in zijn gezicht te zeggen. Ze kon de tranen niet tegenhouden, wetende dat hij daardoor pas helemaal door het lint zou gaan.

'Is het niet lekker? Zou je liever door die lamme vriend Jimmy boy van je eens lekker zacht gepakt worden? Echte hoeren houden van mijn aanpak, ik dacht dat jij er ook zo ééntje was? Altijd wild, bloot tonen, wulps bewegen. Of besef je niet wat je daarmee aanricht? Ik zie wel hoe ze naar je kijken. Ik wed dat Jimmy boy elke nacht in slaap valt met jou in gedachten als hij zijn penis streelt. Word je daar niet een beetje geil van, van die gedachte? Hoe andere mannen klaarkomen terwijl ze aan jou denken die zich langzaam uitkleedt en haar benen gewillig voor hen spreidt? Hoer! Maar voor mij doe je dat niet hé?' Zijn stem stokte toen hij zijn climax bereikte. Zijn vingers klauwden hard in haar billen en hij duwde haar zo hard tegen het aanrecht dat ze haar rug voelde kraken. Ze voelde enkel opluchting omdat het eindelijk voorbij was. Nu zou hij gaan slapen, zo ging het altijd. Zonder nog een woord te zeggen, liet hij haar los, hief z'n broek op en stapte de keuken uit. Ze hoorde hem de trap opgaan.

Jess zakte in elkaar en weende zacht. Niks was zo vernederend als tot seks gedwongen worden. Vreemd genoeg kon seks met A.J. hemels zijn. Zo was hij niet, zo bruut en vrouwonvriendelijk. Hij was een geweldige minnaar, zacht en teder maar ook gericht en beslist. Wat maakte toch van hem dit monster? Zacht fluisterde ze de naam van Jim, de enige man met wie ze A.J. had bedrogen, al voelde het op geen enkel moment aan als bedrog. Het voelde zo natuurlijk, alsof het mocht. Alsof de bakker zou reageren: *O, Jess Leander? Die heeft twee mannen, ja, dat klopt. Had u verder nog iets gewenst?* Gewoon. Maar dat kon niet. Je kon geen twee mannen hebben. De maatschappij aanvaardt dat niet en die mannen zouden dat niet aanvaarden, dus het kon niet. Punt. Zoals ze altijd deed, pakte ze al haar gevoelens voor Jim in een zijden geheimendoos en verstopte die diep in haar hart.

Snikkend probeerde ze haar jurk te fatsoeneren. Ze stond recht en plensde met haar twee handen koud water in haar gezicht. Ze wreef met een natte handdoek het sperma en bloed van haar dijen, rechtte haar rug en besloot wat net gebeurd was te klasseren bij de rest. Niemand kon haar helpen, niemand hoefde er iets van te weten. Na het weekend Parijs zou ze er wel weer toonbaar uitzien om naar het werk te gaan. Ze ademende een paar keer diep in en uit, ging naar boven, pakte een koffertje, nam een lange douche en ging dan naakt de tuin in tot ze klappertandde. Het was al laat, pikdonker en ijskoud door een gure westenwind. Ze ging pas klappertandend naar binnen toen ze zich gereinigd voelde door de wind en de kou. Ze nam twee pijnstillers en kroop als een poes ineengekruld in het logeerbed.

Parijs is voor de meeste mensen een levend schilderij, impressionistisch langsheen de Seine, expressionistisch in de juiste buurten, een stilleven op zondag als de stad zich op gang trekt — il est cinq heure, Paris s'éveille — modernistisch aan Beaubourg maar bovenal romantisch. Jess had alleen maar oog voor de duizenden koppeltjes die warm ingeduffeld halt hielden in de parken of lachend poseerden voor het glazen Louvre. Geluk is een tastbaar woord in Parijs. Het genstert via de tramlijnen, het gonst door de metro en het blaast je omver met zijn geur van stokbrood en de altijd vrolijke klank van het Frans dat als geen andere taal de mentaliteit van zijn inwoners weergeeft. Nergens kan je het leven zo gulzig in je opnemen als in Parijs. Jess voelde zich een buitenstaander tussen al die zinderende liefde en levensvreugde. Ze verstopte zich achter haar camera en bekeek alles door haar lens. De camera creëerde ook een veilig scherm tussen haar en A.J.. Haar rechteroog en wang stonden dik en in haar onderrug klopte bloed onder de wondjes. Ook vanbinnen voelde ze de rauwe gevolgen van gisteravond nog. Gelukkig kende niemand haar in Parijs en hoefde ze geen sjaaltje te dragen om haar gezicht te verstoppen al deed de grote zonnebril veel mensen omkijken, het was een grijze, winderige dag in Parijs. Voorzichtig liet ze zich door een schijnbaar uitgelaten, vrolijke A.J. meetronen door straatjes en pleintjes, behoedzaam dronk ze Pinot en beet ze in een baguette met paté, argwanend, bijna boos, bekeek ze de nietszeggende glimlach van de Mona Lisa. Waarom vond iedereen dit schilderij toch zo speciaal? Jess had er nooit iets aan gevonden. Ze hield eigenlijk helemaal niet van de duistere renaissancekunst. Die periode vloekte met haar vrije en open persoonlijkheid. Schilderijen raakten haar zelden, een paar expressionisten niet te na misschien; Kandinsky in zijn vroege periode of Schiele met zijn odes aan de vrouw. Kunst moest voor haar wild zijn en emoties uitlokken. Als hobbyfotograaf was ze zeer gehecht aan haar door Steve McCurry gesigneerde afdruk van *the Afghan Girl*, Sharbat Gula, een meisje dat in 1984 in een Pakistaans vluchtelingenkamp zat en daar is gefotografeerd. Haar indringende groene ogen hadden toen via de cover van *National Geographic* de ganse wereld veroverd. Jess kreeg geen genoeg van die ogen die haar dagelijks volgen in de gang. Die ogen zagen haar naar boven gaan en naar beneden komen. Jess had zich altijd heel

erg verbonden gevoeld met dat haar onbekende meisje dat ondertussen een vrouw moest zijn van 33. Soms praatte ze zelfs
tegen de foto en vreemd genoeg hielp dat. De ogen waren zo
wijs dat ze niet oordelen en dat kalmeerde Jess.

'Mocht ik alles kunnen overdoen, ik zou in Parijs willen wonen.
Is het hier niet zalig? Kijk toch eens Jess', en A.J. omarmde
Parijs van op het tweede platform van de Eiffeltoren. Het was
er snijdend koud, Jess rilde maar A.J. straalde enkel zon uit
met zijn immer bruine huid en slechts een helblauwe wollen
trui met V hals aan waarin hij er ontegensprekelijk heel mannelijk uitzag, te oordelen naar de steelse vrouwelijke blikken
die Jess opmerkte overal waar hij passeerde. Ze kon zich perfect
herinneren welke indruk hij op haar maakte die eerste keer
op de pechstrook. Ze was onmiddellijk reddeloos verloren. Hij
bezat een kracht waarvan je nooit meer los kwam. Jess rilde
nog meer en dook diep in haar winterjas. Ze had nu al schrik
voor het moment dat ze met A.J. alleen zou zijn in die hotelkamer maar hij had niks door. Voor hem was het alsof er niks
gebeurd was, hij straalde en zag er werkelijk gelukkig uit en
gestoord omdat zij dat duidelijk niet was. Hij legde Parijs aan
haar voeten, wat wil een vrouw nog meer?

'Jess! Wat is er nou toch? Lach! Leef!', maar Jess lachte niet.
Ze was helemaal in de war. Wie was deze man toch? Hij was
in zo'n goede bui dat ze het opportuun vond dat te proberen
uitzoeken, nog altijd in de hoop dat ze zich vergiste, dat hij
helemaal niet dat monster was, dat het op een dag voorbij zou
zijn, dat hij zou veranderen, dat enkel het goeie zou overblij-
ven want in de goeie momenten was ze echt gelukkig met hem.
Welk van de twee was de echte A.J.?

'A.J.... hoe kan ik nu lachen na wat je gisteren hebt gedaan?'
probeerde ze voorzichtig. Meestal reageerde hij op vragen over
zijn gedrag door nog meer gewelddadig gedrag. Hier voelde
ze zich veilig met een horde Japanners en Amerikanen naast
zich. Verveeld wuifde hij haar vraag weg.

'Ach gisteren, ik had wat teveel op, meer was het niet. Had je maar wat meer moeten mee werken, geen enkele man verdraagt afwijzing, dat begrijp je toch. Kom, laat dat ons weekend niet verpesten he Jess, wat gebeurd is, is gebeurd. We moeten van het nu genieten, dat zeg jij toch altijd? Kom, we moeten gaan, ik heb een verrassing! Tickets voor een afvaart van de Seine, met diner aan boord. Zeg nu nog es dat ik niks ken van romantiek! Nemen we de lift?' en weg was hij, incident gesloten en terug-gebracht tot een verwaarloosbare proportie, niks aan de hand, 'dronken man heeft seks met onwillige vrouw'. Ze stapte hem stevig achterna en keek nog even achterom naar de in gouden licht badende stad voor ze in de lift stapte.

'De liefde van de man is de wereld maar de wereld van de vrouw is de liefde. Heb ik altijd mooi gevonden, van Alterberg, de Oostenrijkse dichter. En als dit geen kamer is die uitnodigt tot liefde weet ik het ook niet meer.'

A.J. gooide de deuren naar het terras open. De koude nacht-lucht stroomde binnen, samen met een uniek zicht op de let-terlijk stralende Eiffeltoren en het ophitsende lawaai van de immer wakkere stad. Jess bleef verbluft in de deuropening staan terwijl A.J. hun valiesje op een van de twee bedden gooide. Dit was pas luxe. A.J. gooide zijn geld niet echt over de balk maar af en toe leek het alsof de dingen geen prijs hadden. Dan leek zelfs de hemel te koop. Hij was in een opperbeste stemming en lachte haar oprecht en kinderlijk blij toe, wachtend op een complimentje of een dankuwel.

'De Errol Flynn suite, Jessica schat, puike kerel, die Erroll, gestorven op z'n vijftigste met het lijf van iemand van 75, echt waar, de man heeft zich dood geleefd aan drank, drugs en vrouwen. Volgens kenners was de man abnormaal groot ge-schapen en maakte het hem weinig uit of ie het met mannen of vrouwen deed, zelfs minderjarige meisjes, de vlegel. Marlene Dietrich noemde hem een Engel van de Duivel. Dat weten de meeste fans niet, denk ik. Waarom ik dergelijke trivia altijd wél onthoud, geen idee, altijd gehad. Kom!'

Een paar glaasjes rosé op de boot hadden Jess al wat zwak in de knieën gemaakt en A.J. was de perfecte man geweest, het middelpunt van de boot. Het was hem aangeboren onbewust alle aandacht naar zich toe te trekken. Jess moest toegeven dat ze genoot van de bewonderende blikken van de andere vrouwen. Ze rechtte haar rug en keek ze trots recht in de ogen. Het duiveltje dat sinds gisteren op haar adem had gedrukt, werd doorgespoeld met de rosé tot het helemaal zweeg en alles weer goed was zoals gisteren voor even na half tien.

'Kom dan toch binnen! Aha! Mevrouw wil over de drempel gedragen worden, zoals op onze huwelijksdag, die – en ík ben het niet vergeten – vandaag precies 5 jaar geleden is, Jess, weet je het nog?'.

A.J. wipte van het bed, gooide in één ruk zijn trui over zijn hoofd en kwam met ontbloot bovenlijf voor haar staan. Zacht streelde hij haar wang. Ze stond nog altijd roerloos half in de gang. Hij trok haar met één hand binnen en met de ander sloot hij de deur. Jess verstijfde even maar voelde onmiddellijk dat dit niet dezelfde man was van de dag ervoor. Dit was de A.J. die ze kende en waar ze hartstochtelijk graag mee vrijde. Ze ontspande en gaf zich gewonnen. Ze was hun huwelijksdatum inderdaad helemaal vergeten. A.J. hief haar op en droeg haar als een schat naar het kingsize bed waar hij haar zonnebril afzette en haar gekneusde oog en wang teder kuste alsof hij daar niks mee te maken had gehad. Hij ontknoopte haar dikke jas en deed langzaam al haar kleren uit tot ze naakt lag te rillen op de roodwollen voering van haar eigen jas. Ze rilde, niet alleen van de novemberkou die door de open terrasdeuren nog altijd vrij naar binnen kwam, maar ook omdat ze – hoe totaal fout ze dat zelf ook vond na wat er gisteravond was gebeurd – ongelooflijk zin had in hem. A.J. kon haar helemaal gek maken door de seks te blijven uitstellen. Seks met A.J. was altijd al verslavend geweest en voor haar geest zich helemaal van de werkelijkheid afsloot, besefte Jess heel even dat ze nog altijd hopeloos verslaafd was.

Ga maar liggen liefste in de tuin,
de lege plekken in het hoge gras,
ik heb altijd gewild dat ik dat was,
een lege plek voor iemand, om te blijven

'**K**an je mijn zijden sleep even vasthouden, Marion? Ontwerpers houden er toch nooit rekening mee dat een mens moet gaan plassen op z'n trouwdag', giechelde Jess terwijl ze met de deur open neerplofte op het toilet. Gaan plassen doen vrouwen wel vaker samen. Haar wangen kleurden rood zonder make up en haar glanzende ogen lachten van de pret en een glas teveel. In haar onderbuik groeide leven maar ze wist het nog niet. Het wou zich nog even verbergen. Haar krullen die een kapper nochtans vakkundig had geordend vanmorgen, wipten even vrolijk mee met haar onhandige bewegingen met dat grote kleed in de te kleine ruimte. Lovertjes flikkerden in het koude licht van het toilet en Jess schopte haar pijnlijke schoenen-van-één-dag uit. Marion worstelde voor de deur met de sleep, Klara stond het gedoe met een glas champagne in de hand met de glimlach aan te kijken. Ze zag er ravissant in een grasgroene jurk en tergend hoge hakken, haar donkerbruine haar gemillimeterd in een pagekop geknipt en met een dikke, gedurfde lijn kohl rondom haar ogen. Het vriendje-van-de-maand dat met haar deze heuglijke dag mocht beleven heette John, of Ron of zoiets, een Schot van geboorte maar zo zwart als de nacht. Heel vreemd om uit die zwarte mond dat Schotse accent te horen rollen, had Marion zeker al drie keer gezegd vandaag. Ze waren allemaal wat boven hun theewater. Voor Klara was de nieuwigheid er al af. Ron-John-whatever zou al snel vervangen worden, wist iedereen, behalve de man zelf die zich echt veel moeite getroostte op goede voet te komen met Maureen die helaas zeer weinig van zijn echt wel zware

Schotse accent begreep. Maar ze bleef dapper en geïnteresseerd glimlachen.

'Lukt het zowat, pasgehuwde vrouw? Of heb je met nog zaken assistentie nodig? Uw dienaar staat klaar!' en Marion salueerde onhandig met de sleep over haar armen. Zij had gekozen voor een donkerblauw broekpak met een simpel wit hemd dat wat vet op haar heupen legde en haar er best vrouwelijk deed uitzien. Haar dunne haar had ze strak opgebonden in een lage chignon. Haar wangen bloosden van de champagne.

'Godver zeg, kan die sleep er niet af? Zo hou ik het echt geen avond dag vol! Hoe moet ik daar straks de ganse nacht mee dansen?' vloekte Jess luid waarop haar vriendinnen het uitproesten.

'Jij gaat niet de ganse nacht doordansen, jij hebt straks je huwelijksnacht! Mmmm...' fantaseerde Marion lacherig en met de nodige overacting, 'de eerste keer je huwelijk consumeren... Wat denk je? Zal hij er wat van bakken?'

'Alsof deze jongedame daar niet allang alles van weet, he Jessie? Ik wed dat hij vrijt zoals hij eruit ziet: stoer, heftig, verrassend en zelfs een tikkeltje bruut', gokte Klara die geen moeite had haar meest intieme details te delen met haar vriendinnen. Seks hoorde voor haar bij het leven als yin bij yang, niks om je zo druk om te maken. Ze praatte er even sappig over als over eten. Marion was wat terughoudender op dat vlak en bloosde nog dieper door de vranke woorden van Klara. Jess spoelde door, vloekte binnensmonds en kwam uit het toilet.

'Voor je informatie, A.J. is een hele tedere, fantasievolle, héél ervaren minnaar. Trouwens, lady in green, dat zijn jouw zaken niet. Hou jij je maar bezig met je Schot. Een neger én een Schot! Als de vooroordelen ook maar een beetje waar zijn, moet dat vuurwerk geven in bed.'

'Dat is ook zo', antwoordde Klara ernstig. Marion wou lachen maar zag dat Klara het meende.

'En jij Marion? Geen prince charming gevonden voor vanavond? Waar is die leuke... hoe heette ie ook al weer... die blonde die opdient in de *Allay*? Lee? Was je daar niet even mee?' vroeg Klara.

'Bij nader inzien mijn type niet', mompelde Marion wat betrapt terwijl ze worstelde om de haakjes van de sleep los te maken zonder de zijde te beschadigen. De sleep liet eindelijk los en onthulde Jess in een spierwitte jurk zonder enige franje die haar omsloot als een bolster. Ze was zo mooi als je enkel op je twintigste zijn kan. Het leven straalde van haar af. Ze was écht gelukkig.

'Je bent mooi, Jessie, echt. Ik heb nooit een mooiere bruid gezien dan jij en dat meen ik', complimenteerde Klara haar. Jess kaatste de bal terug met een grapje: 'Hoeveel huwelijken heb je dan al meegemaakt van goeie vriendinnen?'

'Jij bent de eerste.'

'Ja dàn is het niet moeilijk om de mooiste te zijn', grapte Jess die heimelijk opgetogen was over het compliment van haar vriendin.

'Jess! Kom je?' klonk de stem van A.J. door de marmeren gang van het oude omgetoverde klooster waarin het feest werd gehouden.

'Dat is A.J., ik moet gaan. Kom!' en Jessie holde weg.

'Je schoenen, Assepoes!' riep Marion haar na.

Hollend draaide Jess zich even om: 'Hoef ik niet! Mijn sprookje zal even mooi eindigen, dat zal je wel zien! En ze leefden nog lang en gelukkig!'

'Vrienden, papa, lieve, mooie Jess, ik weet dat ik beloofd had om niet te speechen maar je weet ook dat ik me zelden aan mijn beloftes hou.'

A.J. stond met een glas in de hand te glunderen in een compleet wit pak, iedereen keek hem goedgeluimd afwachtend aan. De perfecte akoestiek van de oude kloosterzaal maakte dat iedereen onmiddellijk aandachtig was.

'Mijn vader weet, vrouwen en ik, dat ging niet altijd goed. En dat is nog beleefd uitgedrukt.' Iedereen lachte, behalve

Gust die zijn kersverse schoonzoon nog altijd met de nodige scepsis behandelde en Maximilaan die zelfs vreemd genoeg bezorgd keek.

'Men zegt wel eens dat mannen altijd op zoek blijven naar het evenbeeld van hun moeder en dat daarom geen enkele vrouw goed genoeg is. Je zou dat ook een drogreden kunnen noemen voor veelwijverij.'

Alweer had hij de lachers op zijn hand. Jess zat hem stralend aan te kijken.

'Een vrouw vinden die op mijn moeder lijkt, daar is geen beginnen aan. Ik was tien toen ze verongelukt is, voor mij is ze een foto, een mythe, ik heb haar geboetseerd uit gekleurde herinneringen. Mijn moeder is voor altijd een ideaalbeeld. Het zou oneerlijk zijn een vrouw daaraan te toetsen. Waarom dan Jessie? En niet Marleen? Linny? Nathalie? Euh... hoeveel vergeet ik er nog...' alweer lachsalvo door de zaal, 'neen, serieus, wie mij een beetje kent, weet dat ik deze stap niet lichtzinnig zet. Ik ben 32 geworden in augustus, je zou toch mogen verwachten dat ik ondertussen de jaren van verstand heb bereikt, ahum' en guitig keek hij zijn gasten aan waarna hij zich tot zijn vader richtte, 'papa, graag mijn eerste dankwoord aan jou. Je hebt een zwaar leven gehad, mijn tweelingbroer Johannes die doodgeboren is, je mooie vrouw Sofia moeten zien lijden en sterven en dan alleen achterblijven met mij, uit de grond van mijn hart zeg ik je in aanwezigheid van al wie ons lief is, dank u wel. Hoezeer ik ook mijn best zal doen op u te lijken, dat kan me nooit lukken. U verpersoonlijkt alles waar mensen een leven over doen om het dan nog niet eens te bereiken: u bent gul, medelevend, bijzonder intelligent en de meest trouwe vriend die iemand hier kan voorstellen. Ik meen het als ik zeg dat ik er elke seconde van mijn leven trots op geweest ben uw zoon te zijn.'

A.J. hief het glas, je kon een speld horen vallen, de ontroering verborg zich onder de tafels en in te harde kuchen. Maximiliaan hief ook zijn glas maar bleef ernstig naar zijn zoon kijken. Hij lachte niet.

Dan richtte A.J. zich met een gulle glimlach naar Maureen en Gust.

'Maureen, Gust, zonder jullie liefde zouden we hier vandaag niet zijn. Ergens op een moment is jullie passie zo hoog opgelaaid dat ze mijn mooie vrouw heeft voortgebracht, in schoonheid in een nek-aan-nek-race met haar zus Laura. Ik beloof jullie snel een evenbeeld van deze schoonheid, eerlijk gezegd, het oefenen verloopt boven alle verwachtingen.' Hilariteit natuurlijk en Jess wreef onbewust over haar buik. Allesziende Klara had dat opgemerkt en keek haar vragend aan, Jess schudde lachend het hoofd en liet onmiddellijk haar buik los. Neen, toch? Even dacht ze iets te voelen maar dat waren de champagnebubbels in haar darmen. Het zou wel die vervelende misselijkheid 's ochtends verklaren. Maar neen, ze wou wel kinderen maar niet zo snel, ze was pas 20! Ze verwierp het besef onmiddellijk en dronk in één keer haar glas leeg. Zwanger, stel je voor. Klara keek nog steeds en bracht haar een heildronk toe.

'Meneer, Gust, ik kan enkel beloven dat ik goed voor uw kostbare dochter zal zorgen. Ze zal nooit iets tekortkomen. Ze heeft uw wilskracht, uw vlijmscherpe analytische geest maar het spijt me het zo cru te moeten zeggen: de schoonheid heeft ze van uw vrouw.'

Maureen glunderde en nam blozend het spontaan applaus in ontvangst, Gust lachte wat groen. 'Lieve Maureen, schoonmama, jakkes, wat een woord, sta me alsjeblieft toe je gewoon Maureen te noemen. Van jou heeft mijn lieve Jess de open blik, de liefde voor alles wat leeft, haar onweerstaanbare vrouwelijkheid en haar kunst om elke discussie in haar voordeel te laten eindigen.'

Maureen die er verbluffend uitzag nu ze haar favoriete tuinoutfit had omgeruild voor een lavendelkleurige jurk en voor de gelegenheid zelfs acajou geverfd haar, verborg haar fijne gelaat gespeeld gegeneerd achter haar handen. Laura veegde de tranen uit haar ogen en klopte haar moeder bemoedigend op de rug.

'Blijft over mijn vrouw, mijn mooie Jess, wild en ontembaar, koppig en sexy, slim en soms sluw. Lieve Jess, ik ben de slechtste dichter ter wereld maar zoals je weet hou ik van poëzie, en toch heb ik geen gedicht gecomponeerd voor jou. Waarschijnlijk zijn de meesten mij daar zelfs dankbaar om. Ik zou het namelijk nooit beter kunnen uitdrukken dan de Nederlander Rutger Kopland, psychiater en dichter, heb ik altijd een grappige combinatie gevonden. Dit gedicht, lieve schat, zijn ze op dit moment op de zuidelijke muur van het koetsiershuis in de tuin aan het kalligraferen zodat je het altijd zal zien als je vanaf morgen binnenrijdt. Ik citeer dus mijn goeie vriend Rutger. Ahum. *Ga maar liggen liefste in de tuin, de lege plekken in het hoge gras, ik heb altijd gewild dat ik dat was, een lege plek voor iemand, om te blijven.'*

A.J. hief het glas naar Jess die volledig van haar stuk op slag weer nuchter was en voor het eerst in haar leven geen woorden vond. Ze liep naar hem toe, ging op haar blote tenen staan en kuste hem lang en teder waarbij de zaal volledig uit zijn dak ging.

'Hou van je', fluisterde ze tijdens het zoenen door en nooit had ze die drie woorden meer gemeend. Ze vergaten alles en iedereen en verloren zich in hun kus. Iedereen deed vrolijk mee, liefde flirtte rond in de zaal. Jim kuste Nicole, Klara kuste een man die ze niet kende zonder rekening te houden met Ron-John-whatever, Marion keek schichtig rond of er misschien op zo'n onbewaakt moment wat te rapen viel maar moest zich beperken tot haar glas. Zelfs Maureen en Gust kusten, aangestoken door de lovende woorden, een gebaar dat Gust duidelijk zelf verraste. De avond werd nacht, geeuwde maar hield zich tot de ochtend overeind. Het was grandioos.

Maandag 15 augustus 2005, 13.00

Taal ontbreekt woorden.

Tegelijkertijd komen ze binnengestormd, Marion en Klara, helemaal overstuur en Marion met haar jurk binnenste-buiten, zo had ze zich gehaast. Ze had lekker liggen zonnen op deze vrije dag en verwachte voor het eerst Noa, het drie-maanden-liefje van haar zoon Ralph, op de koffie voor een eerste kennismaking. Ze was in haar auto gesprongen zonder hem zelfs maar te zeggen waarheen en inderhaast had ze haar GSM vergeten. Foert.

'Jim! Wat is er met haar? Is het zover?' gilt ze met overslaande stem. Al nachten heeft ze nachtmerries over het sterven van haar vriendin en elke nacht gaat het anders. Soms sterft ze een gruwelijke verstikkingsdood, soms is het zoals in de film: blaast ze zachtjes haar laatste adem uit. Soms vecht ze als een leeuwin, soms weent ze hartverscheurend, daar is Marion altijd het meest kapot van, de machteloosheid. Maar de nachtmerries eindigen altijd hetzelfde: haar vriendin sterft. Ze kan zich al weken niet concentreren. Lee begrijpt het wel maar hij vindt toch dat ze het zich toch wel heel erg aantrekt. Maar het lukt haar niet om afstand te nemen. Ze is zó boos op het leven, zo boos op die kanker in dat zo dierbare afgetakelde lijfje dat ze soms dingen wil kapotmaken om van haar woede en onmacht af te komen. Alles zou ze doen, als het kon helpen. Dit lijdzaam toezien hoe haar mooie Jess langzaam hun wereld loslaat, doet gruwelijk veel pijn. En ze heeft geen idéé hoe ze zich gaat voelen als het écht voorbij is. Zal dat ooit wennen? Komt er ooit een dag dat het avond wordt zonder dat je aan haar hebt gedacht? Dat ze met Klara een Chablis zal drinken en schateren, zoals ze altijd deden met z'n drieën? Raakt zo'n gat ooit opgevuld? Ze is doodmoe, verscheurd tussen de verzuchting dat het niet lang meer mag duren en de blinde hoop dat het gewoonweg niet zal gebeuren.

'Jim?' herhaalt Marion haar vraag. Klara wrijft veel te hard over de handen van Jess als om ze levend te wrijven. Het lukt haar niet te spreken. Jim snuit omstandig zijn neus, schudt zijn hoofd, probeert zijn stem te zoeken, schraapt zijn keel en zegt uiteindelijk gelaten: 'Ze is in een diepe slaap weggezakt, door de zware dosissen morfine. Geen idee wat er nu kan gebeuren, zegt de dokter. Ze ligt zo sinds vanmorgen, geen haartje beweegt. Om de paar minuten voel ik haar pols, zo griezelig oppervlakkig ademt ze. Ze lijkt niet meer op Jess, vinden jullie ook niet? Het lijkt wel iemand anders. Alles wat haar zo typeert, is weg, haar ziel is precies al weg... ik...' en Jim breekt. Huilend draait hij zich om. Klara en Marion haasten zich hem te omarmen. Klara probeert de situatie onder controle te krijgen door praktisch te denken.

'Wie is hier allemaal? Moeten we Maureen en Gust niet bellen? A.J.? Weten Nick en Penny het al? Eventueel Monica, maar daar heb ik geen nummer van.'

Jim maakt dankbaar gebruik van de aangeboden hulplijn, kucht en schudt de ellendige werkelijkheid hoekig van zich af.

'Die zijn hier al allemaal, behalve A.J.. Penny is met Maureen, Maximiliaan en Monica iets gaan drinken. Wat een fijne man toch, die Maximiliaan, hoe kan zo iemand zo'n zoon voortbrengen. En A.J., tja, sorry hoor maar hem bellen heb ik niet gedaan, ik kon het niet. Ik heb hem ge-sms't, hij zit met Elisa in Boedapest, liet hij weten, maar zou onmiddellijk naar huis komen. Begrijp je dat nu, de moeder van je kinderen ligt op sterven en meneer gaat op vakantie naar Boedapest. Hij schreef dat hij er voor het werk was. Ja... zolang hij zijn eigen uitvluchten gelooft, mij best. Ik hoef hem hier niet. Vergeet ik iemand?'

'Nick?' vraagt Marion, 'hoe is het met Nick?'

Jim zucht machteloos.

'Het is vreselijk, echt, het is... je zou willen dat... dat je zo'n kind kan helpen maar wat kan je doen? Hij is nu even een luchtje gaan scheppen, één en al gespannen spieren en woede.

Hij neemt dit allemaal heel slecht op. God weet hoe hij zal reageren als ze... als ze echt weg is.' Jim krijgt het woord dood niet uitgesproken. Iedereen zwijgt en staat daar maar. Het is zo stil dat ze de lucht horen suizen in de verluchtingsbuizen en het straatlawaai vrij spel heeft door het halfopen raam. Een onbekende, piepjonge verpleegster komt met montere stap en een levenslustig gezicht onaangekondigd de kamer binnen. Haar jeugd stoort Klara. Ze kijkt het onschuldige kind boos aan. Die voelt de sfeer niet en zegt veel te luid: 'Wie is er verantwoordelijk voor mevrouw? Ik ben niet van deze verdieping maar met die feestdagen moeten we elkaar wat uit de nood helpen, vandaar. Als u iemand nodig heeft, kan het dus best even duren voor ik kom want ik sta er vandaag alleen voor, drie gangen op deze verdieping.'

'Het enige wat hier kan gebeuren is dat mijn vriendin, die ik al meer dan 20 jaar koester, zo meteen sterft. Daar kan u toch niks aan doen, neem ik aan?' gooit Klara haar fel in het gezicht. Het meisje, Simonne staat er op haar naamkaartje, verbleekt en is zichtbaar geschrokken. Klara heeft er al meteen spijt van, wat kan dat kind er allemaal aan doen.

'Het spijt me, hoe compleet fout van me. Zeg maar, wat kunnen we doen?'

Gepikeerd en overdonderd antwoordt het meisje, enkel naar Jim kijkend: 'Ik heb hier papieren voor de familie in verband met mevrouw. Neem uw tijd om ze te lezen en in te vullen. Er staat in dat mevrouw niet meer moet gereanimeerd worden, operaties moet ondergaan of nieuwe medicatie opgestart. Het komt er eigenlijk op neer dat u akkoord gaat dat het ziekenhuis geen pogingen zal doen haar leven kost wat kost te rekken. Deze procedure staat in onze reglement. Maar u beslist natuurlijk. Mag ik deze documenten hier leggen? Het spreekt voor zich dat u overleg kan plegen met een arts als u dat wenst. Helaas zijn er een paar met vakantie deze periode, ook haar oncoloog Prof Dr Kim Yun, maar dat wist u natuurlijk. Dr Metsiers is vandaag aanwezig, ik roep hem graag voor u op.'

'Dank u', neemt Jim met onvaste stem Jess' doodsvonnis aan, of zo voelt het voor hem toch, 'we kennen Dr Metsiers. Maar het zal niet nodig zijn hem te storen.'

'En dan...' aarzelt de verpleegster, 'ik weet dat dit moeilijke vragen zijn maar ik ben verplicht ze te stellen... de geneeskunde evolueert zo snel, elke dag ontdekt men medicijnen of behandelingen tegen kanker. Daarom is het noodzakelijk dat de onderzoekers wereldwijd over studiemateriaal beschikken, zoals de tumor van mevrouw. Als u er geen bezwaar tegen heeft, zou die na de dood verwijderd worden en gebruikt om te bestuderen. Dat staat u volkomen vrij natuurlijk... welteverstaan. Dat is het tweede document.'

Alle drie staren ze de verpleegster onthutst aan. Dapper gaat ze verder.

'En nog iets... blijkbaar is mevrouw hier aangekomen met slechts de kleren die ze aanhad? We zouden willen vragen of we haar die kleren mogen aandoen na haar dood, of de familie liever andere kleren brengt? Sommigen kiezen bijvoorbeeld zelfs hun trouwjurk.'

Marion slaat haar handen voor haar mond en draait zich wenend om. Dit is haar te veel. Waar moeten ze de moed halen om dergelijke banaliteiten te bespreken? *Neen, doe maar die bloemetjesjurk, daar staat ze zo mooi mee.*

Schijnbaar onverstoord gaat de verpleegster verder.

'Heeft u al een begrafenisondernemer? Wij hebben hier een lijst anders die u vrij mag inkijken, u vraagt het maar. Ik leg de documenten op het tafeltje, goed? Neem gerust uw tijd.' Ze draait zich half om maar zegt over haar schouder voor ze de kamer buitengaat: 'Ik weet heus wel hoe dit voelt, mijn mama is vorig jaar aan kanker gestorven, ook op deze gang. Ze was nog geen vijftig. Ik ben verpleegster geworden omdat ze al jaren ziek was en ik haar wou kunnen helpen. Ze is in mijn armen gestorven. Ik wens u veel sterkte. Als er ook maar iets is wat ik kan doen, bel maar. In de mate van het mogelijke maak ik tijd.'

Klara voelt zich nu nog meer schuldig om haar gratuite,

kwetsende opmerking en snuift luid lucht op door het open raam dat geen verkoeling brengt. De lucht is nat van de hitte, moessonhitte. Gek hoe op belangrijke momenten details je opvallen, bedenkt Klara zich. Er staan opvallend veel kranen tussen de daken waar kruiwagens lusteloos aan bengelen, hoog opgetakeld tegen diefstal. Wie houdt zich toch bezig met kruiwagens te stelen, of koperdraad, vraagt ze zich af. Ineens lijkt de wereld beneden haar een absurd poppenspel waarin allemaal mensjes rondrijden naar plaatsen waar ze helemaal niet hoeven te zijn, om ter drukst, om ter parmantigst en om te luidst roepend om aandacht. Hoe belachelijk allemaal, hoe futiel. Ineens ziet ze zichzelf helder in het midden van zo'n aandachtsveld, omringd door haar zakenpartners, ze staat helemaal alleen. Het besef is er plotsklaps en geeft haar een shock waar ze van huivert: waar is ze mee bezig? Rondrennen, rivalen overtroeven, op naaldhakken bewust mannelijke tegenstrevers uit hun lood slaan en waarom niet, er een nachtje plezier mee beleven; maar uiteindelijk is ze alleen als ze thuiskomt van weer eens een zakenreis of een uitgelopen vergadering. Geen erg, er wacht toch niemand op haar. Ze heeft veel geld verdiend de afgelopen jaren, ze heeft een naam die klinkt in haar wereldje... maar wat is ze ermee? Kan ze er Jess mee helpen? Kan ze er Nick mee troosten? Niks. Geld is waardeloos als het er echt op aan komt.

'Ik neem een man, een echte goeie man deze keer', flapt ze er ineens uit.

Marion en Jim kijken haar bevreemd aan. Klara recht haar rug. Zo zal ze de dood van haar vriendin verwerken: door meer inhoud aan haar eigen leven te geven, door een even goeie vrouw te worden als haar vriendin die ze altijd heeft benijd om haar zo eigen mix van onbesuisdheid en het toch vinden van rust, om haar koppig verder ploeteren, om haar zo aanstekelijke levenslust, haar overredingskracht, haar kunst om anderen van hun kunnen en schoonheid te overtuigen zonder zichzelf te verliezen of tekort te doen. En wie weet, waarom niet, wordt ze toch nog moeder. Ze is 41, heus nog niet te oud. Ze heeft aanbidders genoeg. Moeilijk kan dat niet zijn. 'En ik neem een kind', voegt ze er nog aan toe.

Marion kan helemaal niet meer volgen. Die staat nog altijd met de armen langs haar lichaam naast Jim. Nick komt binnen, hijgend. Hij is drie keer rond het ganse ziekenhuis gelopen om zijn energie kwijt te geraken, anders had hij zijn hoofd tegen een muur gebonkt van woede. Hij schrikt als hij Marion en Klara ziet. Taal ontbreekt woorden in dergelijke situaties.

'Dag Marion, Klara', zegt hij nonchalant. Hij is dol op de vriendinnen van zijn moeder, bij Marion heeft hij door zijn vriend Ralph sommige vakanties meer tijd doorgebracht dan thuis. Angstvallig vermijdt hij zijn moeder aan te kijken.

'Ze is oké, Nick, geen verandering', stelt Jim hem onmiddellijk gerust.

Nick herademt. Stil zoekt hij zijn plekje aan het raam en staart naast Klara naar de traag bengelende kranen. Ze zinderen in de hitte, net als de daken. De lucht heeft geen kleur vandaag. Er is geen horizon. Alles lijkt oneindig, ook de tijd. Hij is maar een half uurtje weggeweest of was het een uur? Klara probeert te voelen hoe ze hem moet benaderen. Moet ze hem omarmen of vindt een jonge kerel van 16 dat niet cool? Maar misschien heeft hij dat net heel erg nodig? Klara kijkt wanhopig naar Marion. Dat is ook een moeder, moeders zijn universeel, die weten altijd wat gedaan. Marion droogt haar tranen en komt ook aan het raam staan. Zacht legt ze haar arm losjes om zijn schouder. Die voelt afwijzend aan, op het randje van agressief maar ze laat haar arm liggen. De schouder aanvaardt en zakt wat dieper. En dan voelt Marion hem schokken, heviger en heviger. Ineens slaat Nick beide armen om Marion en snikt als een klein kind, net zoals hij daarnet al bij Jim heeft gedaan. Klara staat er onhandig naast. Ze is het niet gewoon om als toeschouwer aan de zijlijn te staan. Marion streelt zijn haar en sust hem als een kind.

'Oh Marion', snikt hij, 'ik ga haar... zo missen. Ik... ga haar zo missen.'

Het is de eerste keer dat hij in het bijzijn van zijn moeder toegeeft dat hij weet dat ze aan het sterven is. Jess beweegt niet. Ze is zo doorzichtig dat ze er al bijna niet meer is.

'Ik weet het Nick, ik weet het, wij allemaal, onthoud dat goed', sust ze,'wij allemaal. Kom maar veel bij ons, beloof je dat? Wij zullen er altijd voor je zijn, en Jim ook natuurlijk en je opa en oma en Penny. Allemaal.'

Nick snikt minutenlang, snift uiteindelijk nog wat na, wrijft dan met een haal van zijn onderarm zijn tranen weg en gaat naast zijn mam zitten. De anderen voelen aan dat ze hem best even alleen laten en gaan stil naar buiten.

'We gaan even een koffietje halen bij je oma in de cafetaria, goed? Als er iets is, vind je ons daar. Goed Nick?' vraagt Jim overbodig. Nick knikt.

Zoals hij elke dag urenlang doet, streelt hij de handen van zijn moeder. Door het witte vel schemeren paarse adertjes. In een van die adertjes druppelt gestaag de morfine, diezelfde morfine die maakt dat zijn moeder zo diep slaapt, die maakt dat er een onoverbrugbare afstand is tussen hen. Haar krullen liggen sterk uitgedund op het kussen, haar ogen diep weggezakt in de geprononceerde oogkassen. Vel over been. Haar weinige rimpels strakgetrokken. Ze neemt al bijna geen plaats meer in. De lucht heeft ongemerkt haar ruimte ingenomen. Het verdriet spant als een ijzeren gordel om zijn borstkas.

'Mam, ik ben er weer, hoor. Maak je maar geen zorgen, ik ben er weer. Er kan je niks gebeuren als ik er ben. Je slaapt nu, dat is goed, slapen is goed, daar word je sterker van. Dat zei je vroeger toch altijd tegen mij als ik niet wou gaan slapen, weet je nog? En als ik de hik had, dan zei je dat ik aan het groeien was. Ik geloofde dat en ging dan altijd checken bij mijn groeimeter. Omdat ik wou dat het klopte, klopte het ook. Weet je nog die keer dat ik flauwgevallen was en maar niet bijkwam? Wat was je toen in paniek. Ik was gestruikeld en met mijn achterhoofd tegen de stenen balustrade van het terras gevallen. Bloeden dat dat deed! Hoofdpijn dat ik toen had! Penny had dagenlang geen stem meer van het schreeuwen. Papa woonde toen al niet meer bij ons. Papa is in Boedapest, of Boekarest, ik haal die twee altijd door elkaar, voor het werk. Hij is op komst hoor, als je wilt dat hij komt tenminste. Als je dat liever niet hebt, knijp maar in mijn hand.'

Verwachtingsvol houdt Nick haar handen vast maar er gebeurt niks. De band rond zijn hart spant zich nog wat harder. Nick slikt en praat dapper door. Hij wil geen stilte tussen hen, er moet nog zoveel gezegd worden.

'Goed, geen probleem, ik vraag het straks nog wel eens een keer. Ik weet dat hij niet lief geweest is tegen jou, mam. Ik hoop dat ik je niet teveel gekwetst heb door te blijven met hem omgaan maar het blijft natuurlijk mijn papa. Meestal is hij eigenlijk een leuke papa en wees gerust, mij heeft hij nooit niks misdaan. Penny ook niet, denk ik toch. Mijn zus en ik... ach, we hebben weinig onderwerpen samen. Ook over papa en jou en zijn... zijn... wat hij deed, hebben we nooit gesproken. Maar we weten van elkaar dat we het weten. Het spijt me dat ik zo weinig heb gedaan om je te helpen, mam maar ik durfde niet. Ik had schrik dat ik het allemaal nog erger zou maken voor jou. Ik was zo blij toen papa thuis wegging die hete zaterdagnacht, weet je nog? Voorbij waren mijn nachtmerries omdat ik wist dat hij niet meer aan je kon. Jammer dat Jim nooit echt bij ons is komen wonen. Hij houdt van je maar dat weet je ook wel. Het zou leuk geweest zijn met z'n allen. Ik mag Jim heel erg, hij is zo anders dan papa. Een paar keer heb ik je willen helpen, dit heb je nooit geweten. Ik had je op een keer 's nachts horen wenen en je liep met zo'n sjaaltje rond je hals, dan wist ik altijd genoeg. Ik was zó boos!, vooral omdat je jarig was en ik wou papa weg hebben voor je verjaardag. Ik moet een jaar of negen geweest zijn. Jij was de volgende dag op het werk en zou daarna nog wat met Marion en Klara gaan eten voor je verjaardag, papa zou eerder thuis zijn en bij ons blijven. Penny was bij die vreselijke Elsie, dat deed ze altijd als papa... als hij zichzelf niet was, weet je nog? Nu, ik had al zijn spullen in vuilniszakken gestopt en aan de deur gezet die ik van binnenuit op slot had gedraaid. Op de deur had ik een brief gehangen: *laat mama met rust!* Stom eigenlijk maar goed, ik was pas negen. Met knikkende knieën stond ik te wachten achter de deur. Papa trok het papier van de deur, nam de zakken op en kwam binnen langs de keukendeur die ik was vergeten. Hij keek me aan en zei enkel: 'Doe dat nooit meer. Wat er tussen je mama en mij gebeurt, zijn geen zaken waar jongetjes van negen zich moeten mee bemoeien'. Ik was zo bang dat ik daar een half uur later nog stond. Ik heb het je nooit verteld en toen je de volgende dag jarig was, was ik het die dat gedicht op de muur van het koetsiershuis beklad had met rode verf. Tuurlijk heeft de politie de vandaal nooit gevonden, ik was het. Ik was het ook die de nacht dat papa is weggegaan Jim heeft gebeld. Heb je dat ooit geweten? Je hebt je precies nooit afgevraagd hoe Jim daar om twee uur 's nachts terechtkwam. Penny was niet thuis die avond, Penny was eigenlijk heel vaak niet thuis, als ik er nu zo over nadenk. Maar ik was wel thuis en ik heb alles gehoord.'

'Ik verbied je zo over hem te spreken! Jim is één van onze beste vrienden!'
      Haar tegenstand leverde Jess een flinke slag in haar gezicht op. Ze draaide om haar as. A.J. greep haar vast in haar nekvel. Hij was duidelijk nog niet uitgepraat over Jim.
      'Wat zie je er mooi uit vandaag, Jess. Hulp nodig, Jess?' deed A.J. hem smalend na, Jess dwingend hem aan te kijken, 'Jezus, die man kan praat verkopen! Allemaal om jou in zijn bed te krijgen. Of dacht je dat ik niet zie hoe jullie naar elkaar kijken? Is het niet? He?'
      A.J. verstevigde zijn greep op Jess' nek. Ze probeerde met beide handen zijn handen los te wrikken maar ze kon fysiek

niet tegen hem op en dat wisten ze allebei.

'Ik val nog liever dood dan dat ik iets toegeef dat niet waar is! Ik ben beschaamd in jouw plaats en laat me los! Je doet me pijn', stampvoette Jess. Ze kronkelde als een slang om onder zijn greep uit te raken maar die was van staal. A.J. lachte haar uit.

'Doe maar, het lukt je toch niet. Zou je willen stiekeme dingen doen met Jimmy boy, he? Geef nu maar toe, dan is dit snel achter de rug. En ik zou maar wat stiller zijn als ik jou was, de kleine slaapt. Je zou toch niet willen dat ons kleine jongen jou zou betrappen met die kerel in ons bed? Dat moet ik verhinderen, vind je niet? Dus ik vraag het nog een keer: fantaseer je soms over die lapzwans van een Jim? Hij is net een slome aap, welke man kan nu geen vrouw krijgen? Zei je iets? Ik hoorde het niet...'

'Ik zei helemaal niets! En dúrf niet Nick te gebruiken. Ik mag er niet aan denken dat dat kind zijn vader dit ziet doen! Jij moest je schamen! Jim heeft niks fout gedaan! En ik ook niet. Laat me los! Ik heb er genoeg van, ik wil weg! Nu! Onmiddellijk,' tierde Jess. A.J. liet haar abrupt los. Hij leunde tegen het aanrecht en keek haar spottend aan. Jess hijgde en voelde even de pijn in haar nek niet. Wat betekende dit nu weer?

'Ga maar, toe. Maar ik blijf hier... en de kinderen vanzelfsprekend ook. Dit is mijn huis, hun thuis. Geen enkele rechter zal de kinderen toewijzen aan een onstabiele vrouw, wat denk je, en wees maar zeker dat ik advocaten en psychiaters zal vinden die dat onder ede willen getuigen. Alles is te koop in deze fijne wereld en geld heb ik gelukkig genoeg. Dus ga maar, laat je kinderen maar achter. Ik zal er goed voor zorgen. Je begrijpt wel dat ik geen man ben om lang alleen te blijven, dat vind je dan wel niet erg, hoop ik? Dit is een huis dat een vrouw nodig heeft, vrouwen genoeg en allemaal niet zo lastig en overspelig als jij. En je mag van geluk spreken dat ik zo'n gulle man ben: ik zal maken dat je je levensstandaard kan behouden. Maar ach, waar maak ik me daar zorgen om, je verdient zelf meer dan genoeg. Wat sta je daar nog? Ga dan. Dat wil je toch?'

Jess probeerde krampachtig niet te wenen. Ze balde haar vuisten tot ze haar nagels in haar vel voelde. Haar weerstand brokkelde af als een zandkasteel. Daarom kon ze niet winnen. Daarom kon ze nooit winnen. Hij was sterker, rijker en had de macht haar kinderen af te pakken. Haar tranen lieten zich niet meer tegenhouden en drupten op de grond. Ze voelde een golf van woede opborrelen die de controle overnam. Ze verloor zichzelf helemaal en stormde op hem af.

Boven had Nick alles gehoord. Hij weende in paniek mee met zijn moeder en deed het enige wat hem te binnen schoot. Bibberend draaide hij het enige nummer dat hij uit zijn hoofd kende omdat het zo gemakkelijk was, het nummer van Jim die slaperig opnam.

'Jim? Jim, het is Nick, je moet komen, nu. Mijn papa is mijn mama aan het vermoorden en ik weet niet wat ik moet doen, wat moet ik doen?'

Een paar kilometer verder sprong Jim klaarwakker uit bed en zei enkel: 'Je bent flink, Nick, blijf waar je bent, en doe niks, doe vooral niks! Ik ben er zo!'

Nick verstopte zich in een halflege handdoekkast en probeerde met zijn handen de geluiden van beneden af te weren. Hij was zelfs te bang om te huilen. *Jim komt, Jim komt, Jim komt*, wiegde hij zichzelf tot rust.

'Politie? Ja, ik bel voor een geval van ernstig huiselijk geweld. De vrouw is in levensgevaar, haar naam is Jessie Le... wat zegt u? Maar dat kan toch niet! Er moeten toch meerdere ploegen op stap zijn! Het is zaterdagnacht! En hoelang gaat dat duren? Relletjes in een uitgangsbuurt, vindt u dat belangrijker dan waarvoor ik u bel?... en dan moet u nog naar een ongeval ook... weet u wat, agent? U hoeft al niet meer te komen, ik regel het wel zelf', maakte Jim zich bozer en bozer terwijl hij in allerijl kleren aantrok. Hij gooide de hoorn op de haak, keek even achterom naar de lege plek in zijn bed. Nicole was nog maar een paar weken geleden naar Zuid-Afrika vertrokken en hij miste haar meer dan hij wou toegeven. Bruusk draaide hij zich weer om en reed aan een onverantwoorde snelheid naar het huis van Jess en A.J.. God, wat haatte hij die man.

Hij stopte met gierende banden, liet de lichten van zijn auto branden om geen tijd te verliezen en was in één sprong op het terras. De keukendeur stond door de hete nacht wagenwijd open, Jim nam zelfs de tijd niet om te ademen voor hij zich op A.J. stortte. Die was verrast en liet Jess los die hij aan haar haar vasthad, klaar om haar gezicht een tweede keer tegen de muur te slaan. A.J. viel maar verweerde zich als een dier in het nauw, ook al wist hij dat Jim groter en gespierder was.

Jess was volledig in paniek, zo heftig had ze A.J. nog nooit meegemaakt. Het was de eerste keer dat ze echt vreesde voor haar leven. In flitsen passeerden de voorbije dagen en uren voor haar ogen. Wat had ze toch gedaan om A.J. zo boos te maken? Ze brak zich het hoofd maar vond niks. Jim was zelfs al in een week niet bij hen geweest! Waar haalde hij het? Wat maakte dat hij zomaar veranderde? Ze begreep het echt niet. Het bloed stroomde uit een wonde aan haar voorhoofd en haar neus voelde gebroken. Ook waren een paar nagels ingescheurd wat nog het meest pijn deed. Ze moest zich aan een stoel vasthouden om niet te vallen, haar benen konden haar even niet dragen. Ze vroeg zich niet af hoe Jim daar ineens kwam, ze was gewoon blij. Op geen tijd had Jim A.J. geklemd. Die wist dat hij geen kant meer op kon omdat hij fysiek de mindere was, en gooide het over een andere boeg.

'He Jimmy boy! Wat doe je maat? Niks aan de hand, man, laat me maar los. Heus, ik doe niks!'

'Het spijt me dat ik dit niet eerder heb gedaan', siste Jim door zijn tanden, 'want enkel God weet hoe vaak ik op je gezicht heb willen slaan. En wat is het heerlijk dat eindelijk te kunnen doen.'

Er bleef van de immer aimabele Jim niks over. Elke spier in zijn gezicht drukte immense haat uit, de aderen in zijn hals klopten zichtbaar, zijn borst zwoegde onder zijn openhangend hemd.

'Mannen die op hun vrouw slaan zijn klootzakken, domme, arrogante klootzakken en jij staat op nummer één. Schoft! Ik had dit al veel eerder moeten doen maar omwille van mijn diep respect voor je vrouw, heb ik het niet gedaan. Je verdient haar niet, sukkel, ze staat mijlenver boven jou. Zal ik dat eens goed in... je... kop... rammen?'

Jim drukte bij elk woord het gezicht van A.J. hard tegen de vloer. Jess keek versteend toe tot ze besefte dat ook Jim helemaal de controle kwijt was.

'Stop! Allebei! Stop!' riep ze krachtiger dan ze dacht. Ze schrok zelf en dacht onmiddellijk aan haar kleine tijger die boven lag te slapen. Het mocht een wonder heten dat dat kind nog niet wakker was geworden. Gelukkig maar, dit waren scènes waar een kind nooit mocht mee geconfronteerd worden. Jess besefte dat het zo niet langer kon. Het moest stoppen. Ineens zag ze alles glashelder. Beide mannen keken haar aan.

'Jim, het is oké.'

Haar stem klonk wonderbaarlijk sterk en beheerst. Ergens diep vanbinnen had ze een krachtreserve gevonden, speciaal voor dit moment.

'Laat A.J. nu maar los, hij zal niks meer doen. Hij gaat nu naar boven, pakt zijn koffers en gaat weg. Zo gaan we het doen. Hier stopt het, ik kan niet meer. Ik pik het niet meer en weet je wat, Alex? Als je nog één keer ermee dreigt mijn kinderen af te pakken, vertel ik alles aan je vader. De arme man overleeft dat niet, dat besef je hopelijk toch? Jij bent alles wat hij nog heeft in z'n leven en hij denkt de wereld van je, zijn zogezegd geslaagde superzoon. Maximiliaan is ook dol op mij en zijn twee kleinkinderen, dus wie zal hij steunen, denk je?'

Jim had A.J. inderdaad losgelaten, zo dwingend en overtuigend klonk haar stem. Het was Jess die de situatie onder controle had. A.J. kroop op handen en voeten naar het aanrecht en trok er zich aan recht. Overal liet hij een bloedspoor achter. Hij besefte dat hij de oorlog verloren had en kreunde enkel.

'Zal ik nog eens de politie proberen, Jess? Daarnet hadden

ze geen tijd, wat denk je?' vroeg Jim die zijn hemd rechttrok en in een automatisch gebaar met bebloede handen zijn haar probeerde te fatsoeneren, in een poging greep op zichzelf te krijgen. Hij hijgde. Door veel te sporten was hij sterk maar dit was de eerste keer in zijn leven dat hij fysiek geweld had gebruikt. Gedachten en gevoelens tolden door zijn hoofd. Hij zag witte vlekjes dansen voor zijn ogen en zijn mond was kurkdroog.

'Geen politie. Ik walg van de politie, die doen toch niks', zei Jess nijdig, 'huiselijk geweld behoort toch niet tot hun prioriteiten. Het wordt pas interessant als het uitdraait op een gezinsdrama. Neen, ik wil dat zo weinig mogelijk mensen hiervan weten.' Ze richtte zich tot A.J..

'En jij, jij bent gewoon weggegaan, A.J.. Dat gebeurt, mannen doen dat wel vaker, gewoon weggaan.' Ze snoof schamper. 'Laat de kinderen maar aan mij over. Penny zal zelfs opgelucht zijn of was het je nog niet opgevallen dat je dochter nooit thuis is als jij hier bent? Ach, er zal een paar weken commotie zijn maar dat waait wel over. Ik zwijg, zo trots ben ik namelijk ook niet op ons verhaal, jij zwijgt ook. Een woord aan wie dan ook, en ik stap naar je vader, hoe graag ik hem ook zie. Onbegrijpelijk dat een man als hij, een onmens als jij heeft voortgebracht. Zoek hulp, laat dat mijn laatste woorden zijn. Ah ja, het spreekt voor zich dat ik in het ouderlijk huis van mijn kinderen blijf wonen en dat graag op dezelfde manier wil blijven doen, ja?'

Het was een akelig moment. Het lichtrood van het bloed viel extra op door het felle licht in de eerder koele keuken. Die was een slagveld en had wat weg van hyperrealistische schilderijen, een genre waar Jess als fotografe een haat-liefde verhouding mee had. Ze staarde naar de misplaatste vlekken. Bloedvlekken horen niet in een keuken. Hoe krijg ik die uit die oude kloostertegels, vroeg ze zich onbewust af. Dit was de ergste nacht van haar leven, na de dood van haar zus twee jaar geleden. De vermoeidheid en de pijn kwamen als een lawine ineens terug en ze was net op tijd bij een stoel. A.J. leunde nog altijd met zijn gezicht naar beneden tegen het aanrecht, ook Jim had geen vin verroerd. De tijd bevroor, tot A.J. rechtkwam en tot Jess' verbazing, met betraande ogen opkeek. Hij bleef haar lang genoeg aankijken om haar onbehaaglijk te laten voelen en in zijn ogen las ze enkel immens verdriet. De duivel was weg, dit was weer de man waarvan ze waanzinnig veel kon houden. Maar dit keer zou ze niet in de val trappen. Hier stopte het. Ze keek onverzettelijk terug. A.J. draaide zich om, nam zijn zomervest waar zijn autosleutels inzaten en hinkte de keukendeur uit.

'Ik kom volgende week wat spullen halen, oké?' zei hij zonder omkijken en weg was hij. Geen sorry, niks. Hij liet een geladen stilte vallen in de keuken. Jim en Jess staarden nog lang naar de open deur, alsof hij zou terugkomen. Pas als de brommende klank van zijn auto was weggestorven, ging ook Jim zitten. Hij nam Jess' handen in de zijne, opgedroogd bloed kruimelde tussen hun vingers. Ze zeiden niks, ze zaten daar maar, doodmoe.

Boven droogde Nick zijn tranen en kroop in bed waar hij de rest van de nacht niet meer durfde slapen en wachtte tot zijn moeder naar boven kwam, ook al wist hij dat de nachtmerrie voorbij was.

Donderdag 15 juni 1985, 16.10

Haar vrouwelijke koppigheid won altijd van de wanhoop.

Lui en verveeld lag Jess in de zetel met een stapel cursussen naast zich. Ze was een week tevoren pas eenentwintig geworden. Haar dikke buik zat in de weg. Ze kon op geen enkele manier haar cursus goed leggen en dokter D'Heelder was formeel: ze mocht niks meer doen, anders zou de baby veel te vroeg geboren worden. Ze was pas uitgerekend voor 18 juli, dat was nog meer dan een maand. Stilliggen, stilliggen en nog eens stilliggen. Ze kwam enkel buiten om haar examens te gaan afleggen. Ze wou absoluut zonder herexamens slagen. Ze was de enige zwangere in haar jaar, tweede licentie rechten. Ze was, nu ze er over nadacht, de enige zwangere op de hele faculteit, behalve een buitenlandse studente uit Maleisië. Soms was ze boos op die buik. Kinderen had ze pas gepland minstens vijf jaar nadat ze zou afgestudeerd zijn. Eerst werk zoeken, maar zoals vaak in haar leven gebeurden de dingen gewoon, zonder al te veel met haar agenda of dromen rekening te houden. Als haar hormonen met haar aan de haal gingen, had ze echt medelijden met zichzelf, net een kind dat niet voor zichzelf kan zorgen en ongewenst zwanger wordt. Ze had het niet zo nauw genomen met de pil en kon zich daarvoor nu wel op het hoofd slaan. Het klassieke verhaal: één keertje pil vergeten zal wel geen kwaad kunnen. Hoe dom kun je zijn. Niemand vroeg er haar naar maar ze las die vraag wel in alle blikken. Ze wensten haar overdreven enthousiast proficiat maar zij zag enkel het medelijden. *Arm kind.*

A.J. was door het dolle heen geweest, had meteen iedereen voor een groot feest opgetrommeld en haar voorzichtig voorgesteld te stoppen met haar opleiding. Hij kon best alleen voor zijn gezin zorgen, en weet je wat, als ze wou, kon ze later altijd wel 'iets' doen bij hem op kantoor. Ze was woest geworden, die stemmingswisselingen had ze wel vaker tijdens de ganse zwangerschap. Haar doel was advocate worden en zo zou het ook gaan! Of hij daar een probleem mee had? A.J. lachte om zijn temperamentvolle vrouw, nam haar in z'n armen en kuste haar kalm waarop ze begon te wenen, nog zoiets leuks. Ze vond er niks aan, aan dat zwanger zijn. Ze was zichzelf niet, haar lichaam veranderde in het monster van Loch Ness en haar favoriete thee uit Sri Lanka smaakte haar niet meer. Ze verslond chocola waar ze niet eens dol op was en voelde zich tien jaar ouder. Klara en Marion kwamen natuurlijk vaak op bezoek na de les om samen te studeren, maar Jess meed hen daarbuiten zoveel mogelijk. Ze leefde heel erg op zichzelf en als A.J. thuiskwam, in een veilige cocon met hem. Hoe belachelijk ze het van zichzelf ook vond, ze was voor het eerst in haar leven jaloers op de hyperslanke lijn van Marion en de perfectie van Klara die er meer als een manager uitzag dan als een studente. Die gedachten maakten haar dan weer boos op zichzelf. Hopelijk vond ze zichzelf terug na de bevalling, iets waar ze al helemaal niet naar uitkeek. Ze was gestopt er boeken over te lezen, het leek haar gruwelijk en onmenselijk pijnlijk. Het liefst wou ze dat ze lekker pijnloos met zo'n keizersnede zou mogen bevallen, maar dat durfde ze niet te vragen, en volgens een gespecialiseerd tijdschrift – haar overgelukkige moeder bracht er zo stapels mee – was een keizersnede ook helemaal niet zo'n geschenk en deed het ook wel pijn. Zucht.

Jess staarde naar het blad voor haar maar de woorden drongen niet door. Op haar buik lag de cursus Erfrecht. Ze las en las en herlas de cursus en vergat de helft onmiddellijk. Ze gooide hem gefrustreerd naast zich neer. Het liefst van al zou ze haar camera nemen en door hun parktuin wandelen waar ze elke keer wel schoonheid vond in de kleinste hoekjes: een nest, ontpoppende vlinders, wilde bloemen in het verwilderde gedeelte achteraan. Dan vergat ze de tijd en dwaalde urenlang door die paar honderd vierkante meter verborgen leven. Maar dat kon nu niet. Ze mocht niet wandelen. Haar moeder was zoals elke dag langsgekomen met een bord heerlijk eten. Jess durfde gewoonweg niet meer op de weegschaal gaan staan. Straks kwamen Klara en Marion waarschijnlijk nog wel eens maar ze keek minder en minder uit naar die bezoekjes. Hun leven stond vanaf nu toch wel heel erg ver af van het hare. Op vrijdag na Gerechtelijk Recht blijven plakken in de *Allay*... het leek haar zo ver weg. De laatste keer dat ze er was, had ze toch een biertje gedronken omdat water drinken daar gelijk staat aan goedbedoeld uitgelachen worden, zwanger of niet. Haar buik zat in de weg en ze slaagde er niet in vrolijk mee te babbelen met de futiele ditjes en datjes van haar vrienden. De baby had heftig gestampt wat ze ervoer als een teken dat ze hier even niet meer thuishoorde, dat ze hier misschien wel nooit meer zou thuishoren. Zuchtend verzette Jess zich, schonk zich een kop koude thee uit die haar niet smaakte en bladerde lusteloos in één van de flutmagazines. Ze las her en der een zin over lentekilo's kwijtraken die ze vlug oversloeg toen haar oog viel op een artikel. Het was de foto die haar opviel.

Het was een foto in zachte tinten van een raam met wapperende gordijnen, alsof er net iemand door verdwenen was. De foto deed haar denken aan zichzelf, binnen gevangen terwijl buiten de wereld lonkte. Ze vond het een intrigerende foto en begon het bijhorende artikel te lezen, het anonieme relaas van een vrouw van dertig die na jaren mishandeling door haar eigen man, eindelijk de stap zet om hem te verlaten. In één ruk las Jess het schrijnende verhaal, telkens met die foto in haar ooghoek. Haar hormonen lazen mee en tot haar eigen grote ergernis zat ze algauw te snotteren boven het artikel. Zo vonden de vriendinnen haar, ze waaiden als een lentebries binnen door de altijd open keukendeur. Jess had ze nog nooit op slot geweten.

'Jess? Wat is er? Voel je je niet goed? Ziekenhuis bellen?' was Klara onmiddellijk gealarmeerd. Marion schoof naast Jess op de zetel, nam het tijdschrift op en las het artikel diagonaal.

'Wat lees jij nu? Moet jij niet bezig zijn met je cursussen, jongedame?'

Jess wreef met haar onderarm over haar ogen, snoof als een peuter haar neus op, wou in één slok haar beker thee uitdrinken maar verslikte zich. Ze moesten alle drie lachen, ook al had de koude thee waarschijnlijk onherstelbare vlekken gemaakt op de zijden hippierok van Klara waarmee ze er toch nog majestueus uitzag. 'Gewoon' was een woord dat je nooit voor Klara zou gebruiken.

'Sorry Klara, jongens! ik ben toch zo onhandig! Ik ben écht een olifant, kijk mij nu toch. Help! Kan ik nog abortus overwegen, denken jullie?'

'Tuurlijk schat, geen probleem, zullen we je onmiddellijk wegbrengen of had je nog een laatste avondmaal gewenst?' grapte die terug. Het leek haar vreselijk, zwanger zijn. Arme Jess, maar dat zei ze natuurlijk niet. Dat zei niemand luidop.

Marion tuurde ondertussen ook geïnteresseerd naar de foto in het tijdschrift.

'Je begrijpt zoiets niet, hè? Wat jullie? Hoe bestaat het toch, in deze tijden, dat er nog altijd vrouwen zijn die op hun gezicht laten slaan en tóch bij die man blijven. Man, man, als ook maar één kerel er zelfs maar aan zou dénken mij pijn te doen, ik schopte hem waar de zon niet schijnt zodat hij nooit nog seks kon hebben. Toch?'

'Wat een verhaal... Blijkbaar zitten er ook hiaten in onze wetgeving, anders gaat zo'n vrouw toch recht naar de politie?' redeneerde Jess die er weinig florissant uitzag met haar roodbetraande ogen en vlekken in haar bleke gezicht. *Je mag niet in de zon als je zwanger bent! Dan krijg je vlekken die nooit meer weggaan*, had haar moeder haar op het hart gedrukt. Ze probeerde haar soepjurk wat elegant te draperen maar haar buik was zo dik dat ze in niks nog vrouwelijke vormen had. Zelfs haar voeten waren dikke waterpootjes met hier en daar een zichtbaar netwerk van rode bloedkabels op haar enkels. Marion zag haar kijken en ja, daar was de medelijdende blik weer waar ze zo'n hekel aan had. Wedden dat ze me zo meteen moed gaat inspreken, dacht Jess

'Nog even volhouden, Jess, ik kan me niet inbeelden hoe zwaar het moet zijn voor jou, maar over een paar weken ben je de mooiste mama op de planeet met de mooiste baby aller tijden in je armen én het diploma van eerste licentie op zak. Heus!'

Zie je wel. Jess knikte cynisch en maakte aanstalten om op te staan en voor de tiende keer in één uur tijd te gaan plassen. Haar blaas was gekrompen tot een vingerhoed. Ook al zo leuk, zelfs 's nachts. Ze had al in geen weken een nacht doorgeslapen, en dan die nachtmerries! Ze droomde woelend over doof geboren baby's, A.J. die Marion vermoorde, haar vader die Klara betastte en soorten seks met Jim waar ze zelfs nog nooit had van gehoord. Hoe kwam een mens op zulke gedachten? Dan werd ze gillend wakker met een wakkere baby in haar buik die er op los trommelde zodat ze niet meer kon slapen. Ze was doodop.

Klara en Marion liepen elkaar in de weg om haar naar het toilet te helpen, wat helemaal niet nodig was. De poes draaide zich nog eens om in de zetel en begon omstandig haar linkerpoot te likken. Wat een gedoe.

'Goeiemiddag dames! Blij te zien dat mijn vrouw gezelschap heeft,' kuste A.J. die ongemerkt was binnengekomen de processie op de terugweg, en zijn vrouw met een voorzichtige knuffel en een extra kus op de buik, 'ik ben eerlijk gezegd weggelopen op bureau, met akkoord van mijn papa natuurlijk. Ik had zin om hier te zijn. Leuk om de baas te zijn, je mag je zin doen. Eén goede raad, dames, zorg ervoor dat je nooit een baas hebt, maak dat je zelf de baas bént. Nog iemand zin in een muntwater met ijs? En ik dacht dat ik ergens verse aardbeien had gezien.' Een en al energie vloog A.J. door de kamer, aaide de poes, schudde de kussens op en was al in de keuken voor hij uitgesproken was. Soms leek het of A.J. een centrale van energie kon voorzien, één brok leven. Jess werd moe van naar hem te kijken.

Uitgeput maar blij hem te zien keek ze hem aan terwijl ze opnieuw in de zetel ging liggen. Ondanks de hand van Jess die nu overal voelbaar was in het huis, bleef het een prachtig maar koud huis. Je ging als vanzelf zachter praten. Zelfs het boeket ingetogen roze rozen leek misplaatst. Het huis was alles wat Jess niet was.

'Hier schat, dames,' gaf A.J. hen alledrie een fris glas muntwater, 'wat was je aan het studeren?'

Hij nam haar cursussen op en bladerde er door. Zelf was hij afgestudeerd met grote onderscheiding. Hij was de perfecte ondervrager: rustig, geduldig en met een schat aan kennis. Toch vond hij het niet nodig dat ze haar diploma haalde. In sommige dingen was hij belachelijk ouderwets: een moeder moest thuis zijn voor haar kinderen. Af en toe was ze inderdaad zo moe dat ze er bijna de brui aan gaf, maar haar vrouwelijke koppigheid won het altijd van de wanhoop. Gelukkig aanvaardde hij haar beslissing en steunde haar nu volop bij het behalen van dat verdomde diploma. Ze geeuwde als een leeuwin toen ze naar de ontspannen slapende poes keek. Was ze maar de poes.

A.J.'s oog viel ook op de foto van het raam in het nog openliggende tijdschrift. Hij pakte het op en bekeek de foto nader. Jess streelde verliefd zijn bruine arm onder de nonchalant opgerolde mouw waarop de spieren afgetekend stonden. Hij maakte haar werkelijk dolgelukkig, was grappig, daagde haar uit om over alles na te denken, brak heilige huisjes af, was een meedogenloze maar faire advocaat, een zoete minnaar en Jess wist nu al dat hij een fantastische papa zou zijn.

'Begrijp jij dat, A.J.?' vroeg Marion terwijl ze genietend de verse munt uit haar glas lepelde. 'Dat een vrouw bij een man blijft die haar slaat? Want daarover gaat dat artikel bij die intrigerende foto.'

'Stomme vrouwenblaadjes', vloog A.J. onverwacht uit tegen Jess. Hij gooide het tijdschrift in de papiermand en beende de kamer uit. 'Heb je heus niks beters te doen dan verzonnen artikels te lezen in van die duffe blaadjes? En ik die dacht dat je aan het studeren zou zijn.'

Jess keek hem met haar nog rode ogen aan en begon onmiddellijk opnieuw te wenen. Zo had ze hem nog nooit meegemaakt. Klara en Marion keken hem ook verward na terwijl ze als moederkloeken Jess troostten. Door het raam zagen ze A.J. een sigaret aansteken en er onbeheerst aan trekken.

'Rustig schat, hij is wat overstuur, het is voor hem ook veel, denk ik. Gewoon een opflakkering. Iedereen heeft altijd alle aandacht voor de zwangere maar zelden voor de man. Meer is het niet, zo meteen komt hij binnen en komt alles weer goed, je zal wel zien', babbelde Klara gespeeld vrolijk tegen Jess. Maar argwanend keek ze over Jess' schouder door het raam naar de rug van A.J.. Die stond gebogen over de balustrade en keek de tuin in. De woede die zijn rug uitstraalde maakte Klara bang, heel bang.

Ik hou niet van geheimen.
Op een dag doen ze iemand pijn.

De feestdag en het vroege namiddaguur maken het vreemd rustig in de cafetaria. Een poetsvrouw met hoofddoek zwabbert rond de tafels. De caissière leest een boek met bloed op de cover, ziet Klara. De titel kan ze niet lezen. De rest van de familie is terug naar boven, naar Jess. De ramen zijn zo geïsoleerd dat het binnen heerlijk koel is en geen geluid van buiten binnendringt. Er loopt buiten op het voetpad langsheen de cafetaria een kind aan de hand van zijn getergde vader te jengelen. Een paar tafeltjes verder zit een oud koppel, man in rolstoel en kromgebogen. Als een geoliede machine helpen ze elkaar koffie drinken en een dagoud taartje te verorberen, waarschijnlijk veruit de enige activiteit van die dag. Ze spreken geen woord en stralen geen enkel gevoel uit. Marion wordt er depressief van. Ze heeft een haat-liefdeverhouding met het woord 'oud'. Ze vindt 'oud' enkel iets om naar uit te kijken als het 'gezond' impliceert. Wat ze nu ziet, is alles wat ze nooit wil, maar waarom zou het haar bespaard blijven. Toch kan ze haar ogen niet van het koppel afhouden. Opeens stoort ze zich aan de trage, klungelige handelingen van de twee oudjes, en ze beseft dat het volledig aan haar ligt, niet aan hen. Abrupt gaat ze verzitten, wat een oortergend geschraap van stoelpoten op linoleum oplevert dat weergalmt in de stille, witte ruimte. Het koppel kijkt even op en roert dan zwijgend verder in de koffie.

'Wat heb je?' vraagt Klara bezorgd. Marion is anders nooit nerveus.

'Weet ik het... ik heb het niet op ziekenhuizen. Behalve om te bevallen kom je er nooit voor iets goeds. De geur van ziekenhuisgangen maakt me altijd weer een beetje kind, een kind dat bang is voor het spuitje, weet je nog, vroeger op school toen je klein was? Wat was ik toch altijd bang. Wel, zo voel ik me hier altijd, alsof boze mannen vreselijke dingen met me gaan doen die ik helemaal niet wil. Belachelijk, ik weet het. Ach, ik kan gewoon onze Jess maar niet uit mijn hoofd krijgen, geen seconde, ik word er zo moe van. *Kroniek van een aangekondigde dood*. Marquez. Ik heb dat altijd één van de mooiste boektitels gevonden, maar nu pas beleef ik hem constant. Je weet dat ze gaat sterven, we weten alleen niet wanneer. Word jij daar niet gek van? En als ik dan die oudjes zie, dan realiseer ik me dat zij nooit oud zal worden en dan... ik...' Marions stem breekt, ze huilt stil. Klara ziet tranen druppen in haar koffie. Ze knijpt bemoedigend in haar hand, meer om zichzelf van huilen te weerhouden dan om haar vriendin te troosten. Marion verwoordt zo goed wat ze zelf voelt, ze hebben het er alleen nog nooit samen over gehad. Bewust. Hun beste vriendin ligt daar boven ergens gewoon dood te gaan en zij kunnen daar niks aan doen. Klara wordt er gek van.

'Het zal nooit meer hetzelfde zijn, niks zal ooit nog hetzelfde zijn zonder haar, ik weet het, ik weet het', sust Klara met niks zeggende woorden. Ze vindt er geen andere. Welk woord is groot genoeg om te omschrijven hoe oneerlijk dit is?

'Als wij ons al zo voelen, hoe moet het hart van Penny en Nick er dan aan toe zijn? En Gust en Maureen dan? Hun tweede dochter? Ik heb me dat al vaak afgevraagd... als je zo hoort van mensen die jong gestorven zijn in een ongeval bijvoorbeeld, wat nu het beste is voor zij die achterblijven: dat het zo plots gebeurt, bam!, of dat je moet zitten wachten en toekijken hoe iemand sterft, zonder dat je ook maar iets kan doen. Het is gewoon vreselijk. Soms sta ik op en dan ben ik het even vergeten, eventjes maar, tot het ineens toeslaat en ik echt niet goed word. Dan word ik letterlijk misselijk, heb jij dat ook?'

Marion heeft geen zakdoek en knikt en snuift omslachtig in haar servet met koffievlekken. De caissière is zo in haar boek verzonken dat ze niks hoort of ziet. Even verplaatst ze haar aandacht naar haar kassa als een verpleegster een koffiekoek wil betalen. Klara herkent de stem van de verpleegster. 'Daar is Jeanne, dat is goed. Als Jeanne er is, is alles beter', en ze wenkt haar. Marion wrijft snel de laatste tranen weg met de rug van haar hand. Haar bleke gelaat staat meteen vol vlekken als ze weent. Met een vriendelijke glimlach knijpt Jeanne de oude man in de rolstoel even in zijn schouder en schuift dan aan. Jeanne heeft voor elke gelegenheid een aangepaste glimlach. Troostend, begrijpend, kalmerend, luisterend, opbeurend. Ze heeft nog meer lachjes maar die houdt ze voor thuis. Thuis is ze gewoon Jeanne. Hier is ze 'Jeanne, de verpleegster' en dat is iets helemaal anders.

'Bedankt. Zeker dat ik niet stoor? Ik heb maar eventjes hoor, mijn dienst is net begonnen maar ik kan het snoepen niet laten. Dat is er ook wel wat aan te zien, maar ach, die paar kilootjes maken me verre van ongelukkig,' lacht ze vrolijk, 'ik moét een koffiekoek voor ik eraan begin. Hoe gaat het boven?' vraagt ze met een begrijpende blik op Marions rode gezicht. Marion kan niet antwoorden, ze knikt alleen maar negatief.

'Kon iemand ons maar iets zeggen, euh... mag ik Jeanne zeggen?' vraagt Klara.

'Vanzelfsprekend.'

Klara glimlacht terug. Jeanne geeft haar elke keer moed, gewoon door wie ze is, alsof Jess iets minder aan het doodgaan is als Jeanne in de buurt is. Hopelijk is ze bij haar als het 's nachts gebeurt.

'Weet u... het ergste is dat we niet weten wanneer het zal gebeuren. Telkens mijn gsm rinkelt, schrik ik me te pletter, ik durf bijna niet opnemen. Die kamer binnengaan is een foltering. Hoe zal ze eraan toe zijn? Leeft ze nog? Je hebt ook geen idee of ze je hoort. Het is gewoon heel akelig allemaal. Je verliest de grond onder je voeten, zoals... hoe zal ik het zeggen... zoals in zo'n droom waarin je droomt dat je valt en dan val je precies écht in je bed, weet je?'

Jeanne eet smakelijk van haar koek, likt wat kruimeltjes

van haar mondhoeken en knikt.

'Ik begrijp het perfect. God of Allah of wie we ook de schuld willen geven, heeft het niet eerlijk geregeld. Iedereen wil het eeuwige leven en het liefst zonder pijn, helaas gaat het er zo niet aan toe en lijkt het alsof het net de goeie zijn die het meeste pijn lijden.'

'Ja! Zo is dat, inderdaad, dat denk ik ook vaak. Waarom Jess, en waarom niet A.J.? Die... sorry, ik moet haar privézaken niet zomaar op tafel gooien.'

'Niet erg, hoor, ik kan zwijgen. Ik praat veel met mijn patiënten. Het doet hen goed te weten dat ze dit leven met een verlichte ziel kunnen verlaten. Zelfs de katholieken durven niet alles aan de priester zeggen. Maar aan mij soms wel, ik oordeel niet. Ik luister gewoon, dat is meestal genoeg.'

'Heeft Jess u veel verteld? Is haar ziel er klaar voor, denkt u?' vraagt Klara ernstig. Zielen, psychiaters, godsdiensten, het past allemaal niet bij haar analytische, kritische geest, maar op dit moment wil ze alles graag geloven, als haar vriendin maar rustig mag sterven. Jeanne antwoordt niet meteen en kauwt bedachtzaam op het laatste stukje koek. Klara en Marion kijken haar gealarmeerd aan. Waarom antwoordt ze niet meteen? Jeanne kijkt hen eerlijk aan.

'Volgens mij ligt jullie vriendin ergens mee in de knoop. Ze heeft al een paar keer een poging gewaagd mij te vertellen wat, ik was klaar om te luisteren, maar het lukte haar niet het te vertellen. Maar goed, als jullie me nu willen excuseren, mijn collega zal wel naar huis willen, met de feestdag. Ik ben al tien minuten aan het spijbelen.'

'Jeanne... ben jij er vannacht? Als het gebeurt, dan... nou, we zouden ons geruster voelen als jij er was.'

Jeanne lacht gecharmeerd.

'Dat is lief maar helaas, ik stop om tien uur vanavond. Maar alle collega's van de afdeling palliatief zijn getraind in hun werk, maak jullie maar geen zorgen.'

'Natuurlijk, het is gewoon, tja, je gaat er een beetje van uit dat dokters en verpleegsters in zo'n ziekenhuis wonen, alsof ze geen ander leven hebben buiten deze muren. Gek hé...', verontschuldigt Klara zich. Jeanne lacht nu uitbundig.

'Toch wel hoor, ik ben gelukkig gehuwd, al bijna vijftien jaar, met een dokter, net een fout romannetje, en ik heb twee dochters van twaalf en acht, Sandra en Stefanie. Zo, en nu moet ik echt rennen. Tot straks boven waarschijnlijk enne... het spreekt vanzelf dat – als het binnen mijn shift gebeurt – ik alles doe wat ik kan om jullie vriendin te helpen. Ik denk dat ze een heerlijke vrouw moet geweest zijn.' En weg is ze, met die typisch verende tred van orthopedische schoenen.

De verleden tijd die Jeanne gebruikt, doet Klara en Marion even slikken. Die verleden tijd blijft veel te luid hangen in de zaal. Ook het oude koppeltje schrikt er even van op en maakt aanstalten om weg te gaan. Klara rilt door een koude wind van nergens die plots door de cafetaria waait.

'Heb jij nog het vaak met Jess gehad over de... over wat A.J. deed? Nadat we het ontdekt hadden, bedoel ik', vraagt Marion na enige stilte met een hese stem terwijl ze geconcentreerd het witte mica tafelblad bestudeert. Sommige gesprekken verdragen geen oogcontact. Ook Klara neemt haar tijd om te antwoorden.

'Na het vertrek van A.J. eigenlijk nooit meer. Waarom ook. Hij was weg, doel bereikt, eikel. God, wat walg ik toch van die man. Marion... ik heb het jou nooit verteld en Jess ook niet, en ik wil nu al tegen jou zeggen dat het me spijt, maar er is iets wat je niet weet.'

Marion kijkt geschrokken op. Meer slecht nieuws kan ze echt niet hebben. Nu is het Klara die het tafelblad bestudeert, afgewisseld met steelse blikken naar buiten terwijl ze elk woord wikt en weegt.

'Herinner je toen we bij haar waren, tijdens onze examens, ze was toen hoogzwanger van Penny? A.J. toonde toen voor het eerst zijn ware gelaat. Toen was ik zo bang! Ik wist dat ik meer van die man te weten moest komen om Jess te kunnen beschermen... Toen al wist ik, noem het een ingeving, dat ik die blonde vrouw van de foto's, die Sarah, moest proberen te vinden. Heb jij het nooit vreemd gevonden dat die zo opeens met de noorderzon verdwenen was? Naar Amerika. Waarom? Was er iets gebeurd?'

'De enige die dat kon weten was A.J. zelf, toch? Je hebt het hem toch niet gevraagd?' kijkt Marion haar vriendin met open mond aan. Ze had dit nooit geweten, wat ergens knaagde want ze dacht altijd – en dat hadden ze in een indianenmoment ook met bloed gezworen – dat ze altijd eerlijk zouden zijn tegen elkaar en nooit geheimen hebben. Nu bleek Jess er volgens de verpleegster één te hebben, en Klara ook niet alles verteld te hebben! Ze voelt zich een beetje verongelijkt.

'Tuurlijk niet, tot een bepaald moment gedroeg hij zich, bij mijn weten, dus verwaterde het idee, maar een paar jaar later, die avond dat we bij haar thuis waren, toen ik net gedumpt was door die idioot van een Maurice en Jess en – wist ik achteraf pas – jij ook, zwanger waren, ontdekten we voor het eerst dat hij haar écht pijn had gedaan, weet je nog? Toen meende ik het echt. Ik moest gewoonweg iets doen om Jess te helpen want het was overduidelijk dat zij niet bij hem weg zou gaan met die twee kinderen. Het enige wat Jess wist was dat die vrouw in Amerika werkte.'

'Maar hoe ben je daar dan aan begonnen? Amerika is reusachtig! Misschien was ze er ook alweer lang weg.'

'Kijk, ik heb altijd gevoeld dat Jess een vreemd soort angst en jaloezie had ten aanzien van Sarah. Voelde ze dat A.J. haar heel graag had gezien? Liever dan haar? Was ze bang dat Sarah op een dag weer zou opduiken en haar huwelijk bedreigen? Geen idee, het enige wat ik haar over Sarah kon ontfutselen was dat ze schijnbaar zonder reden naar Amerika was vertrokken, en haar volledige naam. Zodra ik die had, ben ik op zoek gegaan. Ze bleek de dochter te zijn van d'Arteessens, inderdaad, graaf d'Arteessens, van Orville nv, de bierproducent. Sarah Agneska Orville d'Arteessens. Alstublieft. Mooie match voor

A.J.. Belachelijke naam heb ik het ook altijd gevonden, A.J., maar goed, toen vond ik het des te vreemder dat zo'n vrouw plots en in alle stilte naar Amerika was vertrokken. En je kent me, ik heb de zaak vanaf dan niet meer losgelaten. Af en toe moest ik op mijn tong bijten om jullie niks te zeggen.'

'En? Heb je haar gevonden?'

Marion hangt aan Klara's lippen. Even is ze de koele cafetaria vergeten.

'Ja, na een paar telefoontjes had ik haar al te pakken. Als mijn bedrijf failliet gaat, kan ik nog altijd detective worden. De leugentjes gingen me vrij vlot af. Weet je nog dat ik op een bepaald moment een paar dagen naar Amerika ben gevlogen, zogezegd in het kader van een seminarie? Gelogen. Ik ben naar Boston gegaan en ik heb me voorgedaan als een advocate voor Unilever die advies wou in verband met nieuwe procedures voor leveringen aan Franstalig Canada.'

'Ja, en? Heb je haar gezien?'

'Ja.'

Marion valt nu bijna van haar stoel. Met grote verbaasde ogen staart ze haar vriendin aan als zag ze haar voor het eerst. Klara ademt uit. Het opbiechten voelt bevrijdend aan. Geheimen passen haar niet.

'Wist Jess het?' maakt Marion zich druk.

'Neen, ik heb er lang over nagedacht en voor mezelf beslist dat het haar niks zou helpen. En ik had trouwens beloofd aan Sarah aan niemand iets te vertellen. Ik breek dus nu die belofte, maar goed, de situatie vergeeft me dat nu wel, denk ik.'

'Nou, ik ben anders helemaal klaar om het nu wel allemaal te horen', zegt Marion toch wel boos.

'Kijk, daar was ik inderdaad bang voor. Geheimen komen altijd uit en dan zijn mensen boos. Ik wist dat je boos zou zijn en daar had ik blijkbaar gelijk in. Zal ik toch verder vertellen?'

Marion knikt kort. Ze is te nieuwsgierig om lang boos te zijn. Ze wil een grote slok koffie nemen maar haar kopje is al lang leeg.

'Ik ben dus naar Boston gegaan en had een afspraak in haar kantoor. Ik mocht Sarah meteen. In levenden lijve is ze toch anders dan op de foto. Ze heeft perfecte maten en kleuren en toch is ze niet echt opvallend knap of aantrekkelijk. Innemend, dat past beter bij haar. Ze beweegt heel veel, heeft vrolijke bruine ogen en de tandpastaglimlach van op haar foto, dat wel. Ze gooit constant haar dikke bos blond haar achter haar schouders, spreekt met haar handen en kijkt je zonder knipperen de hele tijd aan. En ze denkt sneller dan jij het kan uitleggen, zodat je zelden je zin kan afmaken, iets waar ik meestal gek van word, maar haar vergeef ik het vreemd genoeg. Het klikte onmiddellijk, we voelden elkaar meteen aan. Ze was ondanks haar naam en afkomst helemaal niet verwaand en stelde zich gewoon voor als Sarah d'Arteessens.'

'Ben je niet snel door de mand gevallen? Leveringen aan Canada! Daar wist je toen toch helemaal niks over?'

'Zover is het niet gekomen. Ik draai niet graag rond de pot en liegen aan de telefoon ging nog, maar als je iemand in de ogen moet kijken, wat je bij haar echt niet kan omzeilen, is het toch nog wat anders. Ik heb haar dus meteen met de reden van mijn komst geconfronteerd.'

Met ogen als schoteltjes zit Marion Klara nu echt perplex aan te kijken.

'Mevrouw d'Arteessens, ik...'

'Sarah, alstublieft. Het woord *mevrouw* hoort enkel thuis op mijn businesskaartje, zo oud ben ik nog niet. Ik ben pas zesentwintig', lachte ze. Er stond een foto van een veel oudere man op haar bureau. Geen kinderen blijkbaar.

'Sarah. Ik moet me al meteen verontschuldigen. Mijn komst heeft niks met Unilever te maken.'

Sarah trok even haar wenkbrauw op en bekeek Klara nieuwsgierig, gelukkig niet boos.

'Je bent toch wel advocate?'

'Net afgestudeerd', gaf Klara eerlijk toe.

Toen moest Sarah pas echt lachen.

'Nou, dat heb je dan goed gedaan. Niña, mijn secretaresse heeft nochtans een neus voor zulke dingen. Goed dan, je bent hier nu toch en je komt van ver. Zeg het maar. Waarom ben je de oceaan overgevlogen om mij te zien? Er bestaat zoiets als de telefoon, weet je wel, of de fax?'

'Waar ik u over wil spreken, is te delicaat om zomaar even tussendoor te behandelen.'

Sarah lachte niet meer en keek Klara ernstig aan.

'Ben ik je geld schuldig? Heeft het iets met mijn vader te maken? Die heeft hier en daar wel een legertje vijanden verzameld. Mijn vader is bierproducent en het gebeurde weleens dat mensen iets ondertekenden waar ze de volgende dag spijt van hadden. En hoofdpijn.'

Toen was het Klara's beurt om te lachen.

'Neen, geen geld, geen foute contracten. Uw vader heeft hier niks mee te maken, uw vorige verloofde wel, A.J.'

Sarah keek oprecht verbaasd.

'Bedoel je Alex? Wat is er met hem? Als je van zo ver komt om over hem te praten, voorspelt dat niet veel goeds. Ik luister.'

Klara stak moedig van wal.

'Eén van mijn twee beste vriendinnen heet Jessie. Zij is getrouwd met A.J., samen hebben ze twee kinderen.'

Sarah knikte traag. Ze zag er ineens heel breekbaar uit, steunde even met haar volle gezicht in haar handen, richtte zich op en zuchtte.

'Ik denk dat ik weet waarom je hier bent. Het spijt me, Klara, maar ik wil eigenlijk met die man niks meer te maken hebben. Ik neem aan dat Maximiliaan je heeft gezegd waar je mij kon vinden?'

'Niet bewust, zal ik maar zeggen, maar u vinden was niet moeilijk toen ik uw volledige naam kende. Een openbare functie in een internationale firma, en met zo'n naam. Het spijt me echt dat ik u met dit alles overval maar... maar ik moest gewoon weten wat voor een man A.J. is. Hij is niet bepaald...

lief, zal ik me maar voorzichtig uitdrukken. En we voelen ons allemaal zo machteloos. Ik besef dat ik heel intieme vragen ga stellen maar... hoe was jullie relatie? Heeft uw vertrek naar Amerika iets te maken met het gedrag van A.J.? Ik besef dat ik u hiermee waarschijnlijk heel erg lastigval. Ik zou het echt begrijpen als ons gesprek hier zou eindigen.'

Sarah dacht even diep na. Ze stond op, schonk voor hen beiden een glas water uit, ging weer zitten, draaide het glas rond en nam een beslissing.

'Goed dan. Je lijkt me een vrouw die ik kan vertrouwen. Wat ik je nu ga vertellen, heb ik enkel nog maar aan mijn psycholoog verteld. Je vermoedens kloppen. Alex was inderdaad geen 'lieve' man, zoals jij het zo mooi omschrijft. Het was vooral een vreemde man. Hij liet niet in zijn kaarten kijken, kon het ene moment heel passioneel zijn maar dan sloeg dat plots om en werd hij, ja... gewelddadig. Maar... Alex was ook een heel verslavende man, weet je, hoe raar dat ook klinkt. Dus zweeg ik, vreemd genoeg. Als we maar over iets zwijgen, bestaat het niet, weet je wel. Toen ben ik naar hier verhuisd, ik kon niet meer. Twee jaar ben ik hier privé in psychologische behandeling geweest. Jaren van woorden en nog eens woorden, maar de etter zit diep in mijn ziel. En dan zwijg ik nog over de schaamte, die belachelijke maar zo overheersende schaamte die maakt dat je tòch denkt dat het op de één of andere manier jouw schuld is, dat je het verdient om zo behandeld te worden. Je moet echt een vrouw zijn om zulke gevoelens te hebben, is het niet?'

Ze pauzeerde even om een slok water te drinken. Ze wikte en woog haar woorden.

'Wat zijn we complexe, soms redeloze wezens. Eén dag een man zijn, dat zou ik ooit eens willen. Maar ik wijk af, dat krijg je van al die therapieën, je analyseert alles blauw.'

Klara zweeg en luisterde, bang dat als ze ook maar zou kuchen, Sarah niet verder zou vertellen, wat ze gelukkig wel deed.

'Alex is... Alex heeft twee persoonlijkheden: er is de overdonderende, innemende man die iedereen kent en waar je meteen voor valt, en er is een donkere kant die psychologen natuurlijk onmiddellijk zouden toewijzen aan het feit dat hij zijn moeder zo vroeg verloren is. Niks of niemand kan ooit een mama vervangen. Tot daar ben ik akkoord, maar niet alle kinderen die hun moeder verliezen, worden gemeen, zo denk ik er tenminste over. Psychologen zoeken voor alles een uitleg. Daarvoor worden ze betaald. Als je het mij vraagt is er met Alex meer aan de hand. Ik weet dat het heel erg Jekyll en Hyde klinkt, maar hij kon van de ene seconde op de andere iemand anders worden. Plots was hij lief, dan gemeen, of omgekeerd, en meestal zonder enige aanleiding. Ik heb geprobeerd hem te doorgronden, ik ben hem gevolgd, ik heb hem zelfs laten volgen, ik heb ruzie gemaakt, hem gesmeekt zich te laten onderzoeken. Hij bagatelliseerde alles of liet uitschijnen dat het mijn schuld was. Soms bleven de slechte momenten ook zo lang uit dat ik ze bijna vergat. Hij was dan ook een echte heer die bloemen meebracht, cadeautjes, mijn ouders ophemelde en voor mij wel eens een gedicht schreef.'

Klara knikte. Het klonk allemaal zo herkenbaar.

'Maar goed, ik verdedig alweer mezelf. Ik ben veel te lang bij hem gebleven, ik snap zelf niet waarom. Verliefdheid zeker? Op een dag gingen we eten bij Maximiliaan. Die nam me speels bij mijn pols en keek vragend op toen ik kreunde. Ik kon hem niet tegenhouden toen hij mijn mouw opstroopte. De vingerafdrukken waren duidelijk te zien. Hij schoof snel mijn mouw terug en zei niks meer. Alex had het gelukkig niet gezien, dacht ik. Maar hij had het wel gezien. Die avond heeft hij me bont en blauw geslagen, zo hevig had ik hem nog nooit meegemaakt. Mijn onderbuik deed pijn en ik bloedde. Pas veel later zou blijken dat mijn baarmoeder zo geraakt was dat ik nooit kinderen zou kunnen krijgen. Daar moet ik nu elke dag mee leven.'

Klara zweeg en luisterde. Sarah vertelde verder, ze wou haar verhaal duidelijk afmaken.

'Ik kon die nacht bevend en bloedend weglopen, ik wou onmiddellijk naar de politie, maar ik besefte dat ik intuïtief naar Maximiliaan reed. Mijn schoonvader, stel je voor. Vraag me niet waarom. Een mens doet vreemde dingen op momenten dat hij niet bewust nadenkt. Ken je dat gevoel?'

Klara knikte en dacht even aan al haar mislukte affaires met mannen, maar Sarah gaf haar gedachten geen tijd om af te dwalen.

'Alex volgde mij gelukkig niet. Ik kalmeerde. Maximiliaan deed met slaapogen en in pyjama open. Ik hoefde niets te zeggen. Hij wist het. We hebben samen beslist om de politie niet in te schakelen om een mogelijk schandaal te vermijden. Ik ben die nacht daar gebleven, Alex is me niet komen halen. Ik bevond me dan ook op de enige plek op de planeet waar hij niet zou komen zoeken.'

Beide vrouwen keken elkaar aan. Er viel een stilte die nodig was om de laatste zinnen te laten bezinken. Een stilte van begrip. Dan stond Sarah op, vulde opnieuw haar glas en liet de herinneringen van zich afglijden.

'Het doet me verdriet te horen dat Alex weer bezig is. Weet Maximiliaan hiervan?'

'Dat heb ik hem niet gevraagd', antwoordde Klara. 'Stel dat hij het niet weet en ik gooi het in zijn gezicht? Het is ook niet aan mij om hem dat te zeggen. Ik ben vooral bezig met Jess en zelfs met haar hierover praten is al moeilijk.'

Sarah knikt begrijpend.

'Ik weet het. En weet je wat het ergste is? Ik heb altijd geloofd dat iemand als Alex kan genezen worden. Ach, dat maakte – en maak – ik mezelf tenminste altijd wijs, ondanks een verbod van mijn laatste therapeut om dat te denken, omdat het alweer een vergoelijking is van niet tolereerbaar gedrag. Help Jess: ze mag dit niet toelaten.'

Met dwingende ogen keek Sarah Klara aan.

'Alex heeft nog andere zaken op zijn kerfstok. Veel ergere dingen, met vrouwen. Hij weet dat ik dat weet. Daarom is hij mij niet gevolgd naar Amerika. Hij weet heel goed dat als hij ook nog maar één vinger naar mij uitsteekt, ik hem aangeef bij de politie met bewijsbare feiten waarvoor hij jarenlang de gevangenis indraait.'

Klara schrok door de rust en de kracht waarmee Sarah dit zei.

'Kijk, de beste oplossing voor je vriendin is zo snel mogelijk scheiden. Als ze daar klaar voor is, ik heb ook te lang gewacht. Veroordeel haar er niet om. Ze heeft kinderen. Ik zal helaas nooit weten hoe dat voelt en ik idealiseer het daarom misschien, maar ik kan aannemen dat moeders uit liefde voor hun kinderen door het stof kruipen. Ik ben in ieder geval blij dat ik nu een hele lieve man heb die minder plaats inneemt in deze wereld dan Alex, maar bij wie ik me niet elke dag moet afvragen in welke stemming hij zal zijn als hij thuiskomt. Mijn leven is rustig nu, heerlijk voorspelbaar, een verademing na de rollercoaster met Alex. Ik ben echt gelukkig nu met Haley.'

Klara keek mee naar het portret van de man op de foto op haar bureau. Hij had lieve, doorleefde ogen.

'Maar waarom moest u zonodig weg uit België?'

'Omwille van mijn naam. Een verloving is in onze kringen heilig. Je verbreekt die niet zomaar, zeker niet als vrouw. Dat zou een grote smet op onze naam gelegd hebben, met mogelijk zware financiële gevolgen voor het bedrijf van mijn vader. Het klinkt allemaal misschien wat uitvergroot voor u, maar zo gaat dat nu eenmaal in de kringen waar ik geboren ben. De enige elegante manier om van Alex af te geraken, was zogezegd voor mijn werk naar het buitenland moeten vertrekken. En dat heb ik gedaan, met de hulp van Max die er alles voor over had dat de reputatie van zijn enige zoon intact zou blijven. En ook wel omdat we elkaar heel graag mochten. Mijn eigen ouders hebben nooit de ware reden geweten van mijn plotse vertrek. Mijn vader neemt het me tot op vandaag nog altijd kwalijk, maar ik heb het voor hem gedaan. Weet je dat hij me nog nooit is komen bezoeken? Nochtans heeft hij een grote brouwerij in Connecticut, niet zo ver van hier.

Ik kan hem de waarheid niet zeggen.'

Even zweeg Sarah. De herinneringen die terugkwamen, deden haar zichtbaar pijn. Ze stond op om zich nog een glas water in te schenken.

'Gek hoe je bepaalde dingen niet gezegd krijgt aan hen die je dierbaar zijn, en met gemak aan een wildvreemde.'

Even werd de ernst van het gesprek gebroken door een lach. Sarah ging voor het raam staan en keek uit op niks dan hemel, zo hoog was haar kantoor. Ze draaide zich om, schudde haar dikke bos haar uit gewoonte naar achter en lachte de onaangename herinneringen weg. Alles was gezegd.

Marion zit met nog altijd grote ogen en open mond een beetje verongelijkt te luisteren. Ondertussen gonst er een zacht geroezemoes door de cafetaria. Het namiddagbezoek is aangekomen. De caissière heeft haar boek weggelegd en tikt goedgeluimd cijfertjes in.

'Dat was het zowat. Ben je boos?' vraagt Klara.

Marion denkt na.

'Boos niet echt. Een beetje misschien. Ik had het graag geweten, dat is alles. Ik hou niet van geheimen. Op een dag doe je er iemand pijn mee. Geheimen zijn zwarte gaten die alles rustig opslokken tot er niks overblijft.'

De twee vriendinnen zwijgen even. Het is veel voor Marion. Ze wordt geplaagd door herinneringen.

'Jess heeft dit nooit geweten?'

Klara schudt het hoofd.

'Ik heb meermaals geprobeerd haar te vertellen wat ik wist, zonder te zeggen dat ik achter haar rug om naar Amerika was gevlogen. Ik wist het *via via*, zogezegd. Het stemde haar gerust te weten dat Sarah ver weg zat en gelukkig was, maar zodra ik begon over wat A.J. haar had aangedaan, blokkeerde ze helemaal. Ze wou er niks over horen.'

Penny komt plots de ondertussen volgelopen cafetaria binnengehold. Iedereen draait gestoord zijn hoofd. Haast past niet in de cafetaria.

'Mama heeft haar ogen open!'

Marion en Klara springen als gebeten overeind en hollen achter Penny. Zie je wel dat Jeanne kan toveren. De rust keert snel weer in de cafetaria en de luie gesprekken hervatten.

Woensdag 21 augustus 2000, 17.57

Gelukkig maar dat een mens zijn toekomst niet kent.

Alles in orde, meneer?' stak Anna bezorgd haar hoofd even binnen in het bureau van meneer Alex. Ze had die net krachtig horen dichtklappen in het anders zo rustige kantoor. 'Zeker, Anna', antwoordde hij kortaf, wat niet zijn gewoonte was. De laatste klant was net weg, de helft van het personeel was met vakantie en zij stond op het punt alles af te sluiten. Enkel meneer Alex en meneer Maximiliaan waren er nog.

'Sorry voor het storen dan, als u mij nodig heeft...'

Zo stil mogelijk sloot Anna de deur met een brede zorgrimpel om haar neus. Ze bleef even in de gang staan die geurde naar oud parket en wijsheid. Meneer Maximiliaan had zeer geagiteerd voor het bureau van meneer Alex gestaan. Zo had ze hem nog nooit gezien. Hij is nooit boos. Behalve die ene keer toen een stagiair één van de oudste klanten van het kantoor niet binnen had gelaten omdat het vijf voor zes was. Zijn carrière bij het kantoor was daarmee meteen bezegeld. Van binnen kwam de boze stem van meneer Maximiliaan, maar de deuren stamden nog uit een tijdperk dat ze geluiden konden vangen en liet koppig geen geheimen door. Anna stapte traag terug naar haar balie. Ze was te integer om te blijven staan luistervinken, al was het moeilijk. Wat was er aan de hand?

'Waarom kon je mij dat zelf niet zeggen? Ik vond al dat je er vreselijk uitzag vanmorgen. Heb je gevochten? Jij en Jess zijn uit elkaar sinds zaterdag en jij vindt het niet nodig mij dat te vertellen? Ik moet dat nu net horen van een klant die Gust en Maureen kent. Slecht nieuws reist snel, heel snel. Zo snel dat zelfs ík, je vader, het nog niet wist. Hoe denk je dat dat voelt? Ik zakte door de grond! Natuurlijk heb ik gespeeld of ik het wist: *jammer inderdaad maar ach, tegenwoordig is scheiden de standaard geworden, meneer, wat wilt u. Bon, wat uw zaak betreft...* Ik ging door de grond! Ràzend ben ik, echt razend! Waar ben je trouwens geweest sindsdien?'

Maximiliaan zag er ongezond rood uit.

'Dat zijn je zaken niet!' beet A.J. van zich af.

'Gisteren was het zondag! Ik ben de ganse dag thuis geweest! WAAR WAS JE? Zat je bij een andere vrouw? En hoe moet het nu met Nick en Penny, he? Heb je daar al eens over nagedacht?' spuugde Maximiliaan in het gezicht van zijn zoon.

A.J. bleef opstandig zitten, en weigerde zijn vader daarmee het nodige respect. Maximiliaan kwam met tranen van woede dreigend dichter bij het bureau van zijn zoon.

'Je moeder zou zich omdraaien in haar graf als ze dit wist', diende hij zijn zoon de genadeslag toe. Door die woorden schoot A.J. uit zijn stoel, gooide door zijn abrupte beweging de foto van zijn moeder om en zei woest: 'Zeg dat niet. Dat is niet waar. Mama was altijd trots op me! Zeg dat het zo is, zég het!'

Na de dood van zijn moeder was de grond onder zijn voeten weggezakt en hij trappelde woest om zich heen, wanhopig op zoek naar zekerheden die hij nergens vond, en niemand begreep wat hij zocht. Hij verstopte zijn ondraaglijke verdriet achter een zelfzekere, aantrekkelijke lach die overal paste en men geloofde erin. Niemand keek diep genoeg in zijn ogen om te lezen dat hij kopje onder was gegaan en niet boven geraakte. Zeker zijn vader niet. Die had zich na de dood van Sofia helemaal op zijn werk gestort. Na een tijdje vond iedereen dat A.J. er nu wel overheen zou zijn, *je kan niet blijven rouwen, hè jongen? Mama is in de hemel.* Niet waar, want dan zou ze van daaruit wel maken dat hij niet zo'n verdriet had. Als hij vroeger verdriet had, zong ze voor hem of vertelde ze lange verhalen van haar voorvaderen in Marokko, met veel personages, verhalen die nooit echt eindigden omdat hij meestal voor het einde in slaap viel. De wereld in de armen van zijn moeder was veilig en rook naar muskus en rozen. Nu was de wereld veranderd in een plek vol felle kleuren waar in elke hoek gevaar schuilde en elk doel ontbrak. Punten op school, zijn kamer opruimen, mooie tekeningen maken, een boek uitlezen. Hij zag er het nut niet meer van in. Nooit meer zou hij dat aparte gezicht zien glunderen, die nachtdonkere ogen zien blinken van liefde omdat hij iets nieuws kon. Haar lach kwam van diep vanbinnen en deed haar ganse lichaam schudden, een lichaam dat altijd warm was en waar het zijne in paste als een molletje in zijn holletje, dat zei ze altijd als hij in haar armen kroop om de wereld even te doen verdwijnen en rust te vinden. Opgroeien was soms een zware, vermoeiende bezigheid. Dan streelde ze zijn haar, zoemde in zijn oor als een bij en als hij goed luisterde, hoorde hij haar buik zingen. Als hij in haar ogen keek, zag hij zichzelf heel klein en las daarin dat hij best oké was. Dan kropen er allemaal rimpeltjes rond haar ogen en zag hij een lach opborrelen. Zij maakte alles zon en geel en goed. En hij was dat op één seconde tijd allemaal kwijt. Hij zocht en zocht maar vond nergens dezelfde kleur geel. Hij keek naar alle vrouwen op straat maar geen enkele lachte vanuit de buik. Hij hief zijn gezicht naar de zon maar die gaf geen warmte. Waar vroeger in zijn buik een molletje liefde zat, was nu een steen, een koude steen. Als een warm molletje in je buik, zo had ze liefde aan hem uitgelegd. Het molletje was mee gestorven met zijn moeder.

Sinds die dag veranderde hij van gemoed door een geluid, een geur, een blik. Dat was vreselijk vermoeiend voor de mensen om hem heen en in de humaniora merkte hij dat zijn klasgenoten er zich aan stoorden. Hij stelde zich dan maar een imago samen uit alles wat hij leuk vond aan anderen. En zo creëerde hij met vallen en opstaan de A.J. die iedereen kende: stoer en zelfzeker, grappig en charmant. Het werkte. Op de universiteit werd hij zelfs een populaire jongen, niet in het minst door zijn snelheid van denken en zijn ontegensprekelijke mannelijkheid die hij door veel sporten accentueerde. Aan elke hand kon hij tien studentes krijgen. Hij liet ze maar mondjesmaat en voor eventjes toe, bang dat ze een geur of een zin zouden meebrengen die zijn schild zouden doen afbrokkelen en hem lieten zien zoals hij was. Hij wist zelf niet wie hij was. Hij zocht in hun stem naar de lach van zijn moeder, hij zocht in hun lichaam de warmte van haar zon, maar de steen in zijn buik bleef koud. Liefde vond hij nooit. Die had hij jaren geleden begraven. Hoe hij ook zijn best deed, soms liep het toch grondig fout met zo'n meisje als hij weer eens niet had gevonden wat hij zocht en het meisje daar de schuld van gaf. Een paar keer was het heel erg fout gegaan en had hij gelukkig haar zwijgplicht kunnen kopen. Aan geld was er nooit gebrek. Thuis was de enige plek waar hij zich kon ontspannen. Daarom hield hij ook later zijn huis clean en vrij van al te veel afleiding. Maar vrouwen brachten dat altijd in de war. Die hulden het huis in hun geuren en kleuren die hem allemaal van zijn stuk brachten tot hij niet meer wist waar zijn hoofd stond.

Sarah was de eerste die hij echt had toegelaten in zijn cocon. Als hij naar haar keek, maakte haar betoverende glimlach hem mak, haar ogen konden hem dwingen van haar te houden en haar lach bracht de eerste maanden even de illusie van echte liefde. Hij kon het. Hij was als iedereen. Naar de buitenwereld toe overlaadde hij haar met complimentjes, enkel maar om te verbergen hoe angstig hij vanbinnen was. Schoorvoetend liet hij haar toe, stapje voor stapje, tot het mis ging en hij kon er weer niks aan doen. Was het een geur? De wind? Hij hield niet van wind. Wind was onrustig. Wind bleef zitten in zijn bloedvaten en bracht hem in de war. Hij kon nooit helder denken als het waaide. Hij zag de lach van Sarah wegsterven toen ze naar zijn gezicht keek nadat hij haar nog maar eens had geslagen en haatte zichzelf. Toch bleef het gebeuren. En toen was Sarah weg.

Van Jess hield hij ook – dacht hij toch, want hij had geen idee hoe liefde voor een vrouw dan wel moest voelen – maar anders. Jess was wild en ontembaar en vrouwelijk, net als zijn moeder. Even voelde hij weer haar warmte en was de steen in zijn buik weg. Jess kon hem aan. Dacht hij. Helaas. Niemand kon hem aan, zelfs hijzelf niet. En nu was ook Jess weg.

'Ja zoon, Sofia was trots op jou,' moest Maximiliaan toegeven. Hij liet zich zakken in de fauteuil voor de klanten en wreef over zijn vermoeide ogen, 'jullie zijn beiden ontembaar. Ook Jess doet me vaak aan haar denken. Mea culpa, zoon, ik heb na haar dood zoveel tijd nodig gehad voor mezelf dat ik geen oog had voor jou. Ik keek naar je, zag je lachen en dacht dat het wel ging. Sofia was een fantàstische moeder en vrouw, alles wat schoonheid was, zat in haar. Zij was wat de natuur bedoelde toen ze de vrouw schiep. Elke minuut met haar was een mensenleven waard. Ik raakte niet op haar uitgekeken, kon niet slapen als ik haar stem niet had gehoord. Zij maakte van mij de beste versie van mezelf. Geen mens heeft ooit zo om een vrouw gerouwd dan ik, dat kan God of wie daar ook boven zit, getuigen. Moeders, Alex, zijn het cement van de maatschappij, zij houden de boel bij elkaar, wat er ook gebeurt. Alle moeders zijn allemaal een stukje Maria: ze staan overal boven. Daarin heb ik een mediterrane ziel. Een kind dat zijn moeder niet eert, is haar hart niet waardig. Jij en je moeder... dat was... dat... jullie waren écht een donkere Maria en kind. Jullie band was zo sterk dat zelfs ik er jaloers op was. Ik geef dat grif toe. Zoals ze naar jou keek... die blik heb ik nooit gekregen. Ze had liefde voor veel kinderen maar de natuur heeft ons dat niet gegund. Het zij zo. De dood van Johannes heeft haar drang naar 'geven' alleen maar groter gemaakt. Zo was ze. Ze zou het vreselijk vinden dat jij en je vrouw uit elkaar gaan.

Stug keek A.J. zijn vader aan. Hij had zich tijdens zijn vaders monoloog meer en meer zitten opwinden. Beheerst maar niet mis te verstaan beet hij van zich af.

'En wisten die roddelklanten van je ook waaróm we uit elkaar zijn?'

Maximiliaan schrok van de heftigheid waarmee de vraag werd gesteld.

'Neen? Zal ik het je vertellen?' stiet A.J. met een vreemde stem uit.

Maximiliaan deinsde achteruit in de fauteuil. Hij herkende zijn zoon niet meer.

'Omdat ik mijn vrouw sloeg! Omdat ik mijn vrouw neukte als ze niet wou! En weet je waaróm ik dat deed?'

A.J. was vanachter zijn bureau gekomen en stond nu vlak voor de fauteuil. Hij pootte zijn handen op de leuningen en bracht zijn gezicht tot voor dat van zijn vader.

'Omdat ik jou gódverdomme net hetzelfde heb zien doen!' gooide hij hem in het gezicht, zo heftig dat zijn speeksel in het rond spatte. 'Met al je geleuter over je fantastische vrouw, je slóeg ze, verdomme! Jij sloeg mijn fantastische moeder, keer op keer, of dacht je dat ik dat niet wist, hè? Dacht je dat echt? Dat ik als kind doof en blind was? Wat ik ook deed, het was nooit goed genoeg, je zag het niet, je was er toch nooit. En de mensen maar geloven wat een halve heilige je bent. *Alles wat schoonheid was, zat in haar...* Huichelaar! Ja, mama zou zich omdraaien in haar graf, maar niet omwille van mij! Niet omwille van mij! Door wat JIJ haar hebt aangedaan.'

A.J. zakte door zijn knieën en huilde als een klein kind.

'Dus stop met je leugenachtige woorden en laat mij tenminste de illusie van mijn moeder. Voor al de rest is het te laat, mama is weg en Jess is weg. Laat het. Laat mij gerust', snikte hij.

Maximiliaan had zich niet bewogen en zat als versteend in de fauteuil. Zijn handen omklemden de leuning, tranen drupten op zijn broek. De hoog opgelopen emoties hingen zwaar in de kamer. Van op de foto die slordig horizontaal op het statige walnoothouten bureau lag, lachte Sofia hen beiden onwetend toe. Gelukkig maar dat een mens zijn toekomst niet kent. Die dag van de foto was ze één en al leven en liefde. Ze wist toen nog niet wat komen zou en hoe onheus het leven haar gezind zou zijn.

A.J. stond op, wreef zijn gezicht droog met zijn mouw en stapte gebroken de kamer uit.

Zo gaat het dus, ze is gewoon weg...

'Gaat het?' vraagt Jim bezorgd. Hij is er niks gerust in. Een paar dagen geleden had iedereen eventjes totaal ongegronde hoop dat Jess weer wakker was en alles weer goed zou komen. Als in een sprookje, en ze leefden nog lang en gelukkig. Maar de dokters haalden hen snel uit hun illusie. Oogleden zijn spieren en die kunnen onbewust samentrekken, meer was het niet. Haar toestand bleef wat het was. Die desillusie was er voor Nick teveel aan. Sindsdien leeft hij in het ziekenhuis. Hij is er zelfs in geslaagd een matras in de kamer te krijgen, iets wat meestal niet wordt toegestaan. Maar iedereen van het personeel kan alleen maar bewondering opbrengen voor die jongen met de te grote pet die bij zijn moeder waakt als een hond. Soms sterven hier mensen waar geen kat naar omkijkt. Dan moeten ze op zoek naar verre familie die liever niet wil opdraaien voor welke kosten dan ook. Het is telkens jammer een voorbij leven te zien afvoeren naar niemandsland, zonder bloemen, zonder tranen. Soms hebben de stervenden wél kinderen maar die hebben het te druk om met hun ouders bezig te zijn. Zelfdunk is een fulltimejob. Het is bedroevend. Neen, dan is het hartverwarmend te zien hoeveel mensen er de vrouw in kamer 52 bezoeken. Allemaal worstelen ze met de loerende dood, maar ze doen hun best, elk op hun vaak onbeholpen manier.

Nick beantwoordt Jims vraag niet maar haalt zijn schouders op. Het is moeilijk tot hem door te dringen. Hij doet hem heel erg aan zichzelf denken op die leeftijd. Als je zestien bent ziet de wereld er vijandig uit en onbevattelijk. De wereld is eigenlijk te groot. Het is een hele opgave daar je veilige plekje in te vinden. Er moet ook zoveel. Je moet gelukkig zijn. Je moet een carrière uitbouwen die je liefst ook nog voldoening schenkt en als het helemaal af is, ook nog eens glans en glorie oplevert. Je moet. Je moet. Je moet. Terwijl puber zijn net draait om niks moeten. Begin er dus maar eens aan. Jim doet niet mee aan de 'vroeger-was-alles-beter'- en 'de-jeugd-van-tegenwoordig'- gesprekken. Hij voelt mee met de jongeren en natuurlijk gaat zijn hart uit naar die kwetsbare kerel voor wie hij al meer jaren surrogaatvader speelt en die de beproeving van zijn leven doormaakt. Maar Nick verbergt zijn verdriet achter zijn pet en zijn te lange haar. Ze zijn zelden alleen geweest sinds de dag dat Jess is opgenomen. Jim wil een laatste poging wagen.

'Waaraan denk je?'

Alweer haalt Nick zijn schouders op. Hij ploft neer in de namaaklederen gifgroene ziekenhuiszetel en staart naar de lucht die alle tinten oranje en geel probeert te verzoenen. De buitenwereld straalt een onbetamelijke rust en zomervrolijkheid uit. Jim probeert het anders.

'Heb je al eens gedacht waar je wil wonen als... straks? Alleen in dat grote huis lijkt me wat moeilijk. Penny zal er wel blijven wonen, neem ik aan. Ze is oud genoeg. En Sam is er ook nog natuurlijk. Zal ik je eens zeggen wat ik stiekem denk? Ik heb zo'n voorgevoel dat Maureen in het grote huis gaat wonen, bij jullie, om jullie heerlijk te verwennen en zo toch met beide benen in het leven te blijven staan. Dat zal voor haar al moeilijk genoeg zijn. Als je jouw leeftijd hebt, Nick, ga je ervan uit dat grootouders samen de eeuwigheid zullen instappen, maar dat is helaas vaak schijn. Veel oudere koppels blijven gewoon samenwonen omdat ze nog uit een katholieke tijd stammen, toen het huwelijk half heilig was. Ze bleven bij elkaar voor de kinderen, voor de kleinkinderen, voor de beleggingen, voor het huis, voor de gedeelde herinneringen.'

Van onder zijn petrand kijkt Nick Jim nieuwsgierig aan. Zo had hij nu nog nooit over zijn grootouders nagedacht. Grootouders 'zijn' gewoon, daar stel je je geen vragen bij.

'Daarom zou het me niets verbazen als Maureen bij jullie zou intrekken en Gust in hun huis blijft wonen. Je kijkt me zo aan? Ik weet het ook allemaal niet, hoor. Ach, je weet pas of liefde echt is na lange tijd. Als je dan naar iemand kijkt en je voelt je gelukkig gewoon omwille van iemands bestaan in jouw leven, dan is het echt. En bij je moeder... God zeg, ik ben in mijn bekentenisdagje maar ik wil echt dat je dit weet: bij je moeder heb ik dat gehad vanaf de eerste dag dat ik haar zag. Ik ken niks van aura's en al die dingen, maar ik voelde die dag wel dat ik in die van haar opgezogen werd. Je moeder is een overweldigende vrouw, Nick, je mag trots zijn dat je haar zoon bent want je hebt veel van haar geërfd, innerlijk. Verbaast het je, wat ik zeg over je moeder?'

Nick kijkt lang naar zijn handen en peutert met zijn lange duimnagel wat vuil van onder zijn andere nagels.

'Nick?'

'Neen. Neen, het verbaast mij niet.'

'Stoort het je?'

Alweer schudt Nick zijn hoofd. Steels kijkt hij naar Jim.

'Nu ik toch bezig ben... een paar dagen geleden heb ik je moeder ten huwelijk gevraagd.'

Nu heeft Jim Nicks volle aandacht.

'Waarom?'

Jim moet ondanks de vreemde situatie lachen.

'Omdat ik van haar hou, dat probeer ik nu al een paar minuten te zeggen.'

'En wat heeft ze geantwoord?' vraagt Nick nieuwsgierig. Volwassenen doen altijd dingen die je duidelijk maken dat je nog niet volwassen genoeg bent om alles te mogen weten. Zijn moeder... trouwen met Jim. Cool. Oké.

'Helaas is je mama in een diepe slaap gegaan zonder mij te kunnen antwoorden. Ik vrees dat ik nooit zal weten wat haar antwoord zou zijn.'

'Maar... mama zal toch niet meer genezen? Waarom zou je dat dan nog doen? Kon je haar niet gewoon zeggen dat je van haar houdt? Houdt zij dan ook van jou? Zoals ze van papa heeft gehouden?'

Jim staat op, wandelt glimlachend om zoveel vragen naar de vensterbank naast Nick en gaat erop zitten. Hij legt vaderlijk zijn hand op zijn schouder.

'Ik hoop van wel, Nick, en ik vertel je dit omdat ik wil dat je je moeder voor altijd zou kennen zoals ze echt was. Kinderen leren hun ouders vaak pas echt goed kennen als ze zelf kinderen hebben. Jij zal het moeten doen met herinneringen. Hield zij van mij? Ik ben zo vrij daar met een voorzichtige 'ja' op te antwoorden. En waarom dan nog trouwen? Als symbool, nadat je alle maatschappelijke conventies hebt opzij gezet en gewoon trouwt omdat je daar zin in hebt, ondanks wat iedereen wel eens zou kunnen zeggen. Als je leeft naar wat iedereen wel van je daden zou kunnen zeggen, Nick, geraak je ook overal, maar nooit waar je levenspad je had willen heenvoeren. Klink ik nu al bejaard?' lacht Jim. Ook Nick lacht aarzelend.

'Zou ik je dan papa moeten noemen?'

'Als je dat maar laat, Jim is goed genoeg. Maar goed, je moeder zal nooit ja kunnen zeggen, dus stelt de vraag zich niet.'

Beiden kijken ze naar het bleke gezicht van Jess. Zoals al honderden keren schrikken ze zich te pletter omdat ze schijnbaar niet meer ademt. Ze haasten zich naar het bed en nemen elk een hand. Jim legt zijn oor aan haar mond om ademtocht op te vangen. Het blijft stil, zelfs geen zuchtje, enkel een vage geur van kaneel. Nick voelt panisch haar pols maar ook die zwijgt. Haar borstkas ligt ademloos stil. Ze is weg. Zo gaat het dus. Jess is gewoon weg. De dood moet tijdens hun gesprek in de kamer geslopen zijn om haar mee te nemen en ze hebben hem niet gezien. Hij had volgens de dokters pas afspraak op 23 augustus, maar hij heeft zich niet aan de afspraak gehouden.

Epiloog

De dagen nadien verlopen in complete chaos en verdriet. Je bent nooit voorbereid op de dood. Tranen druppen op het geboende linoleum, in de belendende kamers van de palliatieve afdeling luistert men bang naar wat ook hen te wachten staat, velen alleen, sommigen met een troostende hand in de hunne. Buiten schemert de dag nog even door maar de augustusnacht valt verrassend vroeg in. Jeanne is even langsgekomen, ook al heeft ze geen dienst. Ze voelt altijd heel erg mee met de families, zeker met deze die ze toch wel iets beter heeft leren kennen. Ze moet hen ook nog iets zeggen, twee onder hen toch. Dat was Jess' laatste wens.

'Ik heb haar niet meer kunnen zeggen hoeveel ik van haar hou, Jeanne', snikt Klara bijna in haar armen want ze zijn er allemaal, 'dat had ik haar zo graag nog één keer willen zeggen. Er was nog zoveel Jess dat ik had willen leren kennen. Wat voor een vriendin kan je toch zijn als je iemands diepste geheimen niet kent?'

'Maak niet de makkelijke fout jezelf op te zadelen met schuldgevoelens,' wijst Jeanne haar onmiddellijk terecht, 'daar doe je de doden geen plezier mee. Je moet aan hen denken met een lach en enkel onthouden wat mooi was, de rest moet je voor je eigen rust vergeten, het is toch te laat iets aan het verleden te veranderen. Wat was, dat was. Laat het rusten. En als je ik jullie hierin kan helpen: ze is in vrede met zichzelf en verlost van alle lasten die eventueel op haar drukten, gestorven. Wie ze nog iets wou zeggen voor ze onze wereld verliet, zal dat zeker te weten komen.'

Jeanne kijkt Klara indringend in de ogen met haar handen op Klara's benige schouders die als puur verdriet aanvoelen. Klara snottert en probeert te bevatten wat Jeanne zegt. Marion staat er bibberend naast, zo overweldigd door de kracht van het nochtans vooraf aangekondigde verdriet dat ze bijna niet op haar benen kan staan. Maureen en Gust staan naast elkaar, gebroken aan het bed waarin hun tweede dochter broos en koud opgebaard ligt, met één witte roos in haar handen. Penny huilt met tussenpozen in de armen van Sam. Monica loopt in en uit, haalt voor iedereen koffie, sust en troost. Wat vreemd om met iemand in een kamer te zijn die er zelf niet meer is. Jeanne gaat achter Jim staan. Die vindt geen woorden van troost voor Nick en staat naast hem in het raam te staren dat door het donker buiten en het lamplicht binnen, een spiegel is. Jeanne praat tegen hun ruggen maar kan in het raam hun gezichten zien.

'Wat lijk je op je moeder, hè Nick?' breekt ze met stille stem het ijs. Teveel medelijden helpt niemand en wat ze te zeggen heeft, gaat niemand behalve hen aan. De anderen in de kamer hoeven dit niet te horen. Nick en Jim draaien zich niet om. Nick is te bang van tranen.

'Ze was een fantastische vrouw maar dat hoef ik jullie niet te vertellen. En jullie twee, wat lijken jullie ook op elkaar. Die kaaklijn, die wenkbrauwen, dezelfde kleur van ogen, zelfs jullie manier van staan is identiek. Was jullie dat nog nooit opgevallen?'

Aandachtig kijken Jim en Nick naar elkaars gezicht in het spiegelraam. Langzaam dringt de betekenis van wat Jeanne hen probeert duidelijk te maken, tot hen door. Met ingehouden adem vraagt Jim, nog altijd zonder zich om te draaien.

'Waarom zegt u dat?'

'Jess is even heel even bij bewustzijn geweest, vroeg gisterennacht, tijdens mijn dienst. Dat heb je wel vaker net voor mensen gaan sterven. In de lijnen van jullie gezichten lees je wat ze me verteld heeft. Jullie kijken naar haar woorden.'

BAR VDW